あなたの相続税を

あなたには相続税がかかる？

財産の種類	評価の目安						
自宅の敷地 *1	路線価 *2 万円	×	(330m²までの部分) m²	×	20%		
	路線価 万円	×	(330m²超の部分) m²	×	1		
貸家の敷地	路線価 万円	×	m²	×	80%		
自宅の家屋	固定資産税評価額 万円						
貸家の家屋	固定資産税評価額 万円			×	70%		
預貯金・現金	残高 万円						
上場株式	取引価格 万円						
ゴ	価格 万円			×	70%		
生	万円	−	500万円	×	法定相続人数 人		
死亡退職金	退職金 万円	−	500万円	×	法定相続人数 人		
その他	時価 万円						
贈与財産 *3	贈与時の価格 万円						

＊1 自宅敷地の評価は、配偶者または同居の子どもが相続する自宅の敷地に「小規模宅地等の特例」を適用する場合を想定しています。ケースにより評価額が変わりますので詳しくは88ページを参照してください。
＊2 路線価が不明のときは公示価格の80％とします。
＊3 相続時精算課税制度を選択した(または選択予定の)子どもへの贈与財産を加算します（詳しくは60ページ参照)。なお、ここでは相続開始前7年以内※の贈与財産(18ページ参照)は考慮しません。

※令和8年12月31日までは実質3年以内（3ページ参照）

わかりやすい

相続税・贈与税と相続対策

税理士
加藤 厚
司法書士
山口里美
監修

'24～'25 年版

成美堂出版

相続税・贈与税と相続対策

最新 トピック＆改正のポイント!!!

令和６年度の大きなトピックは、65年ぶりに大改正された生前贈与と相続のルールがスタートしたことでしょう。生前贈与を使った相続税の節税法に対する変更が行われるなど、従来の相続対策の方法に大きな影響を与えるものとなっています。

ここが変わった！

贈与がしやすくなった相続時精算課税制度！

「相続時精算課税制度」と「生前贈与加算」が変わった

贈与された財産の総額が2500万円までは贈与税が非課税になる「相続時精算課税制度（60ページ）」について、令和6年1月1日以降、**従来の2500万円の枠とは別に年110万円の基礎控除の枠が加わりました。**これにより、相続時精算課税制度を選択した人への贈与でも、暦年課税の基礎控除と同じく、年110万円までなら贈与税がかからないことになります。

これまでは少額の贈与であっても申告しなければならないため、相続時精算課税制度の利用は敬遠されがちでした。しかし110万円までなら贈与税がかからず、申告も不要なのであれば、利用者側の利便性も高まります。今回の改正は、より多くの人に相続時精算課税制度を活用してもらうことをねらった制度変更といえます。

■相続時精算課税制度の改定

	従来	改正後
控除	特別控除	特別控除＋ 基礎控除
控除額	累計2500万円	特別控除 累計2500万円*＋ 基礎控除 毎年110万円
相続税への持ち戻し	持ち戻す	特別控除分は 持ち戻す 基礎控除分は 持ち戻さない
贈与税	かからない	かからない
申告	必要	特別控除分は必要 基礎控除分は不要

*基礎控除を超えた分の累計の控除額が2500万円

生前贈与加算の期間が7年前までに

暦年課税制度の年110万円の基礎控除を利用した生前贈与（連年贈与）は、これまで最も使いやすい相続税の節税方法でした。

ただし生前贈与には「生前贈与加算」というルールがあり、従来は相続開始前の3年以内に贈与した財産は相続の際、相続財産に持ち戻す（変更する）必要がありました。そして、暦年課税制度による年１１０万円以下の基礎控除であっても、相続開始より３年以内の贈与であれば、相続財産への持ち戻しの対象になっていました。

この持ち戻し期間が見直され、**今回の改正で7年以内へと延長**されました（令和６年１月以降）。相続税の適用範囲を拡大するのがねらいで、令和６年１月以降に行う贈与については令和９年から段階的に持ち戻し期間が延長されていき、令和13年１月からは完全に７年間の加算期間に移行します。

ただし、単に対象期間が延ばされたわけではありません。相続開始の４年前から７年以内の贈与については、その期間の基礎控除の総額から１００万円を除いた額が持ち戻しの対象となります。

たとえば、年間１００万円の生前贈与をしていた場合、３年以内の３００万円はそのまま持ち戻しの対象となりますが、４年前から７年以内の４００万円は１００万円を控除した３００万円が持ち戻しの対象となります。

ただし、相続時精算課税の新しい基礎控除である年１１０万円の非課税分は生前贈与加算対象外です。この点において、暦年課税制度よりも有利な制度になったといえます。

相続税対策として相続時精算課税と暦年課税のどちらが有利になるかは、被相続人の年齢や遺産の額、遺産の内容などによって違ってくるため、個々に判断する必要があります。被相続人が高齢で、相続までの期間がさほど長くない場合は相続時精算課税が有利になることが多いでしょう。

相続土地国庫帰属制度と不動産の相続登記義務化

新しくつくられた相続土地国庫帰属制度（１３２ページ参照）により、**相続した財産の中から不要な土地だけを手放すことができるようになりました。**制度を利用するには、更地であることが要件の一つになり、管理や維持に手間や費用がかかる土地は制度を利用できません。担保権や使用収益権が設定されている土地なども制度の対象外です。なお、制度を利用する際には、負担金などの費用がかかってきます。

相続登記の義務化

不動産を相続した際に、名義変更をする手続きが相続登記です。近年問題化している所有者不明の不動産をなくすため、相続登記の義務化が法律で定められました（１３１ページ参照）。令和６年４月１日より、**不動産を相続した相続人は、相続により所有権を取得したことを知った日から3年以内に相続登記の申請をする必要があります。**

また、遺産分割協議の成立により、不動産を取得した場合は、遺産分割協議が成立した日から３年以内に、その内容を踏まえた登記をする必要があります。正当な理由がないにもかかわらず申請をしなかった場合には、10万円以下の過料が科されます。

期間が延長された住宅取得等資金の贈与の特例

親や祖父母など直系尊属から住宅取得等資金の贈与を受けた場合に、**贈与税が非課税になる特例措置（67ページ参照）の適用期限が、令和6年1月1日から令和8年12月31日まで3年延長**になりました。それにともない、住宅取得等資金の贈与を受けるための家屋の要件についても、断熱等性能等級や一次エネルギー消費量等級のより高い性能が求められるなど、一部要件が見直されています。

◎わかりやすい　相続税・贈与税と相続対策

もくじ

第2章 家族に財産を残す税金対策マニュアル

●本書は原則として令和6年7月1日現在の法令・データ等にもとづいています。

相続後のスタートでは遅すぎる！

大切な家族を守る相続対策の進め方

（相続には早め早めの対策が不可欠です。財産を残す人も相続する人も、まずは対策の基本ポイントをおさえるところから始めましょう。）

相続をとりまく状況は年々変化している

相続――それは一生のうちで、だれもが一度は経験しうるもの。財産のあるなしにかかわらず、決して他人事ではすまされない大切なイベントといえます。

とはいえ映画やドラマのなかの相続は、華麗なる一族が住む大豪邸を舞台に、多額の税金が払いきれなくなって起こる〝相続破産〟や、財産の分配をめぐる一族の醜い争いなどといったネガティブな一面ばかりが取り上げられてきました。

そのため相続に対しては、〝お金持ちならではの悩み〟〝庶民には無縁のできごと〟〝起きてほしくはないが起こるとやっかいなできごと〟といったイメージを抱いている人が少なくありません。

しかし、平成25年度の税制改正において、相続税の基礎控除が、定額控除で2000万円減、法定相続人比例控除分で1人あたり400万円減と大幅に縮小されました。このことにより、課税対象となる人の割合が一気に増加。これまで相続税とは無縁と考えていた人も、「自分は関係ない」ではすまされなくなってきたといえるでしょう。

では、やがてやってくる相続に備え、何ができるのでしょうか。相続を失敗することなく、スムーズに進めるにはどうすればよいのでしょうか。そのポイントと効果的な対策についてみていきましょう。

相続で失敗しないために おさえておきたい基本ポイント

あなたが相続人、被相続人にかかわらず、相続対策を講じる前に、まずおさえておかなければならない、いくつかの基本ポイントがあります。

そのうちもっとも重要なポイントは、「できるだけ早く相続の準備を始める」ということです。とかく相続の問題は、コトが起こってから慌てて節税に走ったり、遺産分割の話し合いをすることになりがち。しかし、それでは遅いのです。相続が開始されたあとでは、打つべき手は非常に限られてしまいます。こうした対策の遅れがのちのちトラブルの原因となり、〝相続〟ならぬ〝争族〟になってしまうケースも少なくありません。

反対に、相続対策のスタートが早ければ早いほど、対応策の幅がぐっと広がります。財産や事業の引き継ぎをスムーズに行うためにも、やはり生前から相続について、万全の準備をしておくことが大切なのです。

第2のポイントは、「相続に関する法律や税金についてよく知る」こと。

たとえば税金なら、そもそも相続税とはどのようなものか、どんな財産に対してどれだけかかるか、といったことを知らなければ、対策もなにもありません。はじめから税理士などの専門家に依頼するつもりでも、基本的なことは理解しておく必要があります。

また日頃から、保険や金融などの経済ニュース、税制改正の情報をきちんとおさえておくことも大切。状況は常に変化しています。

たとえば、ポピュラーな相続対策として生命保険の活用がありますが、すでに手を打ったという人も安心はできません。保険会社の経営状態などは常にチェックしておくべきでしょう。

そして、忘れてはならない第3のポイントは、「相続財産の内容をしっかり把握する」ことです。財産の構成や総額がわからなければ、どのように遺産を分配するか、相続税がいくらぐらいかかるのか、それに対してどのような準備をすればよいのか、という答えを導き出すことはできません。

財産の総額を概算して、葬儀代や配偶者の生活費など、相続発生後にどのぐらいの費用が必要となるかがわかれば、相続税についてもアウトラインがみえてくるはずです。

とはいえ、相続人となる子どもたちが、被相続人である親の財産やその分配について、生前にあれこれ尋ねるのは気が引けるものです。しかし、ここでお互いに遠慮してあとでトラブルになるよりは、親族が集まったときなどに、一度きちんと話し合いの席を設けたほうがベターでしょう。

また、あなた自身が被相続人となるなら、あとで〝争族〟の火種にならないためにも、生前に財産の内容をきちんと伝えておくべきことはいうまでもありません。

相続対策の柱となるのは この3つ

以上のようなポイントをクリアしたら、次にいよいよ相続対策に取りかかります。いまから対策の準備をスタートするとして、どのような手を打てばよいのか、より具体的な対策法についてみていきましょう。

ひと口に相続対策といっても、さまざまな観点がありますが、大きな柱となるものは次の3つです。

1 相続税の節税対策

まず1つ目は「節税対策」。つまり納める相続税額をいかにして少なくするか、ということです。そこでまず考えられるのは、財産の総額を減らすこと。なかでも基本的かつ有効な手段が「生前贈与」です。

贈与の際には金額に応じて贈与税がかかりますが、年間110万円の基礎控除が設けられています。また、婚姻期間が20年以上の夫婦間で、居住用不動産やその購入資金を贈ったときも、最高2000万円までは贈与税がかかりません。これは配偶者に財産を残すために有効な手段のひとつです。そのほか、子や孫へ住宅取得等資金を贈った場合にも非課税枠が設けられています。

贈与税の税率は、相続税よりも高く設定されていますが、こうした控除や特例をうまく利用すれば、効果的に節税を行うことができます。ただし、せっかく生前贈与による対策を講じても、相続発生から7年以内*の贈与は相続財産に取り込まれてしまいます（配偶者の2000万円の贈与の特例、子などへの住宅取得等資金や教育資金などの贈与の特例を除く）。つまり、いかに早くスタートさせるかが、生前贈与を最大限に活用するためのカギなのです。

ほかに節税策としてポピュラーなのが、相続人の数を増やすこと。人数が増えれば基礎控除が増え、また適用税率も低くなります。相続税法では、実子がいる場合は1人、いない場合は2人までの養子を、法定相続人に加えることを認めています。これをうまく利用して嫁や孫と養子縁組をすれば、節税の有効な手段となり得るのです。

これらのほかにも、借入れをしてアパートなど賃貸用建物を建てたり、自宅の増改築を行うなどして、財産を圧縮する方法もあります。これらも相続開始前に実行しておかないと、節税効果はありません。

2 相続税の納税資金対策

2つ目は「納税資金対策」。相続税の納税資金をどのようにして準備するか、という問題です。とくに相続財産の大半が不動産といったケースでは、これを怠ると大変な事態になりかねません。

納税資金の対策では、生命保険の活用が効果的です。保険の種類は、死亡時に必ずもらえる終身保険がベストでしょう。これを活用して、納税にあてることができれば助かります。また、相続人が受け取った死亡保険金については、一定額（現行では相続人1人あたり500万円）までは非課税となる点も大きな魅力のひとつです。

ただし、非課税の対象となる保険契約は、被保険者・契約者＝被相続人、保険金受取

※令和8年12月31日までは実質3年以内（3ページ参照）

3つの相続対策

人＝相続人の死亡保険金の場合に限られます。保険に加入する際は、種類や契約内容を慎重に検討することが大切です。

また、納税資金を作ろうと努力しても、現金で一度に納付できないときには、延納または物納という方法を視野に入れる必要があります。ただし、延納や物納の申請には担保が必要となります。その準備には相当な時間と費用がかかるので、やはり早めに取り組んだほうがなにかと有利なのです。

3 〝争族〟回避のための対策

そして3つ目が、遺産分割を円満に行うための対策、いわゆる〝争族対策〟です。たとえ節税や納税対策が万全でも、財産の分配を巡って相続人の間で争いが起こったのでは意味がありません。

じつは、相続対策のなかでもっとも難しいといわれているのが、この問題なのです。

遺産の分割については、相続人間で話し合って決めることができれば理想的ですが、全員が納得するようにまとめるのはなかなか難しいものです。そこで、トラブルを未然に防ぐためにも、被相続人は自分の財産をだれに、どのように分配したいのかを、きちんと伝えるのがベスト。それを確実にするのが「遺言書の作成」です。

遺言書は通常、公証人に作成してもらうか自筆で書くことになります。遺言書は何度でも書き換えることができるので、とくに家族関係が複雑な場合は作成をおすすめします。

また、遺産の分割に関してもっとも大切なのは、残された配偶者の生活を考慮することです。これについても親族間でよく話し合っておくことが必要でしょう。

ひと口に相続といっても、受け継ぐ財産の種類や家族関係などによって対策法もいろいろ。まず、財産の内容をきちんと知ることから始め、次に有効な対策についてじっくり検討することが、成功へのステップなのです。

ココを確認！　相続対策チェックシート

	チェック項目
節税対策	□子どもに贈与した預金口座を自分で管理していませんか？
	□嫁や孫との養子縁組について検討しましたか？
	□配偶者への居住用不動産（またはその資金）の贈与は実行しましたか？
	□遊休地の有効活用はできていますか？
	□自宅の建替え・増改築は必要ありませんか？
	□墓地や仏壇の購入・改修は済んでいますか？
	□子や孫に非課税の住宅取得等資金を贈与しましたか？
	□子や孫に教育資金の一括贈与をしましたか？
	□子や孫に結婚・子育て資金の一括贈与をしましたか？
納税資金対策	□生命保険は終身保険ですか？
	□生命保険の種類や契約内容を見直しましたか？
	□延納の担保は準備されていますか？
	□物納する不動産の整備は済んでいますか？
争族対策	□遺言書を作成していますか？
	□親族と遺産分割について話し合いましたか？
	□残される配偶者の生活費などについて話し合いましたか？

第1章

あなたの相続財産と相続税を計算してみると

◆

もしものとき、家族は相続税を払えるだろうか……などと心配しているばかりでは、なにも始まりません。あなたの財産はいくらで評価されるのか、どれくらい相続税がかかるのか、さっそく計算してみましょう。

おおよその財産と税額を把握することが相続税対策の第一歩です。

相続税はどんなときどんな財産にかかるのか

相続税にはいくつかの税額軽減措置がありますが、財産が多いほど負担が重くなるのも特徴のひとつ。ある程度の財産があるという場合には、やはり対策が必要になってきます。

相続税ってどんな税金？

相続税がかかるのはどんなとき？

人が亡くなると、その人が所有していた財産は、ふつう配偶者や子どもなどが相続します。相続税は、この財産の移転にともなって課税される税金です。

　また、相続だけでなく、遺贈や死因贈与にも相続税がかかります。遺贈とは遺言である人に財産を与えること、死因贈与は「私が死んだら○○をあげましょう」という贈与契約のことです。

　遺贈も死因贈与も、相続と同じく人の死亡を原因として財産の移転が起こりますので、相続税の課税対象になるのです。

　それにしても、自分の財産を家族に残すのにどうして税金が？とギモンに感じる人も多いことでしょう。

　相続税の目的のひとつに「富の再分配」があるといわれています。

相続税にはこんな特徴がある

大きな基礎控除

遺産の総額が基礎控除以下なら相続税がかからない

自宅敷地の評価の軽減

自宅の敷地は評価額が大幅に軽減される

超過累進税率

遺産額が大きければ大きいほど税負担が重くなる

配偶者の税額軽減

法定相続分または1億6000万円以下なら相続税がかからない

たまたま親が資産家で労せず多額の遺産をもらえる人と、そうでない人がいるのは不平等である、多額の遺産をもらった人からは税金を徴収して社会に還元しよう、ということのようです。

相続税を納める人、納めなくてよい人

相続税を納めるのは、**相続や遺贈（死因贈与を含む）によって財産をもらった人**です。

しかし、財産を取得した人のすべてが相続税の課税対象者になるかというと、そうではありません。

というのも、相続税には遺産から差し引くことができる基礎控除が大きく、この基礎控除額を超える遺産がある場合のみ、納税義務が生じるからです。

基礎控除の額は法定相続人（107ページ参照）の数に応じて変わり、現行では**3000万円＋600万円×法定相続人の数**となっています（左上表参照）。

たとえば、法定相続人が配偶者と子ども2人の計3人の場合、基礎控除の額は4800万円。遺産の総額がこれ以下であれば、相続税は一切かかりません。

相続税の基礎控除額

法定相続人の数	基礎控除額
1人	3600万円
2人	4200万円
3人	4800万円
4人	5400万円
5人	6000万円

相続税がかかりそうでかからないワケ

大きな基礎控除といっても、その程度の額ならうちは相続税がかかるのでは……と心配になった方がいるかもしれません。

確かに地価の高い都市部だと、おもな財産は自宅と預金くらいという人でも、自宅敷地だけで基礎控除額を上回ってしまう人が大勢いそうです。もし手持ちの現金で相続税を払えなければ、自宅を売却するしかありません。

でも、そこは国も考慮しています。最低限、住むところは守られるべきという趣旨から、配偶者や同居していた子どもなどが自宅を相続する場合には、敷地の330㎡までの部分を80％引きの価額で計算できることになっているのです（**小規模宅地等の特例**。詳しくは88ページ参照）。

たとえば、夫婦と子ども2人の家庭で夫が死亡し、時価（相続税評価額3000万円・50坪（約165㎡）の自宅を相続するケースをみてみましょう。

自宅敷地の評価額は3000万円ではなく、80％引きの600万円になります。仮にそのほかに4000万円ほどの財産があったとしても、遺産の総額は4600万円。基礎控除額の4800万円を下回るので、相続税は課税されないというわけです。

遺産額が大きいほど税負担は重くなる

前述の基礎控除と自宅敷地の評価の特例は、相続税の特徴としておさえておきたい大切なポイントです。これにより、多くの人は相続税がかかりません。

では、遺産総額が基礎控除額を上回る人、つまり相続税がかかる人についてはどうでしょうか。納税義務が生じるケースでのポイントを2つあげておきましょう。

ひとつは、相続税は遺産額が大きくなるほど税負担の重くなる**超過累進税率**であること。

法定相続人が配偶者と子ども2人の例でみてみます（左表）。この場合の相続税の総額（後述の配偶者軽減の適用前）は、遺産額が1億円では630万円ですが、2億円なら単純に2倍というわけでなく約4・3倍の2700万円、5億円では約20・8倍の1億3110万円に跳ね上がります。

このことから、生前贈与などでできるだけ遺産額を減らしておくことが、相続による財産の目減り分をおさえるうえで有効なことがよくわかります。

相続人が配偶者と子ども2人の場合の税額

遺産額	相続税の総額
1億円	630万円
2億円	2700万円
3億円	5720万円
4億円	9220万円
5億円	1億3110万円

配偶者の相続税は軽減されている

もうひとつのポイントは、**配偶者には税額軽減の制度があること**です。取得した遺産額が法定相続分または1億6000万円までなら、配偶者に相続税はかかりません（46ページ参照）。

この制度を上手に利用すれば、実際の納付税額はずいぶん少なくなります。極端な話、遺産総額が1億6000万円以下なら、配偶者が全額相続してしまえば納める税額はゼロです。

ただし、あまり配偶者に財産を偏らせてしまうと、二次相続時の子どもの負担が大きくなり、一次・二次を通じた相続税額がかえって増えてしまうことがあります。相続税は、二次相続まで視野に入れて考えることが大切です。

民法と相続税法ではココが違う

相続税のことを知るうえでは、相続人になる人はだれか、法定相続分はどうなっているのかなど、相続に関する民法の知識が不可欠です。これら民法の基礎知識については第3章の前半で紹介していますので、まず、しっかりおさえておきましょう。

ただ、ひとつ注意したいのは、相続に関する民法上の扱いと相続税法上の扱いとが異なる事項がいくつかあること。たとえば、次のような点です。

- 相続を放棄した人は、民法では初めから相続人でなかったものとして扱われるが、相続税の計算上の「法定相続人の数」には含める
- 養子は、相続税の計算上では一定の制限があるが、民法では実子と同様に扱われる
- 民法上の相続財産と相続税法上の相続財産は範囲が異なる
- 遺産分割の際の財産評価額と相続税計算の際の財産評価額は必ずしも一致しない

これらの混乱から思わぬ失敗をしてしまうこともありますので、遺産分割などの際には民法のルール、相続税に関しては相続税法のルール、というように頭を切り換えることが大切。詳しくはそれぞれのページで紹介しています。

相続税のかかる財産、かからない財産

相続税は、被相続人（死亡した人）が所有していたほとんどすべての財産にかかります。また、被相続人が所有していた財産ではないけれど「みなし相続財産」として課税されるものもあります。

その一方で、社会政策上あるいは公益的な面などから課税しないこととしている非課税財産もあります。順を追ってみていきましょう。

本来の相続財産

被相続人が死亡したときに所有していた財産のことで、後述の非課税財産を除き、金銭で見積もることのできるすべての財産が課税対象になります。

たとえば、土地、家屋、株式や公社債などの有価証券、預貯金、家財などのほか、特許権や著作権などの無体財産権と呼ばれるものまで含まれます。

みなし相続財産

たとえば、被相続人の死亡によって受け取る生命保険金は被相続人が所有していた財産ではないので、本来は相続財産ではありません。しかし、このような財産も本来の相続財産を取得するのと同等の経済的価値があることなどから、相続税法では相続や遺贈によって取得した財産とみなして課税することにしています。

これを「みなし相続財産」といい、おもに次のものがあります。

①生命保険金・損害保険金

被相続人の死亡によって受け取る生命保険金や損害保険金（いわゆる死亡保険金）のうち、死亡した本人が保険料を負担していたものが対象になります。

②死亡退職金

サラリーマンが在職中に死亡すると、ふつう、その人に支給されるはずだった退職金が遺族に支払われます。このように被相続人の死亡によって受け取る退職金や功労金などで、死亡後3年以内に支給が確定したものは、みなし相続財産として課税されます。

③生命保険契約に関する権利

妻が自身を被保険者とする生命保険に加入し、その保険料を夫が負担していたとします。ここで夫が死亡しても保険金は支払われませんが、これとは別に、税法ではこの時点で保険契約の権利（解約返戻金請求権）が夫から妻へ移転したと扱うことにしています。

このように、相続時に保険事故が発生していない保険契約で、保険料を負担していた被相続人と別人が契約者である場合、契約者はその権利を相続または遺贈によって取得したものとみなされ、相続税が課税されます。

なお、同じく保険事故が発生していない保険契約で、被相続人が契約者であり保険料も負担していたものは、本来の相続財産として課税されます。

④定期金に関する権利

定期金とは年金のように定期的に支給されるものをいいますが、終身年金などの年金契約も③と同様の扱いになります。定期金というときにはまだ給付事由が発生していない年金契約で、被相続人が掛金を負担し、別の人が契約者となっている場合、契約者は相続や遺贈によってこの契約の権利を取得したものとみなされます。

⑤保証期間付定期金に関する権利

ある人が保証期間付きの個人年金に加入（保険料も本人が負担）し、すでに年金を受給していたとします。もし、この人が保証期間内に死亡すると、残りの期間について遺族が年金（または一時金）を受け取ることになります。

この場合、遺族は相続または遺贈によって年金受給権を取得したものとみなされ、相続税の対象になります。

⑥遺言によって受けた利益

遺言で借金を免除してもらったり、著しく低い価額で財産の譲渡を受けたような場合には、その経済的利益の相当額を遺贈により取得したものとみなされ、相続税が課税されます。

贈与財産のうち一定のもの

被相続人から生前贈与を受けた財産のうち次の2つに該当するものは、相続財産に取り込んで相続税が課税されることになっています。[*1]

①相続時精算課税制度に係る贈与財産

被相続人から贈与を受けた際に相続時精算課税制度（60ページ参照）を選択した子がいる場合、その子が本制度の適用以後に被相続人からもらったすべての財産[*2]が相続税の課税対象となります。

②相続開始前7年以内[*3]の贈与財産

相続や遺贈によって財産を取得した人が、相続開始前7年以内[*3]に被相続人から贈与を受けている場合（①に該当するものを除く）には、その贈与財産の価額を相続財産に加えることになっています。

この間にあった贈与は、110万円の基礎控除以下で申告しなかったものについても、すべて相続税の対象となります。ただし、贈与税の配偶者控除の特例（58ページ参照）を受けたものについては、配偶者控除額を超えた部分だけが相続税の対象になります。

なお①②とも、贈与財産について贈与税が課税されている場合には、その納付額が相続税額から控除されます。したがって贈与税と相続税が二重に課税されることはありません。

非課税財産

相続税のかからない財産には、おもに次のものがあります。

●墓地・仏壇など

墓地や墓石、仏壇、仏具、神棚などは一般の相続財産とは区別して承継されるものであり、また日常礼拝の対象とされていることから非課税となります。

●相続人が取得した保険金のうち一定額

相続によって取得したとみなされる生命保険金や損害保険金のうち、［500万円×法定相続人の数］が非課税となります（詳しくは35ページ参照）。

相続税のかからない財産

1. 皇室経済法の規定によって皇位とともに受け継がれるもの
2. 墓地、霊廟、仏壇、祭具など日常礼拝の対象としているもの
3. 宗教、慈善、学術、その他公益を目的とする事業を行う人が取得した財産で、その公益事業に使われることが確実なもの
4. 心身障害者扶養共済制度にもとづく給付金の受給権
5. 相続人が取得した生命保険金などのうち一定額
6. 相続人が取得した死亡退職金のうち一定額
7. 国や地方自治体、特定の公益法人に寄付したもの
8. 特定の公益信託の信託財産とするために支出したもの

＊1令和8年12月31日までに住宅取得等資金として贈与された非課税部分の金額は、相続税の課税価格には加算されません　＊2令和6年1月以後からの相続時精算課税の基礎控除分については相続税の課税の対象外　＊3令和8年12月31日までは実質3年以内（3ページ参照）

おもな課税財産一覧

	種類	細目	
本来の相続財産	土地（土地の上に存する権利）	宅地（借地権、定期借地権等） 田畑（耕作権、永小作権） 山林（地上権、賃借権） その他の土地（地上権、賃借権、温泉権など）	
	建物	家屋、構築物	
	事業用財産・農業用財産	減価償却資産	機械器具、農機具、什器備品、果樹、農業用の牛馬、営業権など
		棚卸資産	商品、製品、半製品、仕掛品、原材料、農産物など
		その他	売掛金、受取手形など
	金融資産	預貯金等	現金、小切手、預貯金など
		有価証券	公社債、投資信託・貸付信託の受益証券、株式および出資
	家庭用財産	家具、什器	
	その他の財産	自動車、船舶 書画・骨董品 宝石・貴金属 ゴルフ会員権 電話加入権 特許権、実用新案権、著作権 貸付金、未収家賃 立木 生命保険契約に関する権利	
みなし相続財産	死亡保険金	生命保険金、損害保険金	
	死亡退職金	退職手当金、功労金など	
	その他	生命保険契約に関する権利 定期金に関する権利 保証期間付定期金に関する権利 その他遺言によって受けた経済的利益 ●信託の利益を受ける権利 ●低額譲渡により受けた利益 ●債務の免除、弁済により受けた利益　など	
贈与財産	相続時精算課税制度に係る贈与財産		
	相続開始前7年以内[*3]の贈与財産		

●相続人が取得した死亡退職金のうち一定額

相続によって取得したとみなされる死亡退職金のうち、［500万円×法定相続人の数］が非課税となります（詳しくは35ページ参照）。

●公益事業用財産

宗教、慈善、学術など公益を目的とする事業を行う人が取得した財産で、その公益事業に使うことが確実なものは非課税です。

●国などへ寄付した財産

相続財産を相続税の申告期限までに国や地方自治体、特定の公益法人などに寄付した場合や、特定の公益信託の信託財産として支出した場合は非課税になります。

相続財産はいくらになる？

あなたの財産はこうして評価される

相続税がかかるか、また相続税額がいくらになるのかは相続財産の価額によって決まります。財産の価値をどう評価するかは、財産の種類別に一定の基準が定められています。

評価の原則は相続時の「時価」

相続税額を計算するには、まず対象となる財産にどれくらいの価値があるのか、その価額を割り出すことが必要です。

相続財産の価額は、課税時期の「時価」で評価することになっています。課税時期とは、相続があった日（死亡日）のことです。

したがって、実際に相続が起こるまでは正確な価額はわかりませんし、相続時には財産内容も変わってしまいますが、とりあえず現時点でのおおよその数字を出してみることです。そして、定期的に財産の内容と評価額の見直しを行うとよいでしょう。

なお、贈与財産について評価する場合、課税時期は贈与のあった日となります。

財産評価基本通達にもとづいて評価する

相続税法では、ごく一部の財産について特別な評価方法を定めたうえで、そのほかの財産は「時価による」としています。

しかし、ひと口に「時価」といっても、その算定は容易ではありません。

上場株式や投資信託などは日々の値段が公表され、また預貯金などの金銭債権は額面から比較的簡単に算出できます。しかし、そのほかの大部分の財産は公表数字などありません。また、なにをもって「時価」とするかは見解の分かれるところで、各人がまちまちに評価したのでは課税上の不公平が生じてしまいます。

そこで、国税庁では**財産評価基本通達**によって個々の財産についての具体的な評価方法を示し、一般にも公表しています。財産の評価は、原則としてこの基本通達に定められた価額により行うことになります。

次ページ以降で、おもな財産の評価方法を紹介しましょう。

相続税法に定めのある財産

相続税法に特別な評価方法の定めのある財産は、①地上権および永小作権、②配偶者居住権等、③給付事由の発生している定期金に関する権利、④給付事由の発生していない定期金に関する権利、⑤立木、の5つ。これ以外は基本通達の定めによります。また、時価は「課税時期において、財産の現状に応じ、不特定多数の当事者間で自由な取引が行われる場合に通常成立すると認められる価額」としています。

宅地（自分で使用している宅地）

一画地の宅地ごとに路線価方式または倍率方式で評価

路線価方式と倍率方式

財産評価基本通達による宅地の評価方法には、**路線価方式と倍率方式**の2種類があります。

路線価方式とは、市街地にある宅地の評価に用いる方法です。その宅地が面している道路に付けられた価額（路線価）をベースにして評価額を計算します。

路線価が定められていない地域については、倍率方式で評価することになります。

評価しようとする宅地がどちらの方式によるのかわからないときは税務署で確認します。

路線価方式
路線価×宅地面積（㎡） ＝評価額
倍率方式
固定資産税評価額×倍率 ＝評価額

倍率方式による評価のしかた

倍率方式による宅地は、その宅地の固定資産税評価額に一定の倍率をかけて評価額を算出します。

倍率は国税局が毎年見直しをしており、**倍率表**（下表参照）により公開されます。倍率表は税務署で閲覧できるほか、国税庁のホームページでも公表されています。

なお、固定資産税評価額とは市区町村の固定資産台帳に登録された価格をいい、固定資産税の計算の基礎となる課税標準額ではありません。各自治体が発行する評価証明書で確認してください。

倍率表の例（抜粋）

市区町村名：あきる野市

音順	町（丁目）又は大字名	適用地域名	借地権割合	固定資産税評価額に乗ずる倍率等 宅地	田	畑	山林	原野
			%	倍	倍	倍	倍	倍
し	下代継	市街化調整区域						
		1 農業振興地域内の農用地区域			純 11	純 14		
		2 上記以外の地域	50	1.1	中 15	中 19	中 37	中 37
		市街化区域	50	1.1	比準	比準	比準	比準
す	菅生	滝山街道沿い	40	1.1	中 14	中 18	中 22	中 22
		上記以外の地域	40	1.1	中 13	中 17	中 21	中 21
せ	瀬戸岡	市街化調整区域						
		1 滝山街道以東の地域	40	1.1	中 14	中 16	中 51	中 51
		2 上記以外の地域	40	1.1	中 15	中 19	中 52	中 52
		市街化区域	50	1.1	比準	比準	比準	比準
た	高尾	市街化調整区域						
		1 秋川街道以東の地域	40	1.1	中 31	中 19	純 7.5	純 7.5
		2 上記以外の地域	40	1.1	中 30	中 19	純 3.5	純 3.5
		市街化区域	50	1.1	比準	比準	比準	比準

宅地の評価に用いる倍率

農地や山林などの評価に用いる区分、倍率など（28ページ参照）

路線価図をみてみよう

路線価方式による評価では、**路線価図**を使います。路線価図は毎年改定されていて（1月1日現在の路線価を7月頃に発表）、税務署に行けばだれでも閲覧することができます。また、国税庁のホームページにも掲載されています。

下の路線価図を参考に、路線価図の読み方をみてみましょう。

●路線価

道路上に、矢印で挟まれるかっこうで数字が記載されています。これが路線価で、1㎡あたりの価額が千円単位で表示されています。基本的には、この路線価に地積（土地の面積）をかければ評価額が算出されます。

●借地権割合

路線価の後ろに付いているアルファベットは借地権割合を示しています。借地権割合は、借地や貸している土地を評価する際に必要になります（26ページ参照）。

路線価図の見方

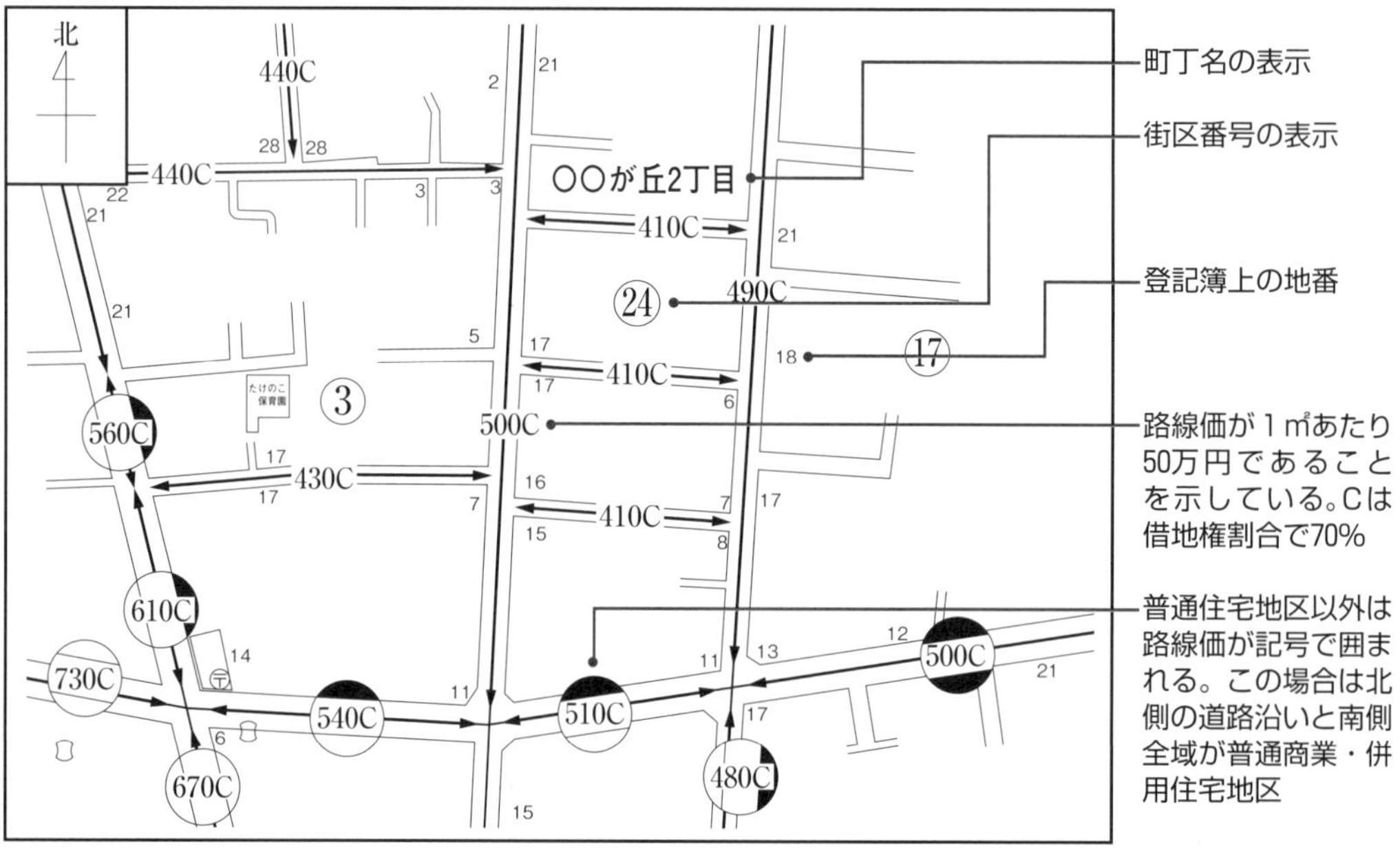

●借地権割合

記　号	借地権割合
A	90%
B	80%
C	70%
D	60%
E	50%
F	40%
G	30%

●地区区分と適用範囲

記　号	地　区
（六角形）	ビル街地区
（楕円）	高度商業地区
（八角形）	繁華街地区
（円）	普通商業・併用住宅地区
（ひし形）	中小工場地区
（長方形）	大工場地区
無　印	普通住宅地区

記　号	適用範囲
（記号）	道路の両側の全地域
（記号）	道路の北側の全地域
（記号）	道路沿い
（記号）	北側の道路沿いと南側の全地域
（記号）	北側の道路沿い

●地区区分

路線価には、数字が裸で表示されているものもあれば、丸や楕円などの記号で囲まれているものもあります。これらの記号は地区区分を表しています。地区区分は、後述する「画地調整」を行うときに必要になります。

また、これらの記号の一部が黒く塗りつぶされていたりしますが、これはその地区区分の適用範囲を表しています。

路線価方式では各種の調整が必要

路線価は、その道路に一方のみを接する標準的な形状の宅地について設定されています。しかし、現実の宅地は必ずしも標準的なものばかりではありません。側方にも道路があったり、間口が狭かったりとさまざまです。

そこで、このような宅地の立地や形状に応じた補正を加えて、実際の価値により近い評価額を割り出すことになります。これを画地調整といいます。

画地調整のおもな項目は下表のとおりです。

このうち、側方路線影響加算と二方路線影響加算は複数の道路に接している宅地について価額を増加させる調整項目です。それ以外は、利用価値の減少分を見込んだ減算項目となっています。

これらの調整は、路線価に一定の補正率または加算率を乗じて行います。24～25ページに計算例と補正率表の一部を紹介していますので参照してください。

宅地を評価する単位は?

宅地は、一画地ごとに評価します。一画地とは利用の単位となっている宅地のことで、必ずしも一筆とは限りません。たとえば一筆の宅地に自宅とアパートが建っている場合は、自宅の敷地とアパートの敷地ごとに評価します。

路線価方式における画地調整

調整項目	内　容	評価額の計算方法
奥行価格補正	奥行が長い、あるいは短い宅地は、その距離に応じた補正率を路線価に乗じて評価	〔路線価×奥行価格補正率〕×地積＝対象地の評価額
側方路線影響加算	側方にも道路がある宅地(角地)は利用価値が高いため、その分を加算して評価	正面路線価×奥行価格補正率……………………………イ 側方路線価×奥行価格補正率×側方路線影響加算率…ロ 〔イ＋ロ〕×地積＝対象地の評価額
二方路線影響加算	正面と裏面に道路がある宅地は利用価値が高いため、その分を加算して評価	正面路線価×奥行価格補正率……………………………イ 裏面路線価×奥行価格補正率×二方路線影響加算率…ロ 〔イ＋ロ〕×地積＝対象地の評価額
間口狭小補正	間口の狭い宅地は、間口距離に応じた補正率により減価	〔路線価×奥行価格補正率×間口狭小補正率〕×地積＝対象地の評価額
奥行長大補正	奥行が間口の2倍以上になる宅地は一定の補正率により減価	〔路線価×奥行価格補正率×奥行長大補正率〕×地積＝対象地の評価額
がけ地補正	1割以上のがけ地がある場合は一定の補正率により減価	〔路線価×奥行価格補正率×がけ地補正率〕×地積＝対象地の評価額
その他	不整形地、三角地、無道路地についても、それぞれ一定の方法で補正減価	

＊〔　〕内が調整後の1m^2あたりの価額となる
＊正面路線とは、路線価に奥行価格補正率を乗じた価額の高いほうの路線をいう

路線価方式の評価額計算の例

＊地区区分はすべて普通住宅地区とする

一方のみ道路がある宅地

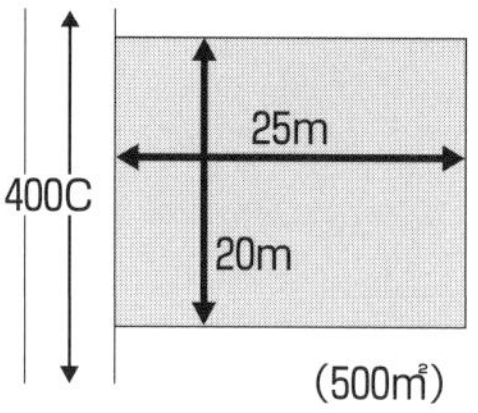

400,000円（路線価） × 0.97（奥行価格補正率） ＝ 388,000円（1㎡あたりの価額）

388,000円 × 500㎡（地積） ＝ 194,000,000円（評価額）

角　地

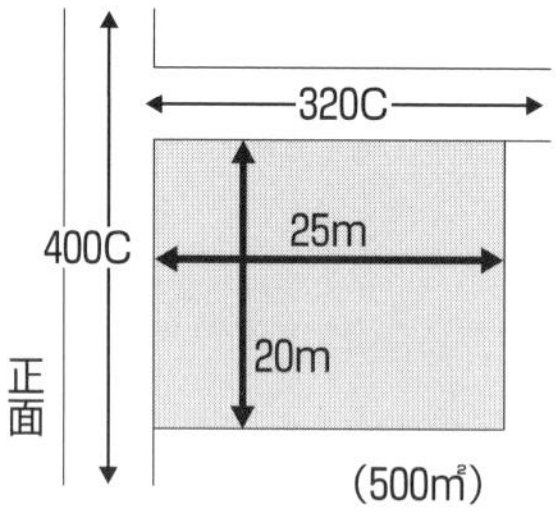

400,000円（正面路線価） × 0.97（奥行価格補正率） ＝388,000円（イ）

320,000円（側方路線価） × 1.00（奥行価格補正率） × 0.03（側方路線影響加算率） ＝ 9,600円（ロ）

388,000円（イ） ＋ 9,600円（ロ） ＝ 397,600円（1㎡あたりの価額）

397,600円 × 500㎡（地積） ＝ 198,800,000円（評価額）

奥行の長い宅地

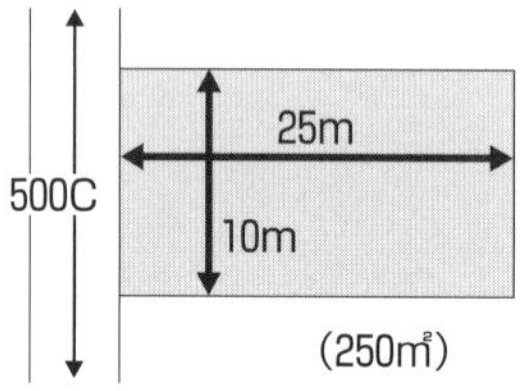

500,000円（路線価） × 0.97（奥行価格補正率） × 0.98（奥行長大補正率） ＝ 475,300円（1㎡あたりの価額）

475,300円 × 250㎡（地積） ＝ 118,825,000円（評価額）

いろいろなケースでの宅地の評価

●小規模宅地等の特例

被相続人などが居住用あるいは事業用としていた宅地のうち一定面積までの部分は、評価額の80％または50％を減額できます。

詳しくは88ページを参照してください。

●私道

私道は、通常の宅地としての評価額の30％で評価します。

なお、だれでも自由に通行でき、一般の公道となんら変わらないような私道は評価しません（課税価格となりません）。

●広大地

その地域の標準的な宅地に比べて著しく広い土地を広大地といいます。このような土地を分譲地として売ろうとすると、道路や公園などを設置して自治体に提供しなければならず、金銭的価値のない「つぶれ地」が出てきます。

そこで、このように都市計画法が規定する開発行為を行おうとした場合に公共公益的施設用地の負担が認められる宅地については、その用地の部分を差し引いて評価できることになっています。

●セットバックが必要な宅地

建物の敷地が接する道路の幅が4mに満たない場合、建築基準法の規定により、将来、建替えなどをする際に敷地の境界線を道路の中心線から2mまで後退させなければなりません。

このような宅地については、将来、道路敷きとして提供しなければならない部分に対応する価額の70％を控除できます。

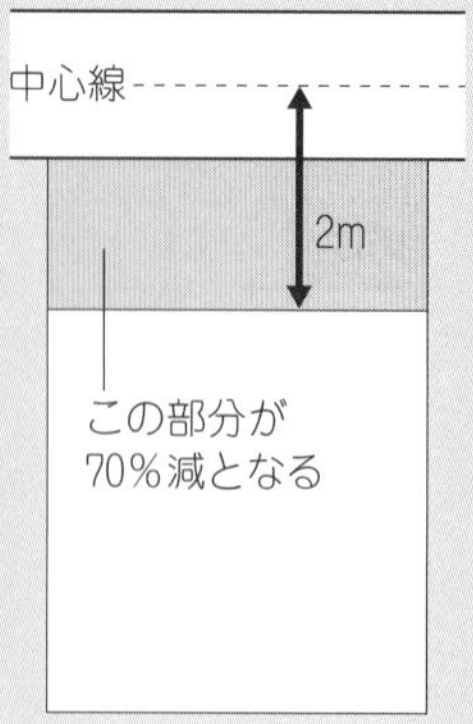

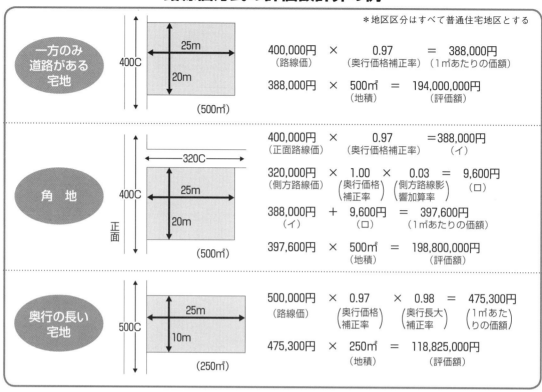

奥行価格補正率表（平成31年1月分以降）

<table>
<tr><th>地区区分
奥行距離(m)</th><th>ビル街地区</th><th>高度商業地区</th><th>繁華街地区</th><th>普通商業・併用住宅地区</th><th>普通住宅地区</th><th>中小工場地区</th><th>大工場地区</th></tr>
<tr><td>4未満</td><td rowspan="2">0.80</td><td>0.90</td><td>0.90</td><td>0.90</td><td>0.90</td><td>0.85</td><td>0.85</td></tr>
<tr><td>4以上6未満</td><td>0.92</td><td>0.92</td><td>0.92</td><td>0.92</td><td>0.90</td><td>0.90</td></tr>
<tr><td>6〃 8〃</td><td>0.84</td><td>0.94</td><td>0.95</td><td>0.95</td><td>0.95</td><td>0.93</td><td>0.93</td></tr>
<tr><td>8〃 10〃</td><td>0.88</td><td>0.96</td><td>0.97</td><td>0.97</td><td>0.97</td><td>0.95</td><td>0.95</td></tr>
<tr><td>10〃 12〃</td><td>0.90</td><td>0.98</td><td>0.99</td><td>0.99</td><td rowspan="5">1.00</td><td>0.96</td><td>0.96</td></tr>
<tr><td>12〃 14〃</td><td>0.91</td><td>0.99</td><td rowspan="5">1.00</td><td rowspan="6">1.00</td><td>0.97</td><td>0.97</td></tr>
<tr><td>14〃 16〃</td><td>0.92</td><td rowspan="9">1.00</td><td>0.98</td><td>0.98</td></tr>
<tr><td>16〃 20〃</td><td>0.93</td><td>0.99</td><td>0.99</td></tr>
<tr><td>20〃 24〃</td><td>0.94</td><td rowspan="10">1.00</td><td rowspan="21">1.00</td></tr>
<tr><td>24〃 28〃</td><td>0.95</td><td>0.97</td></tr>
<tr><td>28〃 32〃</td><td>0.96</td><td>0.98</td><td>0.95</td></tr>
<tr><td>32〃 36〃</td><td>0.97</td><td>0.96</td><td>0.97</td><td>0.93</td></tr>
<tr><td>36〃 40〃</td><td>0.98</td><td>0.94</td><td>0.95</td><td>0.92</td></tr>
<tr><td>40〃 44〃</td><td>0.99</td><td>0.92</td><td>0.93</td><td>0.91</td></tr>
<tr><td>44〃 48〃</td><td rowspan="12">1.00</td><td>0.90</td><td>0.91</td><td>0.90</td></tr>
<tr><td>48〃 52〃</td><td>0.99</td><td>0.88</td><td>0.89</td><td>0.89</td></tr>
<tr><td>52〃 56〃</td><td>0.98</td><td>0.87</td><td>0.88</td><td>0.88</td></tr>
<tr><td>56〃 60〃</td><td>0.97</td><td>0.86</td><td>0.87</td><td>0.87</td></tr>
<tr><td>60〃 64〃</td><td>0.96</td><td>0.85</td><td>0.86</td><td>0.86</td><td>0.99</td></tr>
<tr><td>64〃 68〃</td><td>0.95</td><td>0.84</td><td>0.85</td><td>0.85</td><td>0.98</td></tr>
<tr><td>68〃 72〃</td><td>0.94</td><td>0.83</td><td>0.84</td><td>0.84</td><td>0.97</td></tr>
<tr><td>72〃 76〃</td><td>0.93</td><td>0.82</td><td>0.83</td><td rowspan="2">0.83</td><td rowspan="2">0.96</td></tr>
<tr><td>76〃 80〃</td><td>0.92</td><td>0.81</td><td>0.82</td></tr>
<tr><td>80〃 84〃</td><td>0.90</td><td rowspan="6">0.80</td><td>0.81</td><td rowspan="2">0.82</td><td rowspan="2">0.93</td></tr>
<tr><td>84〃 88〃</td><td>0.88</td><td rowspan="5">0.80</td></tr>
<tr><td>88〃 92〃</td><td>0.86</td><td rowspan="3">0.81</td><td rowspan="4">0.90</td></tr>
<tr><td>92〃 96〃</td><td>0.99</td><td>0.84</td></tr>
<tr><td>96〃 100〃</td><td>0.97</td><td>0.82</td></tr>
<tr><td>100〃</td><td>0.95</td><td>0.80</td><td>0.80</td></tr>
</table>

■は24ページの計算例で適用した補正率または加算率

※令和6年6月1日現在。最新情報は国税庁ホームページを参照

側方路線・二方路線影響加算率表

<table>
<tr><th rowspan="2">地区区分</th><th colspan="2">側方路線影響加算率</th><th rowspan="2">二方路線影響加算率</th></tr>
<tr><th>角　地</th><th>準角地*</th></tr>
<tr><td>ビル街</td><td>0.07</td><td>0.03</td><td>0.03</td></tr>
<tr><td>高度商業
繁華街</td><td>0.10</td><td>0.05</td><td>0.07</td></tr>
<tr><td>普通商業・併用住宅</td><td>0.08</td><td>0.04</td><td>0.05</td></tr>
<tr><td>普通住宅
中小工場</td><td>0.03</td><td>0.02</td><td>0.02</td></tr>
<tr><td>大工場</td><td>0.02</td><td>0.01</td><td>0.02</td></tr>
</table>

＊準角地とは、1本の道路の屈折部の内側に位置するものをいう

奥行長大補正率表

<table>
<tr><th>地区区分
奥行距離
間口距離</th><th>ビル街</th><th>高度商業
繁華街
普通商業・
併用住宅</th><th>普通住宅</th><th>中小工場</th><th>大工場</th></tr>
<tr><td>2以上3未満</td><td rowspan="7">1.00</td><td>1.00</td><td>0.98</td><td>1.00</td><td rowspan="7">1.00</td></tr>
<tr><td>3〃 4〃</td><td>0.99</td><td>0.96</td><td>0.99</td></tr>
<tr><td>4〃 5〃</td><td>0.98</td><td>0.94</td><td>0.98</td></tr>
<tr><td>5〃 6〃</td><td>0.96</td><td>0.92</td><td>0.96</td></tr>
<tr><td>6〃 7〃</td><td>0.94</td><td rowspan="3">0.90</td><td>0.94</td></tr>
<tr><td>7〃 8〃</td><td>0.92</td><td>0.92</td></tr>
<tr><td>8〃</td><td>0.90</td><td>0.90</td></tr>
</table>

借りている宅地や貸している宅地

貸宅地や貸家の敷地は自用地評価額から一定割合を控除

借地権の評価方法

建物を所有するために土地を借りている権利を**借地権**といいます。借地権も相続財産として評価されます。

借地権の価額は、自用地としての評価額（自分の土地を自分で使用しているとした場合の評価額）に**借地権割合**をかけて求めます。

借地権割合は地域ごとに決められていて、一般的に土地の評価額が高くなるほど借地権割合も高くなります。借地権割合は倍率表や路線価図で確認できます（21、22ページ参照）。

貸宅地の評価方法

借地権が付いている宅地は、その土地の所有者からみると**貸宅地**《かしたくち》となります。自分の土地であっても自由に処分したりできないため、自用地の場合より評価が低くなっています。

具体的には、自用地としての評価額から借地権の価額を控除して貸宅地の価額を算出します。

なお、親の土地に子どもが家を建てて住んでいるケースがよくありますが、地代などの支払いがない場合は**使用貸借**といい、税務上は借地権がないものと扱われます。したがって、この場合は自用地として評価します。

貸家建付地の評価方法

自分の土地に自分で一軒家やアパート、ビルなどを建てて他人に貸している場合の、その土地のこ

貸宅地などの評価額の計算方法

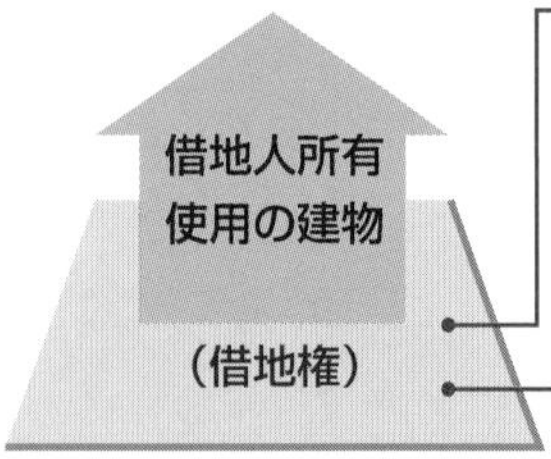

借地人　借地権の評価

自用地としての評価額 × 借地権割合 ＝ 借地権の評価額

地主　貸宅地の評価

自用地としての評価額 ×（1 － 借地権割合）＝ 貸宅地の評価額

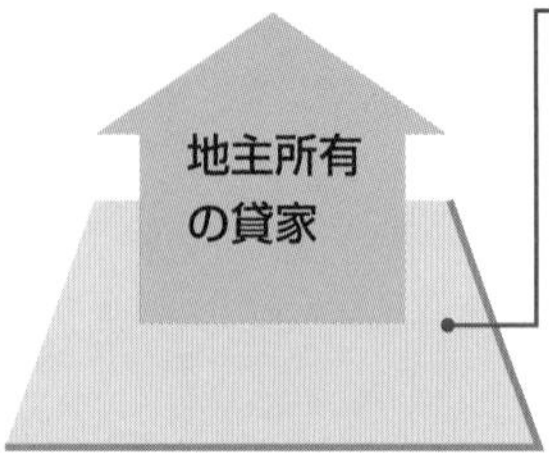

地主　貸家建付地の評価

自用地としての評価額 ×（1 － 借地権割合 × 借家権割合＊ × 賃貸割合）＝ 貸家建付地の評価額

＊借家権割合は30%

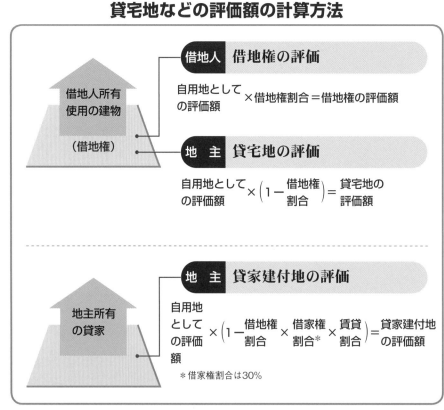

とを貸家建付地《かしやたてつけち》といいます。

貸しているのは建物ですが、借家人には間接的にその敷地を利用する権利があります。したがって、貸家建付地は、自用地としての評価額からこの権利に相当する価額を差し引いて評価します。

具体的な計算式は右ページ図のとおりです。

定期借地権の底地の評価

定期借地権とは?

定期借地権は、普通の借地権と異なり、期間の定めがあり、契約更新がないこと。つまり、約束の期限がきたら必ず土地が地主に返されるというものです。

定期借地権には、①一般定期借地権、②建物譲渡特約付借地権、③事業用借地権、の3つがあります。このうちもっともポピュラーな一般定期借地権の存続期間は50年以上となっています。

定期借地権の底地は自用地評価額の80～95%

定期借地権の設定された宅地についても、普通の借地権の場合と同様、自用地としての評価額より評価が軽減されます。

定期借地権の底地の評価額は、原則として自用地評価額から定期借地権の価額を控除して求めます。ただし、定期借地権の価額が自用地評価額の一定割合（残存期間に応じ5～20%）より小さい場合は、大きいほうの額を控除できます。このことから、一般的に、定期借地権の設定直後の底地は自用地評価額の80%程度とみられています。

一般定期借地権なら評価額がさらに軽減

以上は、財産評価基本通達による評価方法ですが、平成10年より一般定期借地権に限っては基本通達と別途に定められた評価方法を用いることになり、評価額がより軽減されています。

新しい評価方法では、普通借地権の地域区分ごとに底地割合が設定されています（下表参照）。自用地評価額にこの底地割合をかけた額が、その底地の評価額です。ただし、下表の底地割合は定期借地権を設定した時点のもので、底地割合は定期借地権の残存期間に応じて逓増します。

たとえば、普通借地権割合が70%の地域にある自用地評価額1億円の宅地に、期間50年の一般定期借地権を設定したとします。この場合、設定直後の底地の評価額は5500万円となり、その後50年の間に1億円に近づいていくことになります。

なお、一般定期借地権であっても、普通借地権割合が90%と80%の地域（AおよびB地域）、また借地権の設定者が親族や同族法人などの場合はこの評価方法は適用されません。財産評価基本通達の評価方法によります。

一般定期借地権の設定時の底地割合

地域区分	普通借地権割合				
	C地域 70%	D地域 60%	E地域 50%	F地域 40%	G地域 30%
底地割合*	55%	60%	65%	70%	75%

＊底地割合は借地権の残存期間に応じて逓増する
＊A地域とB地域の適用はない

農地・山林

宅地の価額の影響や宅地への転用の容易さなどを考慮し、区分して評価される

倍率方式または宅地比準方式で評価

農地は所在する地域などにより①**純農地**、②**中間農地**、③**市街地周辺農地**、④**市街地農地**の4種類に区分され、それぞれに評価方法が決められています。

①と②は**倍率方式**、④は**宅地比準方式**または倍率方式で評価します。③は、④の市街地農地としての評価額の80％で評価します。

倍率方式のしくみは宅地の場合と同じです。その農地の固定資産税評価額に一定の倍率をかけて評価額を算出します。倍率は、倍率表に農地区分とともに表示されています（21ページ参照）。

宅地比準方式とは、その農地を宅地とみなした場合の価額から、その土地を宅地に造成するのに必要な費用として国税局が定めた額を控除する方法です。

山林についても、基本的に農地と同様に評価します。①**純山林**、②**中間山林**、③**市街地山林**に区分され、①と②は倍率方式、③は宅地比準方式または倍率方式となります。

農地の区分と評価方法

区　分	評価方法	備　考
純農地	倍率方式	専ら耕作を目的とし、宅地の価額の影響を受けていないような農地
中間農地	倍率方式	市街地の近郊にある農地で、純農地より売買価額水準が高い農地
市街地周辺農地	市街地農地としての評価額の80%	市街地に近接しており、おおむね宅地などへの転用ができる農地
市街地農地	宅地比準方式または倍率方式	農地法の転用許可済みの農地、転用許可が不要な農地など

宅地比準方式の計算方法

$$\left(\text{宅地とみなした場合の}1\text{m}^2\text{あたりの価額}^{*} - 1\text{m}^2\text{あたりの造成費の額}\right) \times \text{地積} = \text{評価額}$$

＊路線価地域の場合は路線価、倍率地域の場合は評価する農地にもっとも近接し、かつ立地や形状などが類似する宅地の評価額をもとに計算した額

生産緑地は減額評価される

市街地にある農地は宅地並みの評価になりますが、農地などが生産緑地に指定されると建物の新築や宅地造成が制限されるため、評価額が減額されます。生産緑地に指定された時点での価額は、通常の農地などの評価額の65％相当額です。

ただし、生産緑地はその指定日から30年を経過したときや、農林業等の主たる従事者が死亡した場合などに市町村に買取りを要請できます。このため、課税時期から買取りの申出をできるまでの期間に応じ、評価額は前述の65％から90％へと増額します（5年ごとに5％刻み）。課税時期に買取りの申出をできるものは95％の評価です。

家屋および借家権

自用の家屋は固定資産税評価額のままで評価、貸家は借家権割合の分だけ減額される

固定資産税評価額が家屋の評価額に

家屋の価額は固定資産税評価額に一定倍率をかけて求めますが、現在この倍率は全地域1・0倍です。したがって、**固定資産税評価額がそのまま評価額になります。**

固定資産税評価額は、所在地の市区町村役場で確認できます。

なお、建築中の家屋は費用現価の70%相当額で評価します。費用現価とは、課税時期までにかかった建築費用をその時点での価額に引き直した額のことです。

門や塀は別に評価する

家屋には、電気や給排水設備などの付属設備がありますが、家屋と一体となっている設備は家屋の価額に含まれますので、別に評価する必要はありません。

しかし、門や塀などの設備や、庭木、庭石、庭池などの庭園設備は、家屋とは別に評価します。

門や塀の価額は、再建築価額（評価時に新たに建築する場合の費用）から償却費相当額を差し引いて求めます。

また、庭園設備の価額は調達価額（評価時に同程度のものを取得するのにかかる額）の70%で評価します。

貸家は自用家屋の70%評価

賃貸マンションやアパートなどの**貸家**は、借家人の権利の分だけ評価額が減額されます。

貸家の価額は、自用の家屋の評価額（＝固定資産税評価額）から**借家権割合**を控除した額です。借家権割合は30%ですので、貸家は自用家屋の70%評価となります。

ビルの1フロアを自宅用にし、ほかを賃貸用にしているような場合には、固定資産税評価額を自宅部分と賃貸部分の床面積割合で配分し、計算します（左図参照）。

なお、家屋を借りている人には借家権がありますが、**借家権は相続財産として評価しません。**

家屋の評価額の計算方法

自用家屋	固定資産税評価額＝評価額
貸　家	固定資産税評価額 × (1－借家権割合)＝評価額

自用と賃貸用がある家屋の計算例

固定資産税評価額3000万円、借家権割合30%、各階の床面積は同じとする

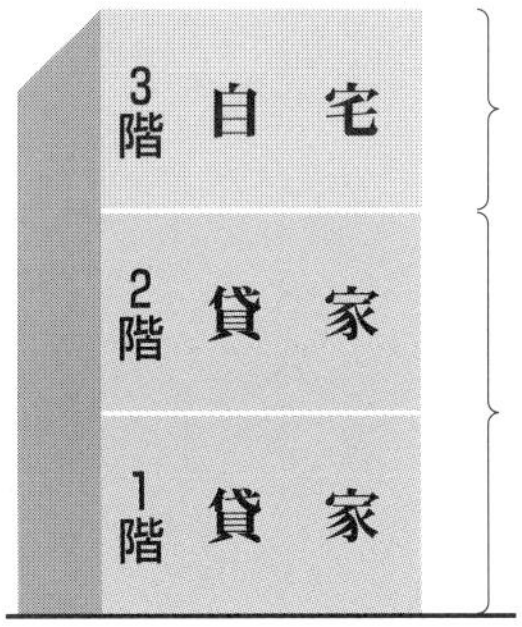

自宅部分
$3000万円 \times \frac{1}{3} = 1000万円$

貸家部分
$3000万円 \times \frac{2}{3} \times (1-0.3)$
＝1400万円

家屋全体の評価額は

1000万円＋1400万円＝2400万円

上場株式・気配相場等のある株式

上場株は、当日終値と直近3か月の各月の終値平均のうち最低額

上場株式の評価方法

上場株式とは、証券取引所に上場されている株式のことで、ほぼ毎日、市場で取引されています。上場株式は、次の4つのうちもっとも低い価額で評価します。

①課税時期（相続や贈与のあった日）の終値

②課税時期の属する月の毎日の終値の月平均値

③課税時期の前月の毎日の終値の月平均値

④課税時期の前々月の毎日の終値の月平均値

株価はなんらかの要因で短期に急騰したり暴落したりすることがありますので、課税の公平を図る意味で、このように幅を持たせた評価方法がとられています。

毎日の終値や月平均値は、日刊新聞に掲載されています。また、証券会社や税務署などに問い合わせれば教えてくれます。

気配相場等のある株式の評価方法

気配相場等のある株式には次のものがあり、それぞれに評価方法が決められています。

●登録銘柄・店頭管理銘柄

日本証券業協会により登録銘柄として登録されている株式と、店頭管理銘柄として指定されている株式です。この両者については、次の4つのうちもっとも低い価額で評価します。

①課税時期の取引価格（高値と安値がある場合は、その平均額）

②課税時期の属する月の毎日の取引価格の月平均額

③課税時期の前月の毎日の取引価格の月平均額

④課税時期の前々月の毎日の取引価格の月平均額

●公開途上にある株式

上場または登録に際して公開途上にある株式は、その株式の公開価格によって評価します。

取引相場のない株式（非上場株式）

中小企業の同族株主の場合は、類似業種比準価額と純資産価額で評価

株主の区分で評価方式が変わる

取引相場のない株式とは、上場株式または気配相場等のある株式のいずれにもあたらない、いわゆる非上場株式をいいます。

取引相場のない株式の評価法は複雑で、株主の区分や評価しようとする会社（以下、評価会社）の規模、状態などにより評価方式が決められています。

評価にあたっては、まず相続などで株式を取得した株主が、その会社の経営支配力を持っている株主（同族株主など）か、それ以外の株主かを判定します。これにより、**原則的評価方式**または**配当還元方式**のいずれかに決まります（32ページ図参照）。

会社の規模に応じた3つの評価方式

原則的評価方式による場合は、続いて評価会社の規模が**大会社・中会社・小会社**のどの区分に該当するか判定します（下図参照）。

原則的評価方式には、①**類似業種比準方式**、②**純資産価額方式**、③**併用方式**（①と②の折衷型）の

大・中・小会社の判定チャート

Yes ⟶　No ⟶

判定	条件	区分
従業員が70人以上		大会社
右のいずれかに該当する	総資産価額が【 卸 20億円 小サ 15億円 他 15億円 】以上で、従業員が35人を超える	大会社
	取引金額が【 卸 30億円 小サ 20億円 他 15億円 】以上	
右のいずれかに該当する	総資産価額が【 卸 4億円 小サ 5億円 他 5億円 】以上で、従業員が35人を超える	中会社の〈大〉
	取引金額が【 卸 7億円 小サ 5億円 他 4億円 】以上	
右のいずれかに該当する	総資産価額が【 卸 2億円 小サ 2.5億円 他 2.5億円 】以上で、従業員が20人を超える	中会社の〈中〉
	取引金額が【 卸 3.5億円 小サ 2.5億円 他 2億円 】以上	
右のいずれかに該当する	総資産価額が【 卸 7000万円 小サ 4000万円 他 5000万円 】以上で、従業員が5人を超える	中会社の〈小〉
	取引金額が【 卸 2億円 小サ 6000万円 他 8000万円 】以上	
（いずれにも該当しない）		小会社

記号の意味　卸 卸売業　小サ 小売業・サービス業　他 その他
取引金額は、直前期末以前1年間の取引金額

＊総資産価額と従業員数と取引金額が異なる場合は、いずれか上位の区分で判定する

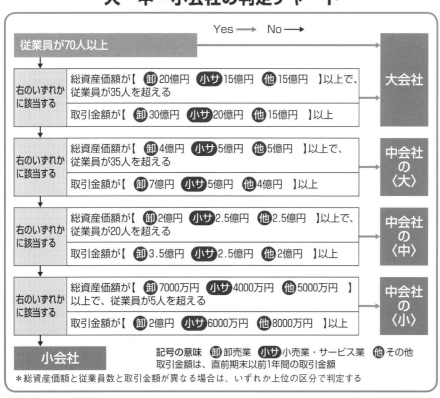

3つがあり、基本的には会社の規模によって次のように評価方式が決まります。

●**大会社**……類似業種比準方式。ただし純資産価額方式の選択も可

●**中会社**……併用方式。ただし、純資産価額方式の選択も可

●**小会社**……純資産価額方式。ただし、併用方式の選択も可（通常は併用方式のほうが有利）

3つの評価方式の概要は次のとおりです。

①類似業種比準方式

評価会社の業種に類似した上場会社の数値を基準に算定する方法です。配当、利益、純資産の3つの要素があり、評価会社の業績がよいほど評価額が高くなります。

②純資産価額方式

課税時期に会社を清算すると仮定した場合の、株主1人あたり分配額で評価する考え方です。純資産がもととなり、保有資産の時価が高いほど評価額が高くなります。

③併用方式

①と②による評価額を一定の割

どの評価方式で評価する？

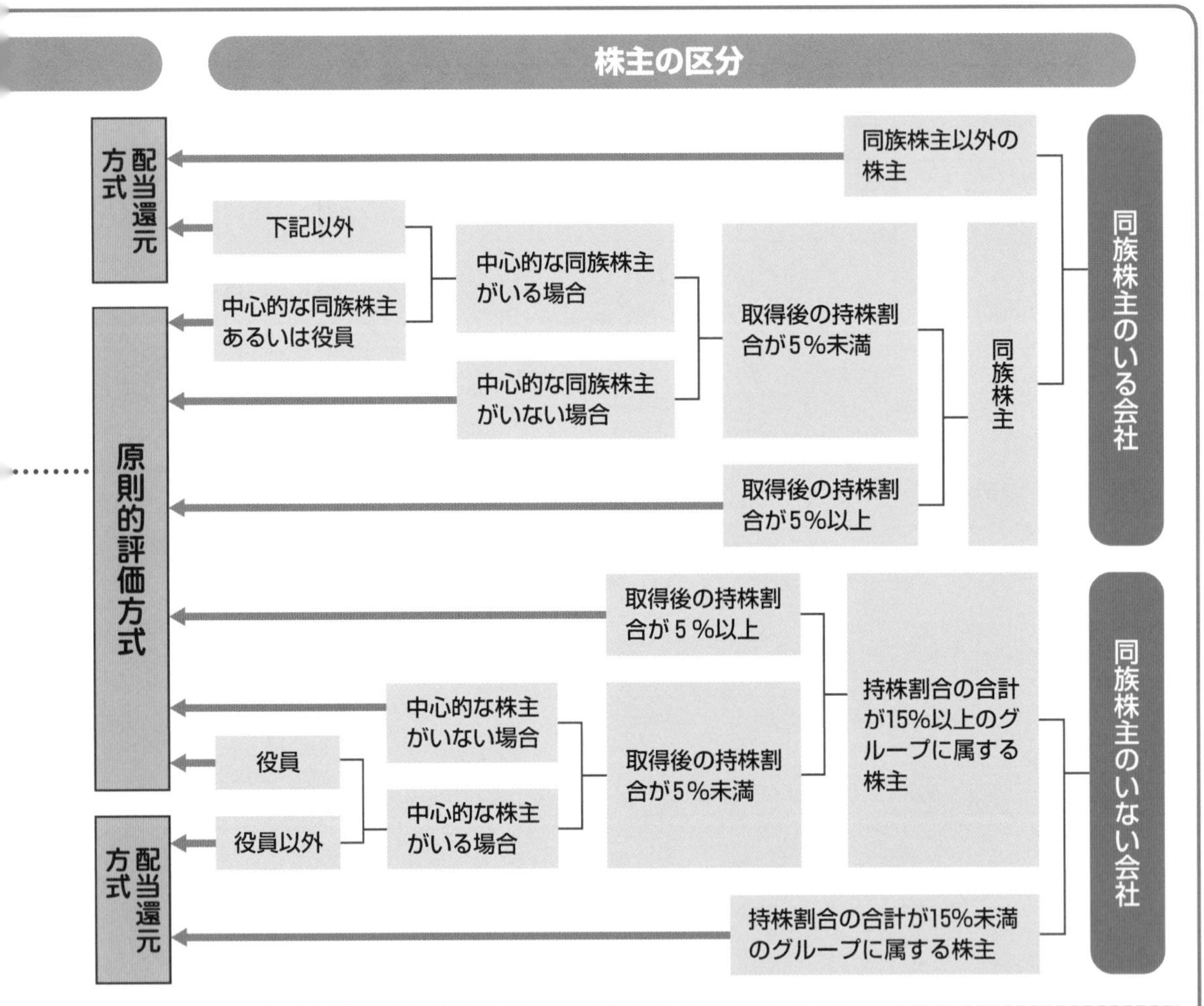

中心的な株主とは、株主の1人とその同族関係者の株式が15％以上であるグループのうち、いずれかに単独で10％以上の株式を所有する株主がいる場合の、その株主

中心的な同族株主とは、同族株主の1人とその配偶者、直系血族、兄弟姉妹および1親等の姻族が所有する株式の合計が25％以上である場合の、その株主

同族株主とは、株主1人とその同族関係者の株式が30％以上（50％超のグループがあるときは、50％）である場合の、そのグループに属する株主

合で折衷する方法です。

一般的には純資産価額より類似業種比準価額のほうが低くなるため会社の規模が大きいほど有利といえますが、純資産価額のほうが低ければ、どの規模の会社でも純資産価額で評価できます。

なお、例外的な評価方式である**配当還元方式**は、配当金額から単純に株価を逆算する方法です。

取引相場のない株式の評価方法

類似業種比準方式

$$\text{類似業種の株価A} \times \left[\frac{\frac{Ⓑ}{B} + \frac{Ⓒ}{C} + \frac{Ⓓ}{D}}{3} \right] \times \text{斟酌率} = \text{1株あたりの評価額}$$

算式中の記号内容

類似業種の数値	（比準要素）	評価会社の数値
B	配当金額	Ⓑ
C	利益金額	Ⓒ
D	純資産価額	Ⓓ

斟酌率

大会社	0.7
中会社	0.6
小会社	0.5

＊配当、利益、純資産は1株（額面50円）あたりの金額。なお純資産価額は簿価ベース

純資産価額方式

$$\frac{\text{各資産の相続税評価額の合計} - \text{負債合計} - \text{評価差額に対する法人税等相当額}}{\text{発行済株式数}} = \text{1株あたりの評価額}$$

＊株式を取得した人とその同族関係者の所有する株式が50%未満の場合は、上記算出額の80%を評価額とする

併用方式

$$\text{類似業種比準価額} \times L + \text{1株あたりの純資産価額} \times (1 - L) = \text{1株あたりの評価額}$$

Lは類似業種比準価額で評価する割合。会社の規模により右のとおり

中会社の〈大〉	L＝0.90
中会社の〈中〉	L＝0.75
中会社の〈小〉	L＝0.60
小会社	L＝0.50

配当還元方式

$$\frac{\text{1株あたり}^{*1}\text{の年配当金額}^{*2}}{10\%} \times \frac{\text{1株あたりの資本金の額}}{50\text{円}} = \text{1株あたりの評価額}$$

＊1　1株あたりの資本金の額を50円とした場合の金額
＊2　無配の場合は2円50銭として評価する

評価方式

特定の評価会社以外

評価方式	会社
類似業種比準方式	← 大会社
併用方式	← 中会社
純資産価額方式（または併用方式）	← 小会社

特定の評価会社

評価方式	会社
原則として 純資産価額方式	← ①比準要素数1の会社
	← ②株式保有特定会社
	← ③土地保有特定会社
	← そのほか開業後3年未満の会社など

〈特定の評価会社とは〉

①は、類似業種比準方式における3つの比準要素のうち、いずれか2つがゼロであり、かつ直前々期末の要素のいずれか2つ以上がゼロの会社

②は、総資産中に占める株式などの割合が、50%以上の会社

③は、総資産中に占める土地などの割合が、大会社と一部小会社は70%以上、中会社と一部小会社では90%以上の会社

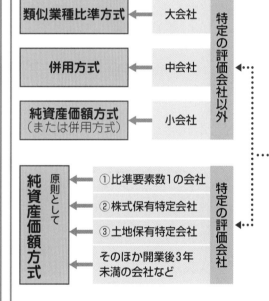

預貯金や公社債などの金融資産

預貯金や貸付信託などは相続日に換金した場合の受取額で評価

既経過利息も評価される

預貯金は、相続日の預入残高に**既経過利息**（20％源泉徴収後）を加えて評価します。既経過利息とは、その時点で解約した場合に支払われる利息のことです。

ただし、定期性の預貯金以外（普通預金など）で既経過利息が少額のものは預入残高で評価します。

貸付信託の受益証券は、課税時期に信託銀行などが買い取るとした場合の買取価格が評価額になります（下表参照）。

公社債は、利付公社債、割引公社債、転換社債型新株予約権付社債の別に、それぞれ下表のように評価します。上場されている公社債や売買参考統計値が公表されている公社債については、相続日における市場価格（最終価格または平均値）をもとに評価されます。市場価格のない公社債については、発行価額がベースとなります。

預貯金・貸付信託などの評価方法

定期預金など	預入残高＋（既経過利息の額－源泉所得税額）
貸付信託の受益証券	元本の額＋（既経過収益の額－源泉所得税額）－買取割引料
証券投資信託の受益証券＊	基準価額－解約請求した場合の源泉所得税額－信託財産留保額・解約手数料

＊MMFなどの日々決算型のものは別途の計算式による。また上場されている証券投資信託については上場株式の評価方法に準ずる

公社債の評価方法

利付公社債	上場銘柄	最終価格＋（既経過利息の額－源泉所得税額）
	売買参考統計値銘柄	平均値＋（既経過利息の額－源泉所得税額）
	上記以外	発行価額＋（既経過利息の額－源泉所得税額）
割引公社債	上場銘柄	最終価格
	売買参考統計値銘柄	平均値
	上記以外	発行価額＋既経過償還差益の額＊ ＊（券面額－発行価額）× 発行日から課税時期までの日数／発行日から償還日までの日数
転換社債型新株予約権付社債	上場銘柄・店頭登録銘柄	最終価格＋（既経過利息の額－源泉所得税額）
	上記以外 ①　②以外	発行価額＋（既経過利息の額－源泉所得税額）
	上記以外 ②発行会社の株価が転換価格を超える場合	発行会社の株価×100円／その転換社債の転換価格

生命保険金・死亡退職金

相続人が受け取った保険金などは非課税金額を控除できる

課税される保険金額はいくら？

みなし相続財産として課税される生命保険金や死亡退職金（17ページ参照）には、［500万円×法定相続人の数］の非課税枠があります。ここでは保険金を取得した人の課税価格の計算方法をみてみましょう。死亡退職金についても保険金とまったく同じです。

保険金の課税価格は、保険金を取得した相続人それぞれの非課税金額を計算し、それを各人の保険金額から控除して求めます。

注意したいのは、保険金取得者のうち**非課税金額を控除できるのは相続人だけ**ということ。したがって、たとえば多額の保険金をもらったからと相続放棄した人や、相続人でない孫などの受取保険金は全額が課税価格となります。

各相続人が控除できる非課税金額の計算方法は上図のとおりです。なお、すべての相続人が取得した保険金の総額が非課税限度額以下であれば、各相続人とも全額が非課税となります。

各相続人の非課税金額の計算方法

$$\text{非課税限度額} \times \frac{\text{その相続人が取得した保険金額}}{\text{すべての相続人が取得した保険金の総額}} = \text{その相続人の非課税金額}$$

非課税限度額	500万円×法定相続人の数＊

＊相続放棄をした人を含む。養子がいる場合は「相続税計算上の養子の数」（39ページ参照）による

各人の保険金の課税価格の計算例

●ケース1・2共通の設定事項
- 法定相続人はA・B・Cの3人
- 各人が右表のとおり生命保険金を取得した

A	B	C
3000万円	1200万円	800万円

ケース1
受取人がすべて相続人の場合

A・B・Cの3人とも相続人

①非課税限度額
500万円×3人＝1500万円

②各人の非課税金額

A　1500万円×$\frac{3000万円}{5000万円}$＝900万円

B　1500万円×$\frac{1200万円}{5000万円}$＝360万円

C　1500万円×$\frac{800万円}{5000万円}$＝240万円

③各人の課税価格
A　3000万円－900万円＝2100万円
B　1200万円－360万円＝ 840万円
C　800万円－240万円＝ 560万円

ケース2
受取人に相続人でない人がいる場合

3人のうちAは相続を放棄

①非課税限度額
500万円×3人＝1500万円

②各人の非課税金額

A　0円

B　1500万円×$\frac{1200万円}{2000万円}$＝900万円

C　1500万円×$\frac{800万円}{2000万円}$＝600万円

③各人の課税価格
A　3000万円
B　1200万円－900万円＝300万円
C　800万円－600万円＝200万円

その他のおもな財産

少額な家財などはまとめて評価、5万円を超えるものは調達価額で評価

家具や自動車などの一般動産

家具や電化製品、自動車なども相続財産となりますので、適切な価格で評価します。

これらの一般動産は、**調達価額**で評価するのが原則です。調達価額とは、評価する時点で同じ程度のものを買う場合の価格のこと。たとえば、自動車なら新車ではなく、同じ車種・年式の中古車の価格となります。

調達価額がない、よくわからないというものについては、新品の小売価格から経過年数に応じた償却費を差し引いて評価することになります。

動産は一つひとつ評価するのが原則ですが、少額のものをそれぞれ評価するのは大変です。そこで、

おもな財産の評価方法一覧

種類		評価方法	
家財、自動車などの一般動産		●調達価額がわかるもの………調達価額 ●調達価額が不明のもの………新品小売価格－償却費相当額	
書画・骨董品		売買実例価額、専門家の意見	
棚卸資産	商品・製品・生産品	課税時期の販売価額－（適正利潤の額＋予定経費＋消費税額）	
	原材料	課税時期の仕入価額＋引取運賃などの経費	
	半製品・仕掛品	課税時期の仕入価額＋引取運賃・加工費などの経費	
ゴルフ会員権		取引価格×70%（取引相場のあるもの）	
貸付金債権		元本＋既経過利息（回収不可能な金額は元本から控除）	
電話加入権		●取引相場のあるもの……通常の取引価額 ●上記以外…………………国税局が定める標準価額	
生命保険契約に関する権利		解約返戻金の額	
定期金に関する権利		給付事由が発生しているもの	①解約返戻金相当額 ②定期金に代えて一時金の給付を受けられる場合は、一時金相当額 ③1年間に受けるべき金額×予定利率等の複利年金現価率（残存期間に応ずるもの） ①～③の金額のうち、いずれか多い金額
		給付事由が発生していないもの	解約返戻金相当額
外　貨		課税時期における納税者取引金融機関公表の相場により円に換算した額（課税時期にその相場がない場合は、課税時期前の相場のうち課税時期にもっとも近い日の相場による）	

1個または1組の価額が5万円以下のものについては、「家財道具一式80万円」というように一括できることになっています。

書画・骨董品、貴金属など

書画や骨董品の値段はあってないようなものですが、財産評価基本通達では「売買実例価額、精通者意見価格等を参酌して」としています。つまり、これまでの売買例や鑑定士などの専門家の評価額を考え合わせて価額を割り出すことになります。

宝石や貴金属は基本的に一般動産と同様に評価しますが、とくに高価なものは鑑定が必要になる場合もあります。

なお、金やプラチナなどの地金は取引相場がありますので、課税時期の取引価格で評価します。

ゴルフ会員権

ゴルフ会員権の価額は、取引価格の70%で評価します。このとき取引価格に含まれない預託金などがあれば、その額を加算します。

預託金の額は、課税時期にすでに返還を受けられるものはその金額、まだ返還請求ができないものについては、返還請求できるまでの期間に応じた年3%の複利現価の額となります。

取引相場のない会員権については、預託金形式の会員権なら前述の預託金の価額、株式形態のものは株式としての評価額（預託金があれば加算）になります。

生命保険契約に関する権利

相続財産またはみなし相続財産として課税される「生命保険契約に関する権利」（17ページ参照）は、相続日に解約した場合の解約返戻金の額を評価額とします。

定期金に関する権利

有期定期金、無期定期金、終身定期金といった定期金（定期金の詳細は17ページ参照）については、給付事由の発生の有無により、次のように評価してください。

まず据置期間の終了等により給付事由が発生（被保険者死亡等）している場合には、

①解約返戻金相当額
②定期金に代えて一時金の給付を受けられる場合は一時金相当額
③1年間に受けるべき金額×予定利率等の複利年金現価率（残存期間に応ずるもの）

のうち、もっとも高い額で評価します。

他方、給付事由が発生していないケースの場合には、原則として解約返戻金相当額で評価します。

ステップ方式でよくわかる!

相続税の計算方法をマスターしよう

相続税では、一定の手順で求めた相続税の総額を各相続人などに割り振る、というやり方をします。一見ややこしそうですが、手順を踏めば計算自体は簡単です。

STEP3 各人の納付税額の計算

相続税の総額を各人の課税価格に応じて分ける	2割加算の対象者は加算し、該当する税額控除額を差し引いて各人の納付税額を求める

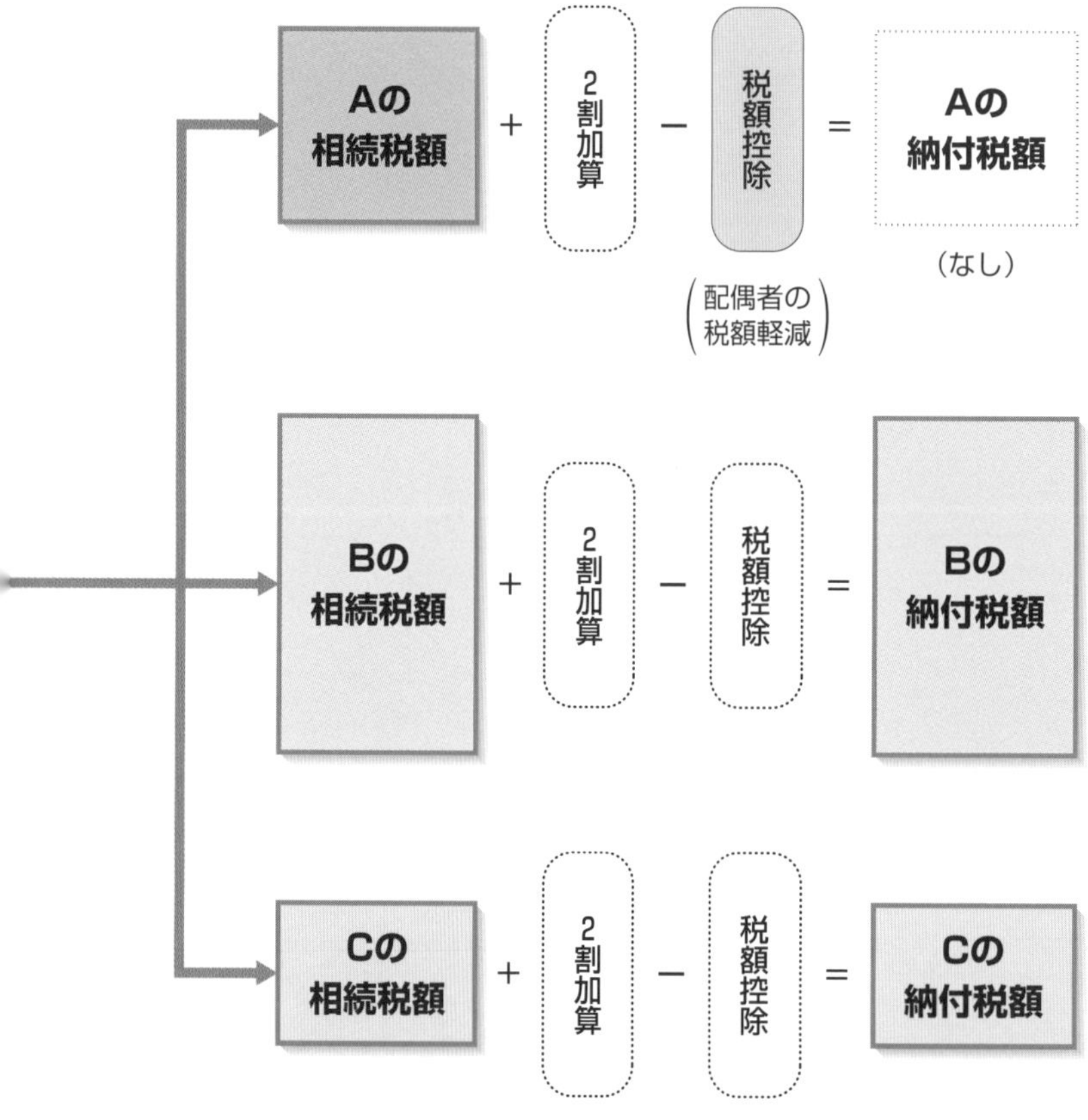

相続税計算の3つのステップ

相続税額の計算は、上図のように3つのステップを踏んで行われます。

おおまかにいうと、①各人の課税価格を求めて合計し、②基礎控除後の課税価格額を法定相続分で分けて税額を出し、また合計して、③各人の実際の取得分に応じて配分する、という少し遠回りな計算のしかたをします。遺産総額あるいは各人がもらった遺産額に直接税率をかけるのではありません。

各ステップでの詳しい計算は40ページ以降で紹介しています。

相続税の計算の流れ

STEP1 課税価格の計算		STEP2 相続税の総額の計算		
各人の課税価格を求める	各人の課税価格を合計する	基礎控除額を差し引き、課税遺産総額を求める	課税遺産総額を法定相続分で分ける	税率を適用。算出税額を合計して相続税の総額を求める

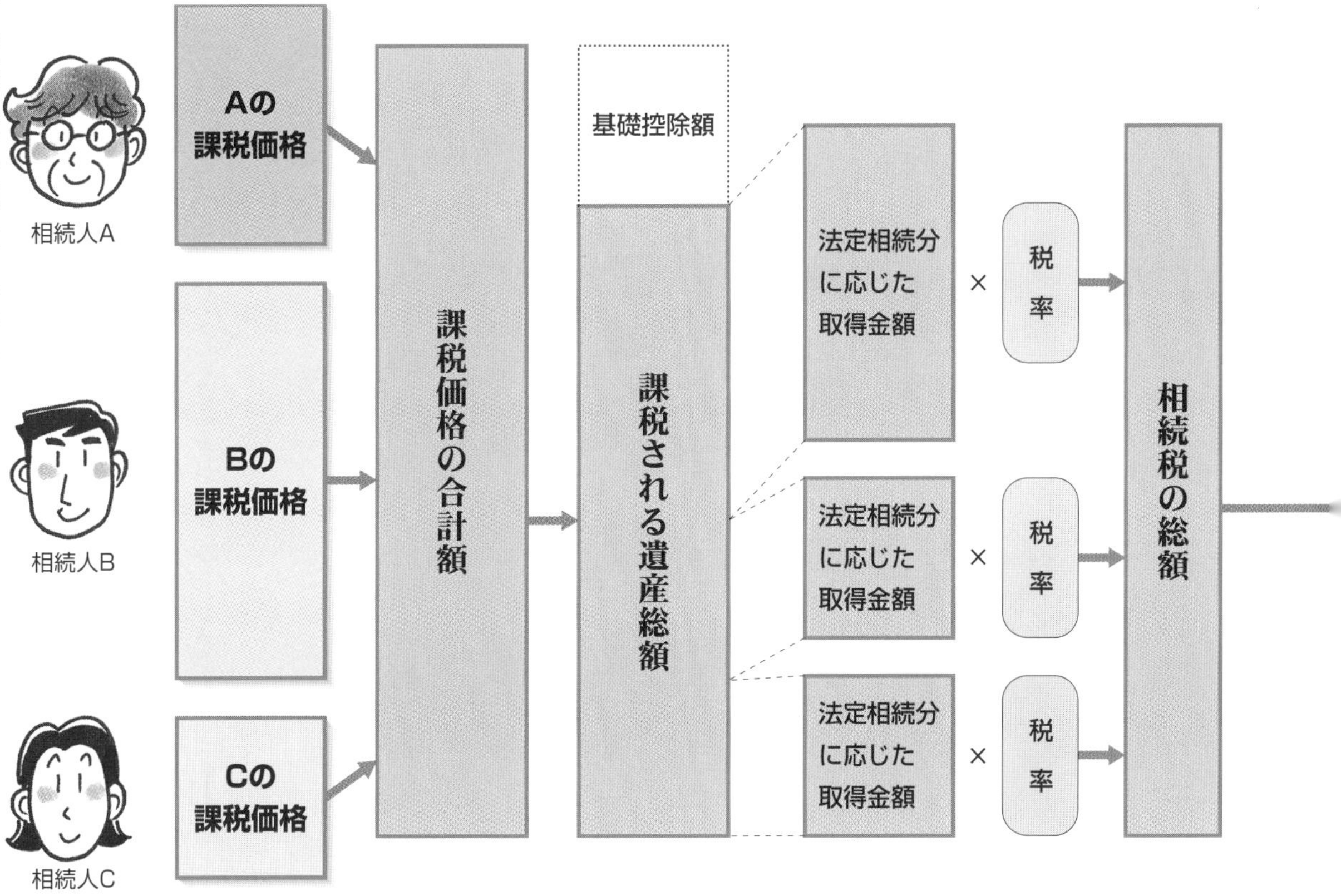

図は、法定相続人がA（配偶者）とB・C（子）の3人で、3人が相続する場合をイメージしています。

相続税計算上の養子の数

ところで、相続税の計算では法定相続人の数が関係してくる場面がいくつかあります。被相続人に養子がいる場合、法定相続人の数に含める養子の数は、次のように制限されています。

> ①被相続人に実子がいる場合……養子の数は1人まで
> ②被相続人に実子がいない場合……養子の数は2人まで

ただし、次の人は実子として扱われますので、この養子の制限を受けません。

①特別養子
②配偶者の実子（連れ子など）で、被相続人の養子になった人
③実子または養子がすでに死亡しているため代襲相続人となった人（孫など）
④結婚前の配偶者の特別養子で、結婚後に養子になった人

STEP1

相続税の課税価格の計算

各人の課税価格を求める
↓
各人の課税価格を合計する
↓
相続税の課税価格

財産を取得した人ごとに計算していく

相続税額を計算するうえでの基礎となるのが、**相続税の課税価格**です。ＳＴＥＰ１では、この課税価格を計算していきます。

課税価格の算出にあたっては、相続や遺贈によって取得したあらゆる財産を金銭的に評価しなければなりません。評価の方法は21～37ページのとおりですが、この評価額いかんによって相続税額が変わってきますので、非常に重要なところといえます。

相続税の課税価格は、財産を取得した人ごとに下図のように計算します。財産を取得した人とは相続人だけでなく、遺贈によって財産をもらった第三者や、相続を放棄した人で生命保険金を受け取った人なども含まれますので注意してください。

まず、その人が取得した本来の相続財産とみなし相続財産の合計額から非課税財産の価額を差し引きます。

次に、被相続人から受け継いだ債務とその人が負担した葬式費用の額を控除し、最後に被相続人から生前にもらった一定の贈与財産の価額を加えます。これが、その人の課税価格となります。

こうして求めた**各人の課税価格**を合計し、相続税の課税価格を算出します。

遺産分割が済んでいないときは？

各人の課税価格を合計するなら最初からまとめて計算すればいいのでは？　と思う人がいるかもしれません。

なぜ財産の取得者ごとに計算する必要があるのかというと、ここで求めた各人の課税価格が、最後にそれぞれの納付税額を決める際の割合の基準となるからです。

では、相続税の申告期限までに、だれがどの財産を取得するのか決まっていないときはどうすればよいのでしょうか。

このような場合、分割の済んでいない財産については相続人が法定相続分に応じて取得したものとして、各人の課税価格を計算します（財産の一定割合を遺贈された人がいる場合は、その取得分も勘案する）。

そして後日、遺産の分割が済んだら計算し直して、納付税額の過不足を修正することになります（186ページ参照）。

各人の課税価格の計算方法

本来の相続財産の価額 ＋ みなし相続財産の価額 － 非課税財産の価額 － 債務および葬式費用の金額 ＋ ①相続時精算課税の適用を受けた贈与財産の価額 ②7年以内*の贈与財産（①を除く）の価額

非課税財産の価額：生命保険金や死亡退職金の非課税金額など

①②とも被相続人から贈与されたもの

＊令和8年12月31日までは実質3年以内（3ページ参照）

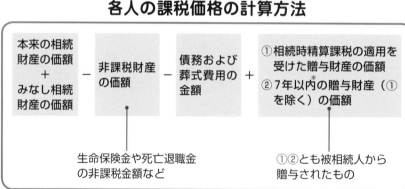

葬式費用となるもの、ならないもの

葬式費用となるもの	①葬式や葬送に際し、またはそれらの前において火葬や埋葬、納骨、遺体や遺骨の回送にかかった費用
	②葬式の前後に生じた出費で、通常葬式にともなうものと認められるもの（通夜にかかった費用など）
	③葬式にあたりお布施などとして支払った金品で、被相続人の職業、財産、その他の事情に照らして相当と認められるもの
	④死体の捜索または死体や遺骨の運搬にかかった費用
葬式費用に含まれないもの	①香典返しのためにかかった費用
	②墓石や墓地の買入費または借入料
	③初七日や法事のためにかかった費用
	④医学上または裁判上の特別の処置にかかった費用

控除できる債務の例

- 金融機関などからの借入金や各種のローン
- 事業上の買掛金や未払金
- 敷金や保証金などの預り金
- 未払いの入院費や治療費
- 被相続人に課税される税金で未納のもの、また死亡時に未確定だった税金で相続人などが納めることになったもの（所得税、住民税、固定資産税、自動車税など）

など

債務と葬式費用は財産から差し引ける

相続人などは、プラスの財産だけでなく借金などのマイナスの財産も受け継がなくてはなりません。そこで、相続財産から借金などの債務を差し引くことが認められています。これを**債務控除**といいます。

債務控除の内容には、**債務と葬式費用**の2つがあります。

①債務

控除できる債務は、被相続人が死亡したときにあった債務で、確実と認められるものです。

たとえば、銀行などからの借入金や各種のローン、事業上の買掛金などがあげられます。

また、被相続人が死亡するまでの所得にかかる所得税や住民税、被相続人が納めるはずだった固定資産税などの税金も控除の対象になります。

一方、債務とはいえ控除できないものもあります。

たとえば、被相続人が生前に購入したお墓の未払代金など、非課税財産に関する債務は控除できません。また、債務は確実なものに限られますので、被相続人が他人の借金の保証人になっていても、その保証債務は原則として控除できません（下コラム参照）。

②葬式費用

葬式費用は被相続人の債務ではありませんが、相続があったときに必ずかかる費用なので債務控除の対象になっています。

葬式費用として控除の対象になるもの、ならないものは上表のとおりです。

債務控除できるのは相続人と包括受遺者

債務控除について注意したいの

保証債務を控除できる場合とは

保証債務は原則として債務控除できませんが、相続開始時にその保証債務を履行しなければならない状態にあり、保証相手から返還してもらえる見込みがない場合には、その金額を控除することができます。

連帯債務については、本人が負担すべき金額が明らかになっている場合は、その金額を控除できます。また、ほかの連帯債務者の負担部分についても負担しなければならない場合には、その金額も控除することができます。

は、**控除が認められるのは相続人**（相続を放棄した人は含まない）**と包括受遺者に限られる**ということです。

包括受遺者とは、財産の一定割合を遺贈された人のことをいい、プラスの財産だけでなく取得分に応じた負債も負担することになります。

相続人でも包括受遺者でもない人は法律上債務を負担する義務がありませんので、たとえ現実に債務を負担したとしても（たとえば被相続人の入院費や治療費を支払った場合など）、債務控除の適用はありません。

ただし、相続を放棄した人が負担した葬式費用については、その人が遺贈でもらった財産（生命保険金など）から控除できることになっています。

一定の贈与財産は課税価格に加算する

被相続人から生前に贈与された財産のうち、

①相続時精算課税制度に係る贈与財産

②相続開始前7年以内*に贈与された財産

は相続財産に取り込んで相続税が課税されることになっています（18ページ参照）。

①は、もともと相続時に課税対象となることを前提に贈与された財産です。したがって、たとえその人が相続財産を取得しなかったとしても、その人の課税価格としなくてはなりません。

一方、②は相続や遺贈によって財産を取得した人だけ相続財産に加算します。

加算する贈与財産の価額は、贈与を受けたときの時価です。また、贈与税の配偶者控除の特例（58ページ参照）を受けたものについては、配偶者控除額を超えた金額だけを加算します。

*令和8年12月31日までは実質3年以内（3ページ参照）

贈与財産の加算対象となる期間の例

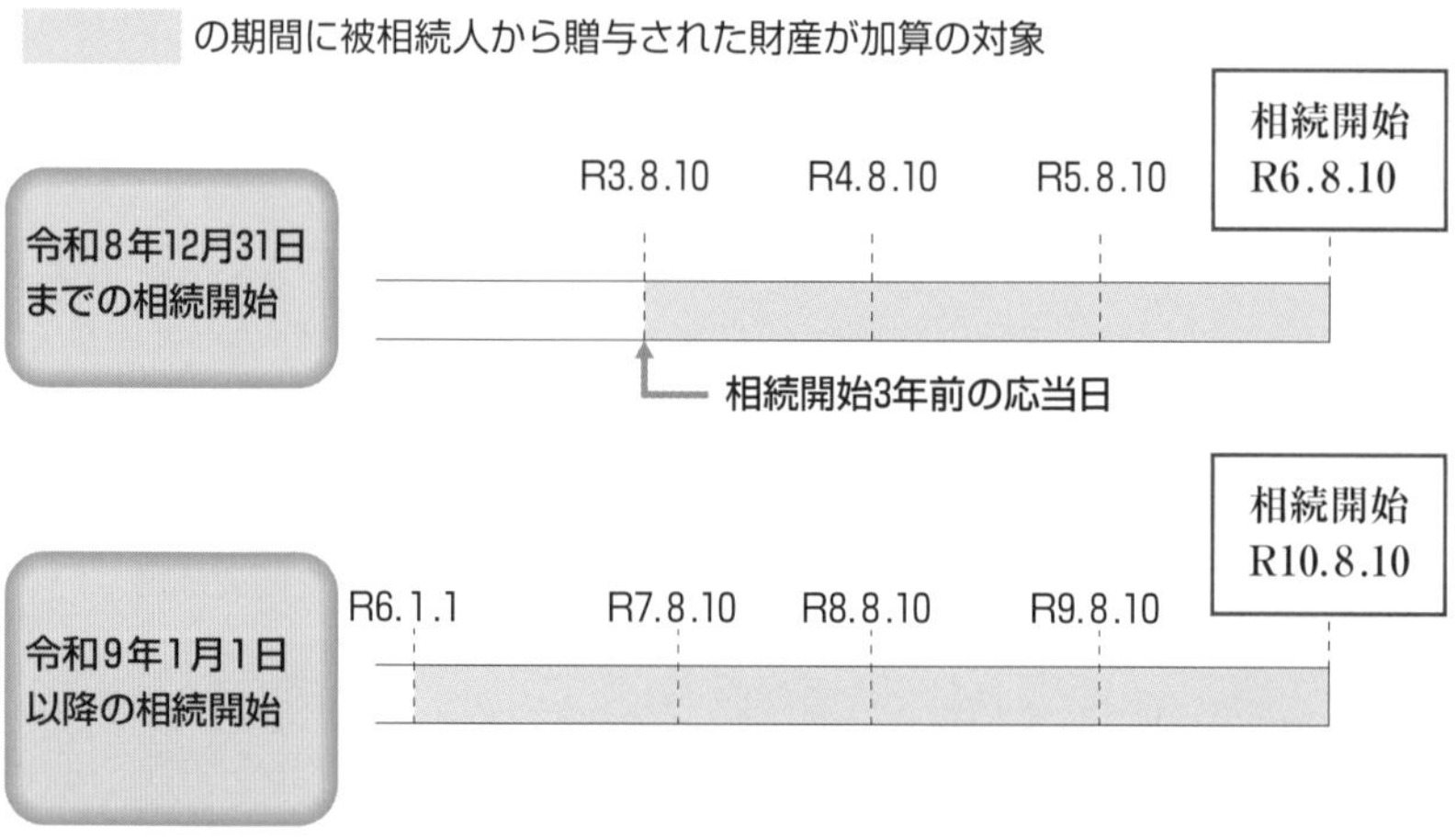

贈与者の相続開始日	加算対象期間
令和6年1月1日～令和8年12月31日	相続開始前3年間
令和9年1月1日～令和12年12月31日	令和6年1月1日～相続開始日
令和13年1月1日～	相続開始前7年間

※令和6年1月1日～令和8年12月31日までに住宅取得等資金として贈与された非課税部分の金額は、相続税の課税価格には加算されません

STEP2 相続税の総額の計算

課税価格から基礎控除額を差し引く＝課税遺産総額

↓

課税遺産総額を法定相続分で分ける

↓

税率を適用。算出税額を合計する

↓

相続税の総額

相続税の基礎控除はここで適用する

STEP2では、課税される遺産全体にどれだけの相続税がかかるのかを計算します。

まず、STEP1で求めた課税価格の合計額から、相続税の基礎控除額を差し引きます。基礎控除額は次の計算式で求めます。

3000万円＋600万円×法定相続人の数

たとえば、法定相続人が3人なら基礎控除は4800万円です。

この法定相続人の数には相続放棄をした人を含みます。また、養子がいる場合は「相続税計算上の養子の数」（39ページ参照）が適用されますので注意しましょう。

基礎控除後の金額が、課税遺産総額となります。

速算表を使って税額を計算する

ここから税額の計算です。まず、課税遺産総額を法定相続人が法定相続分に応じて取得したものとして、各相続人に振り分けます。このとき、その相続人が法定相続分どおりに財産を取得したかどうかはまったく関係ありません。

続いて、各相続人に振り分けた金額（**法定相続分に応じた取得金額**）に税率を適用し、それぞれの税額を求めます。税額は右上の速算表を使って計算します。

最後に各相続人の税額を合計します。これで**相続税の総額**が算出されました。

相続税の速算表【A×B－C＝算出税額】

法定相続分に応じた取得金額（A）	税　率（B）	控除額（C）
1000万円以下	10%	——
1000万円超3000万円以下	15%	50万円
3000万円超5000万円以下	20%	200万円
5000万円超１億円以下	30%	700万円
１億円超２億円以下	40%	1700万円
２億円超３億円以下	45%	2700万円
３億円超６億円以下	50%	4200万円
６億円超	55%	7200万円

＊贈与税の速算表は55ページ参照

【計算例】

相続人甲の法定相続分に応じた取得金額…5000万円

相続人乙　〃　…2500万円

相続人丙　〃　…2500万円

○甲の算出税額

5000万円×20%－200万円＝800万円

○乙の算出税額

2500万円×15%－50万円＝325万円

○丙の算出税額

2500万円×15%－50万円＝325万円

相続税の総額　1450万円

STEP3

各人の納付税額の計算

各人の相続税額を割り出す

最終段階であるSTEP3では、各人が実際に税務署に納める税額を求めていきます。

まず、STEP2で求めた相続税の総額を、各人が実際に取得した財産の価額に応じ、各人に振り分けます。

このとき必要になる数字が**按分割合**です。按分割合は、STEP1で求めた各人の課税価格を課税価格の合計額で割って求めます（左ページ右図参照）。

これで各人の相続税額が算出されました。しかし、まだ終わりではありません。

次に説明する「2割加算」と「税額控除」を行って、最終的な**納付税額**を確定させます。

父母、子、配偶者以外は税額が2割アップ

相続や遺贈によって財産を取得した人が、次の①または②以外の人であるときは、前段階で算出した相続税額の20％相当額を加算することになっています（下図）。

①1親等の血族（父母または子）
②配偶者

①の「子」には、子がすでに死亡しているため代わりに相続人となった孫など（代襲相続人）も含まれます。また養子も「子」に含まれますが、被相続人の養子となった孫は除外します。

つまり、生きている子どもを飛び越して孫が遺贈を受けたり、被相続人の養子となった孫、あるいは兄弟姉妹などが相続した場合には、税額が2割アップするという

2割加算の対象になる人、ならない人

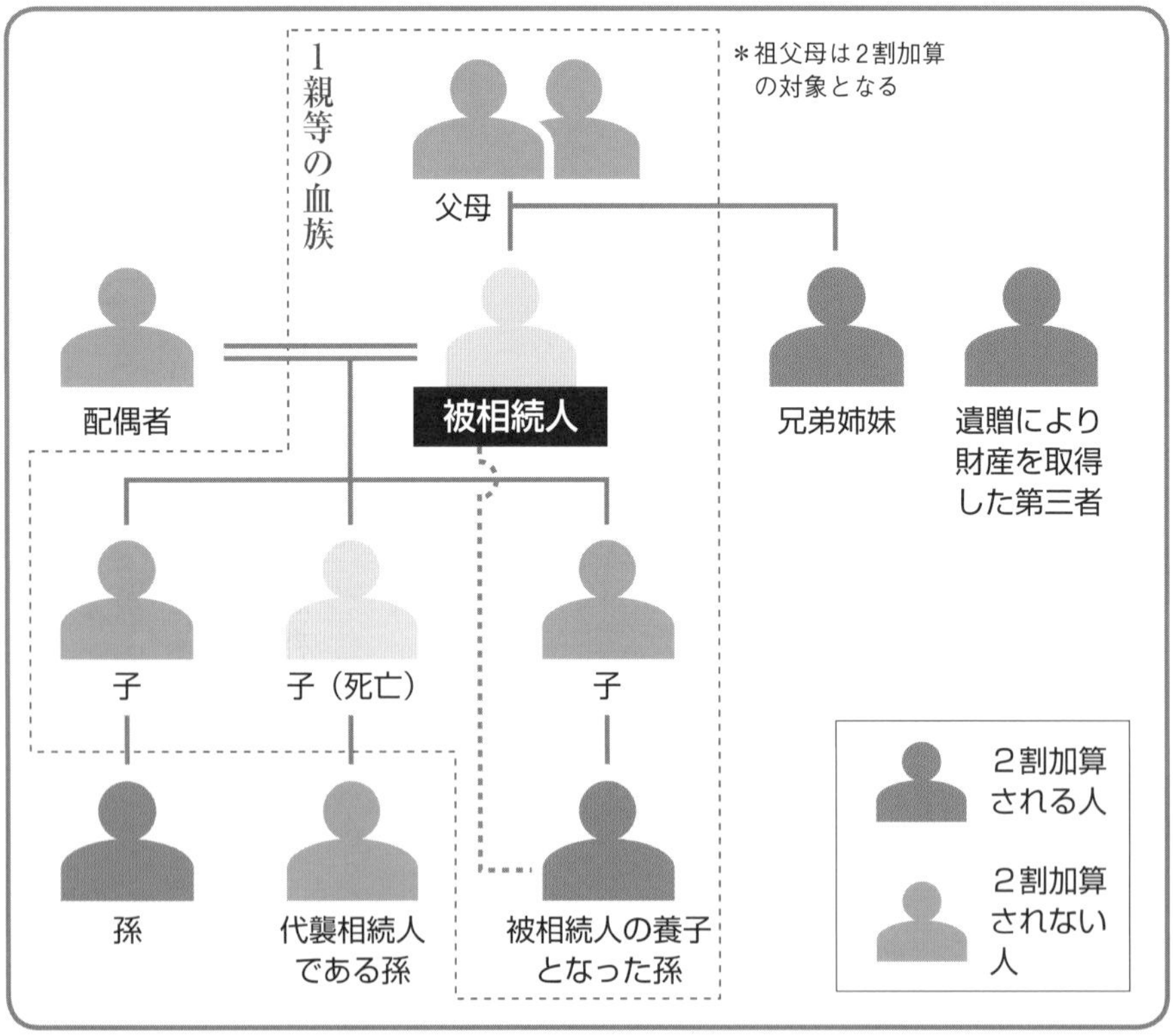

各種の税額控除と納付税額算出の流れ

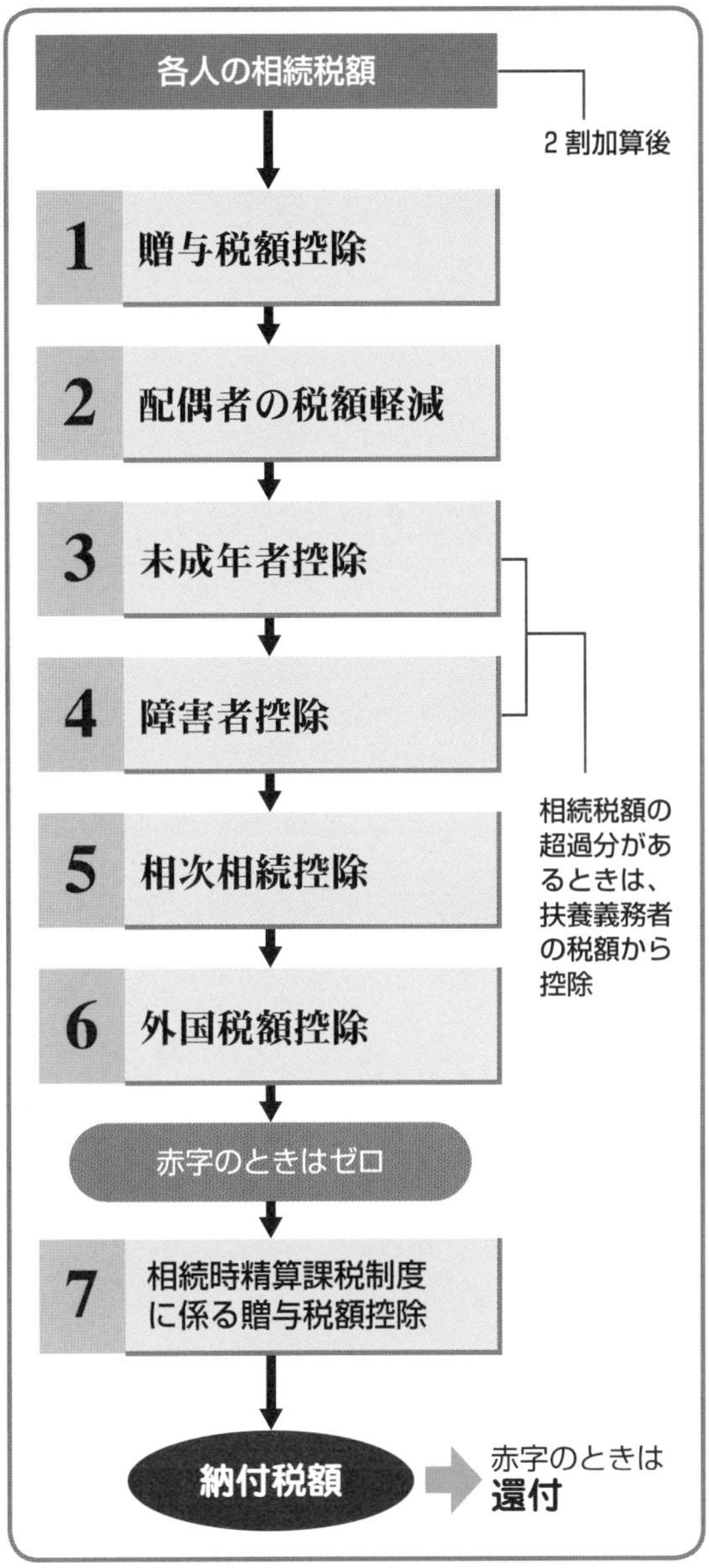

各人の相続税額の計算法

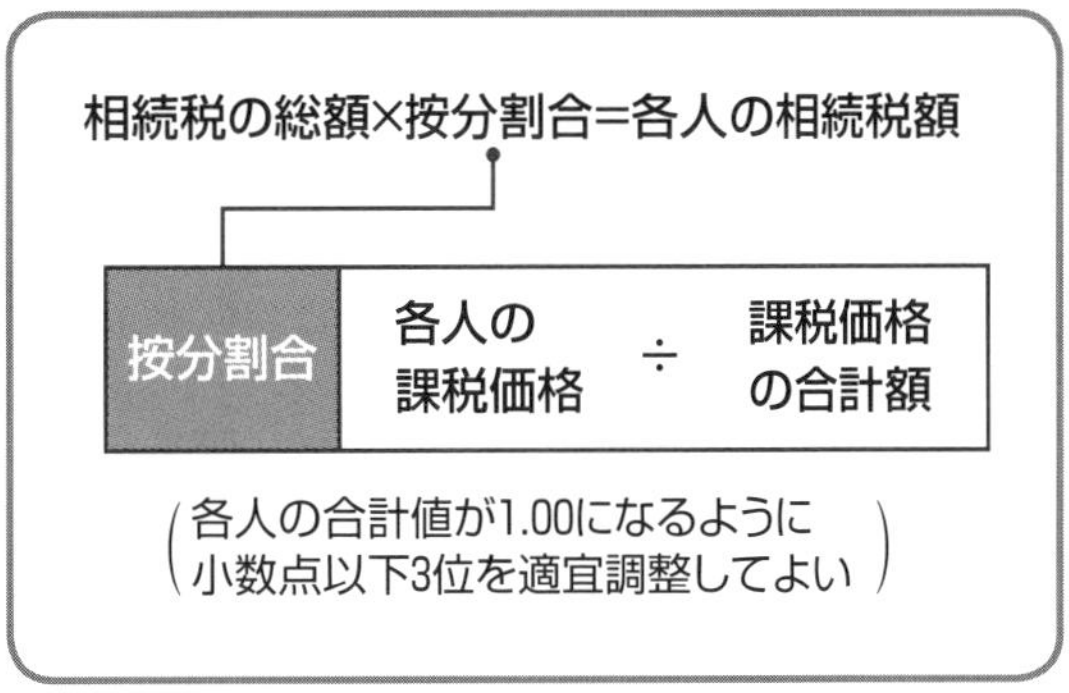

ことです。これは、孫が財産を取得すると相続税を1回免れること、また後順位の相続人や相続人でない人が財産を取得するのは偶然性が高いこと、などが理由です。

各種の税額控除を差し引く

これまでの手順によって求めた各人の税額から、最後に各種の税額控除額を差し引きます。これで、その人の納付する相続税額が確定します。

税額控除には次の7種類があり、控除もこの順序に従って行っていきます。これら7つの控除のうち、最後の「相続時精算課税制度に係る贈与税額控除」は、ほかの控除と少し性質が異なります。

ほかの6つの控除は税負担を軽減するため、または二重課税を避けるために設けられた控除であり、これらの控除によって税額が赤字になっても、お金が戻ってくるわけではありません。

一方、「相続時精算課税制度に係る贈与税額控除」は税額の精算を目的としたもので、これにより税額が赤字になったときは、その金額が還付されます。以下、順を追ってみていきましょう。

1 贈与税額控除

STEP1で各人の課税価格を求める際、相続開始前7年以内＊に被相続人から贈与を受けた財産がある場合には、その贈与財産の価額を課税価格に加算しました。この場合、その贈与財産についてすでに贈与税が課税されていると、贈与税と相続税を二重に納めることになってしまいます。

そこで、次ページ上図の算式で計算した額を相続税額から控除することになっています。

この算式は、その年分の贈与税額のうち、被相続人からの贈与財産に対応する金額を求めるためのものです。したがって、贈与を受けた相手が被相続人だけの場合

＊令和8年12月31日までは実質3年以内（3ページ参照）

は、その年の贈与税額をそのまま控除すればよいわけです。

2 配偶者の税額軽減

配偶者については、被相続人の財産形成に寄与していることや被相続人死亡後の生活保障面などが考慮され、税額が大幅に軽減される特例があります。

これにより、配偶者が取得した遺産額のうち次のどちらか多い金額までは、相続税がかからないことになっています。

①配偶者の法定相続分の相当額
②1億6000万円

ただし、この特例の対象となる財産は、遺産分割などによって実際に取得したものに限られます。したがって、遺産分割が済んでいない場合には、原則として特例の適用はありません。この特例により軽減される税額は、右下図の算式で計算します。

3 未成年者控除

未成年者控除が受けられるのは、制限納税義務者*にあたらない法定相続人で、相続開始時18歳未満の人です。控除額は、その人が満18歳になるまでの年数1年につき10万円で計算した金額です（左ページ右上図参照）。

控除額が相続税額より大きくて引ききれない場合には、その分を扶養義務者の税額から控除できることになっています。なお、民法改正で令和4年4月1日以降の成年年齢は従来の20歳から18歳以上になり、この改正にともない、未成年者控除の適用も18歳未満となっています。

4 障害者控除

障害者控除が受けられるのは、制限納税義務者*にあたらない法定相続人で、相続開始時85歳未満の障害を持つ人です。

控除額は、その人が満85歳にな

贈与税額控除額の計算方法

$$\text{その贈与を受けた年分の贈与税額} \times \frac{\text{相続税の課税価格に加算された贈与財産の価額}}{\text{その年分の贈与税の課税価格に算入された財産の価額の合計額}} = \text{控除額}$$

配偶者の税額軽減の求め方

$$\text{相続税の総額} \times \frac{\text{ⓐとⓑのうち少ないほうの金額}}{\text{課税価格の合計額}} = \text{軽減される税額}$$

ⓐ　課税価格の合計額×配偶者の法定相続分
（1億6000万円未満のときは、1億6000万円）
ⓑ　配偶者の課税価格

【計算例】法定相続人は配偶者と子ども2人。
配偶者は法定相続分を超えて相続

課税価格の合計額	2億5000万円
配偶者の課税価格	1億8000万円
相続税の総額	3970万円
配偶者の相続税額	2858万円

①上記算式中の分子の金額

ⓐ2億5000万円×$\frac{1}{2}$＝1億2500万円　ⓑ1億8000万円

⇨ⓐとⓑのうち少ないほうの金額は1億2500万円*

②軽減される税額

3970万円（相続税の総額）× $\frac{\text{1億6000万円}}{\text{2億5000万円}}$ ≒ 2540 万円

*1億2500万円だが、1億6000万円未満のときは1億6000万円

③配偶者の納付税額

2858万円（配偶者の相続税額） − 2540万円（軽減税額）＝318万円

*国内財産と相続時精算課税適用財産に課税される者。具体的には、①被相続人・相続人ともに10年以内に国内に住所のない者、②相続人が外国籍でも被相続人・相続人ともに国内に住所のない者

相次相続控除額の計算方法

$$A \times \frac{C}{B-A} \times \frac{D}{C} \times \frac{10-E}{10} = \text{各相続人の控除額}$$

A	二次相続の被相続人が、一次相続によって取得した財産に対して課せられた相続税額
B	二次相続の被相続人が、一次相続によって取得した財産の価額（債務控除後）
C	二次相続によって相続人や受遺者の全員が取得した財産の価額（債務控除後）
D	二次相続によってその相続人が取得した財産の価額（債務控除後）
E	一次相続のときから二次相続のときまでの期間（1年未満の端数は切捨て）

＊ $\frac{C}{B-A}$ の割合が $\frac{100}{100}$ を超えるときは $\frac{100}{100}$ で計算

未成年者控除額の計算方法

10万円×満18歳になるまでの年数＊＝控除額

＊1年未満の端数は切上げ
＊令和4年3月31日以前は満20歳

【計算例】
相続時の年齢が14歳 8か月の場合

満18歳になるまでの年数：
3年4か月➡4年

10万円×4年＝40万円

障害者控除額の計算方法

［一般障害者］
10万円×満85歳になるまでの年数＊＝控除額

［特別障害者］
20万円×満85歳になるまでの年数＊＝控除額

＊1年未満の端数は切上げ

るまでの年数1年につき10万円、特別障害者は20万円で計算した金額です（上図参照）。

障害者控除についても未成年者控除の場合と同様、本人の相続税額から控除しきれない金額を扶養義務者の税額から控除することができます。

5 相次相続控除

数年前に祖父の遺産を相続したばかりの父親が亡くなってしまった……。このケースのように短期間のうちに相次いで相続が起こると、重ねて相続税を負担することになって大変です。

そこで、前の相続（一次相続）から10年以内に今回の相続（二次相続）が起こった場合には、今回の相続人の税額から一定額が控除されることになっています。

控除額は、上図の算式により計算した金額です。

6 外国税額控除

外国にある財産を取得した場合に、その国で相続税に相当する税金が課税されると、日本の相続税と二重に課税されることになってしまいます。

そこで、このようなときは外国で課せられた相続税相当額を日本の相続税額から控除することになっています。

7 相続時精算課税制度に係る贈与税額控除

STEP1で各人の課税価格を求める際に「相続時精算課税に係る贈与財産の価額」を計上した人は、その贈与財産について課税された贈与税額があれば、その金額をそのまま控除します。

被相続人の生前に納めていたこの贈与税額は、将来の相続税額の〝前払い〟ともいえるもの。今回、実際の相続財産にもとづいて計算した税額から、この〝前払いの税額〟を控除することで、精算が完了するというしくみです。控除の結果、マイナスとなった金額があれば還付されます。

（単位：万円）

計算例1 配偶者と子が相続する一般的なケース

- 法定相続人は妻と3人の子の計4人で、それぞれ右表のとおり財産を取得
- 相続税の課税対象となる贈与はない
- 相続放棄をした人はいない。子はすべて実子で成人

	妻：花子	子：一郎	子：二郎	子：和美	合計
分割により取得した相続財産	20,000	8,000	4,000	4,000	36,000
生命保険金（うち非課税金額）		1,000（400）	2,000（800）	2,000（800）	5,000（2,000）
負担した債務	2,000				2,000
負担した葬式費用		300			300

STEP1 相続税の課税価格の計算

財産取得者	取得財産の価額		非課税財産の価額		債務・葬式費用		贈与財産の価額		課税価格 千円未満切捨て
[田中花子]	200,000,000円	−	円	−	20,000,000円	+	円	=	180,000,000円
[田中一郎]	90,000,000円	−	4,000,000円	−	3,000,000円	+	円	=	83,000,000円
[田中二郎]	60,000,000円	−	8,000,000円	−	円	+	円	=	52,000,000円
[田中和美]	60,000,000円	−	8,000,000円	−	円	+	円	=	52,000,000円

課税価格の合計 A 367,000,000円

STEP2 相続税の総額の計算

A − 基礎控除額 54,000,000円 = 課税遺産総額 B 313,000,000円

法定相続人			法定相続分		法定相続分に応じた取得金額		速算表の税率		速算表の控除額		算出税額
[田中花子]	B	×	1/2	→	156,500,000円	×	40%	−	17,000,000円	=	45,600,000円
[田中一郎]	B	×	1/6	→	52,166,000円	×	30%	−	7,000,000円	=	8,649,800円
[田中二郎]	B	×	1/6	→	52,166,000円	×	30%	−	7,000,000円	=	8,649,800円
[田中和美]	B	×	1/6	→	52,166,000円	×	30%	−	7,000,000円	=	8,649,800円

千円未満切捨て

相続税の総額 百円未満切捨て C 71,549,400円

STEP3 各人の納付税額の計算

各人の課税価格÷A

財産取得者			按分割合		各人の税額		2割加算		各種の税額控除額		相続時精算課税に係る贈与税額控除		納付税額 百円未満切捨て
[田中花子]	C	×	0.49	→	35,059,206円	+	円	−	35,059,206円	−	円	=	0円
[田中一郎]	C	×	0.23	→	16,456,362円	+	円	−	円	−	円	=	16,456,300円
[田中二郎]	C	×	0.14	→	10,016,916円	+	円	−	円	−	円	=	10,016,900円
[田中和美]	C	×	0.14	→	10,016,916円	+	円	−	円	−	円	=	10,016,900円

計1.00

(単位：万円)

計算例2 相続人でない孫への遺贈があるケース

- 法定相続人は妻と2人の子の計3人で、それぞれ右表のとおり財産を取得。孫への遺贈もある
- 相続税の課税対象となる贈与はない
- 妻は相続を放棄。子はすべて実子で成人

	妻：花子	子：一郎	子：二郎	孫：武史	合計
分割により取得した相続財産		5,000	3,000		8,000
生命保険金（うち非課税金額）	3,000（0）	800（750）	800（750）	500（0）	5,100（1,500）
負担した債務 負担した葬式費用		100 200	50		150 200

STEP1 相続税の課税価格の計算

財産取得者	取得財産の価額		非課税財産の価額		債務・葬式費用		贈与財産の価額		課税価格 千円未満切捨て
[佐藤花子]	30,000,000円	−	円	−	円	+	円	=	30,000,000円
[佐藤一郎]	58,000,000円	−	7,500,000円	−	3,000,000円	+	円	=	47,500,000円
[佐藤二郎]	38,000,000円	−	7,500,000円	−	500,000円	+	円	=	30,000,000円
[佐藤武史]	5,000,000円	−	円	−	円	+	円	=	5,000,000円

課税価格の合計 A 112,500,000円

STEP2 相続税の総額の計算

A − 基礎控除額 48,000,000円 = B 課税遺産総額 64,500,000円

法定相続人		法定相続分	法定相続分に応じた取得金額	速算表の税率	速算表の控除額	算出税額
[佐藤花子]	B ×	1/2	→ 32,250,000円	× 20%	− 2,000,000円	= 4,450,000円
[佐藤一郎]	B ×	1/4	→ 16,125,000円	× 15%	− 500,000円	= 1,918,750円
[佐藤二郎]	B ×	1/4	→ 16,125,000円	× 15%	− 500,000円	= 1,918,750円
[　　　]	B ×		→ 円	× %	− 円	= 円

千円未満切捨て

相続税の総額 百円未満切捨て C 8,287,500円

STEP3 各人の納付税額の計算

各人の課税価格÷A

財産取得者		按分割合	各人の税額	2割加算	各種の税額控除額	相続時精算課税に係る贈与税額控除	納付税額 百円未満切捨て
[佐藤花子]	C ×	0.27	→ 2,237,625円	+ 円	− 2,237,625円	− 円	= 0円
[佐藤一郎]	C ×	0.42	→ 3,480,750円	+ 円	− 円	− 円	= 3,480,700円
[佐藤二郎]	C ×	0.27	→ 2,237,625円	+ 円	− 円	− 円	= 2,237,600円
[佐藤武史]	C ×	0.04	→ 331,500円	+ 66,300円	− 円	− 円	= 397,800円

計1.00

相続税額の計算シート

48・49ページの計算例を参考にして、
あなたの家族の相続税額を計算してみましょう。

STEP1 相続税の課税価格の計算

財産取得者	取得財産の価額		非課税財産の価額		債務・葬式費用		贈与財産の価額		課税価格 千円未満切捨て
[　　　]	円	−	円	−	円	+	円	=	円
[　　　]	円	−	円	−	円	+	円	=	円
[　　　]	円	−	円	−	円	+	円	=	円
[　　　]	円	−	円	−	円	+	円	=	円
[　　　]	円	−	円	−	円	+	円	=	円

課税価格の合計 A　円

STEP2 相続税の総額の計算

		基礎控除額		課税遺産総額
A	−	円	=	B　円

法定相続人			法定相続分		法定相続分に応じた取得金額		速算表の税率		速算表の控除額		算出税額
[　　　]	B	×		→	円	×	%	−	円	=	円
[　　　]	B	×		→	円	×	%	−	円	=	円
[　　　]	B	×		→	円	×	%	−	円	=	円
[　　　]	B	×		→	円	×	%	−	円	=	円
[　　　]	B	×		→	円	×	%	−	円	=	円
					千円未満切捨て						

相続税の総額 百円未満切捨て C　円

STEP3 各人の納付税額の計算

按分割合：各人の課税価格÷A

財産取得者			按分割合		各人の税額		2割加算		各種の税額控除額		相続時精算課税に係る贈与税額控除		納付税額 百円未満切捨て
[　　　]	C	×		→	円	+	円	−	円	−	円	=	円
[　　　]	C	×		→	円	+	円	−	円	−	円	=	円
[　　　]	C	×		→	円	+	円	−	円	−	円	=	円
[　　　]	C	×		→	円	+	円	−	円	−	円	=	円
[　　　]	C	×		→	円	+	円	−	円	−	円	=	円
			計1.00										

第2章

家族に財産を残す税金対策マニュアル

◇

現状で、家族が苦労せず納税できる資金はありますか？　納税後も家族が安心して暮らしていけるだけの財産は残るでしょうか。

とくに問題がなければ、税金についての相続対策は不要です。しかし、もし危険信号が出たのなら、早めに手を打っておくことが大切です。

早いほど選択肢が増える！

いまから始める 節税・納税資金対策

相続税対策は、資産内容や家庭の事情に合った方法で、余裕をもって行うことが大切です。早く始めるほど選択肢が増え、また無理のない計画を立てることができます。

相続税対策の基本的な手法とは？

相続対策には**節税対策**、**納税資金対策**、**争族（遺産分割）対策**の3つの柱があります。ここでは、税金に関する節税・納税資金対策についてみていきます。

まず、節税のための手法としては、おもに次の3つがあります。

①相続財産を減らす……相続人などに財産を移転（贈与）する

②相続財産の評価を下げる……たとえば自用地を貸家建付地《かしやたてつけち》にするなど、財産を評価の低いものに変える

③税法の計算規定を利用する……生命保険金の非課税枠、養子縁組など、税法の計算規定を利用して税金を減らす

一方、納税資金対策では、次のような方法によって納税資金を確保します。

①生命保険に加入する

②土地の有効利用などにより支払能力を高める

③不動産を売却し、流動性のある金融資産などにしておく

④遺族が不動産などの売却や物納をしやすい状態にしておく

以上の方法は個別のものでなく、いくつかを組み合わせることによって、より高い効果を得ることができます。

生前対策のリスクを知り、無理のない計画を

相続税対策は、生前のできるだけ早い時期に着手し、時間をかけて行うのが基本です。期間が短いとそれだけ無理が生じますし、相続開始直前の対策は効果を生じない場合もあります。

しかし、じつは生前の対策というのはとても難しく、またリスクをともなうことです。現在の資産状況や法律にもとづいて対策を立てることになりますが、税法はいつ改正されるかわかりませんし、経済情勢の変化も大きな影響を及ぼします。少しでも税金を安くしたいのが人情ですが、「ゆきすぎた節税策」は思わぬ誤算と損失を招くことがあるのです。

たとえば、以前には海外居住者が国外財産を取得した場合は相続税が課税されないという法の盲点をついた〝究極の節税策〟がありました。一部の資産家たちはせっせと海外に財産を移転させ、なかには、このために子どもを外国に住まわせるなどのケースもあったようです。しかし、平成12年の税法改正によってこの方法は事実上封鎖され、彼らの努力は水泡に帰す結果となりました。

これは極端な例ですが、生前の節税対策には、多かれ少なかれ同

様のリスクがあることを忘れないようにしましょう。

また、法律知識の不足・誤解による失敗例も枚挙にいとまがありません。必ず専門家（税理士、弁護士、ファイナンシャル・プランリーなど）に相談するようにしましょう。

そして、もうひとつ。相続税対策というと「節税」に偏重する傾向がありますが、本来は「納税資金対策」を先行して考えるべきです。まず、現状でどれだけの相続税がかかるのかを割り出し、納税額に足りる金融資産があるかどうかを確認、不足するならどのように確保するのか検討します。そのうえで、もっと税負担を軽くすることはできないか、というように考えると目的がはっきりします。

次ページ以降ではいろいろな相続税対策を紹介していますが、ぜひ、あなたの資産状況や家庭事情に合った無理のない方法を選び、上手に活用してください。

生前のおもな相続税対策一覧

対　策	概要・特徴	財産の減少	財産の評価減	納税資金準備	その他	掲載ページ
相続人に連年贈与	贈与税の基礎控除を利用して、相続人に少しずつ財産を移転する	●				54ページ
子に住宅取得等資金を贈与	住宅取得等資金贈与に限り最高1000万円までが非課税（令和8年12月まで）	●				67ページ
子や孫に教育資金を贈与	教育資金の一括贈与に限り子や孫1人につき1500万円までが非課税	●				70ページ
子や孫に結婚・子育て資金を贈与	受贈者1人につき1000万円（結婚資金は300万円）までが非課税	●				72ページ
孫に生前贈与	一代飛び越して贈与することで、相続が1回減る	●			●	57ページ
配偶者に居住用不動産を贈与	特例により婚姻期間20年以上の配偶者へ2000万円まで無税で贈与できる	●				58ページ
生命保険に加入	生命保険に加入して納税資金を確保する。非課税の特典もある	●		●	●	74ページ
生命保険料を贈与	子に保険料充当金を贈与し、子が契約者となって生保に加入する	●		●		77ページ
遊休地にアパートなどを建築	貸家建付地の評価減、貸家の評価減などを利用。家賃収入も期待できる		●	●		80ページ
土地の利用区分を変更	自用地の一部を貸家建付地にするなどし、土地の道路付けを変える		●			82ページ
借地権と底地を交換	借地権付きの土地を処分しやすい状態にしておく。有効利用も可能に			●		85ページ
養子縁組	嫁や孫を養子にする。基礎控除額の拡大、累進税率の低下などの効果				●	86ページ
墓地の購入	墓地、墓石、仏壇などの非課税財産を購入し、課税財産を減らす	●				87ページ
自宅の建替え	老朽化した自宅を建て替える。建築費と評価額の差額だけ財産圧縮	●	●			87ページ

生前贈与を有効に活用しよう

相続税対策の基本ともいえるのが生前贈与。より効果的に行うためには、ちょっとしたコツがあります。

相続財産を減らすには生前贈与がベスト

数ある相続税対策のなかでも、もっとも基本的で比較的容易に実行できる方法が、生前贈与を活用した節税法です。

生前贈与の考え方はごく単純。生きているうちにできるだけ多くの財産を相続人または相続人以外の人に移転し、相続時の財産を減らしておこうというものです。

しかし、生前に財産を移転する場合は贈与税がネックに。贈与税の税率は相続税より高く設定されているため（暦年課税の場合。左ページ参照）、同じ額の財産の移転に対する税負担は、相続の場合に比べてはるかに高くなってしまうのです。

そこで、贈与税の特性をうまく利用し、効果的に相続財産を減らすテクニックが必要になってきます。ここでは、代表的な方法をいくつか紹介しましょう。

なお、贈与税には「相続時精算課税」と「暦年課税」の2つの課税方式があります。本ページで紹介する節税策は、暦年課税の贈与について述べたものです。

テクニック1

連年贈与で着実に財産を減らす

基礎控除を利用すれば無税で贈与できる

一度に多額の財産を贈与すると重い贈与税がかかります。そこで、財産を小分けに、できるだけ多くの人に繰り返して行うのが生前贈与の王道です。

贈与税には**年間110万円の基礎控除**がありますので、この範囲内での贈与なら、無税で財産を移転することができます。

しかし、多額の遺産に対し、110万円程度でどのぐらいの効果があるのかと疑問に感じる方もいるでしょう。

56ページのケーススタディのパターン1をみてください。

総資産3億円の人が、3人に110万円ずつ、10年間贈与した場合の事例です。贈与を実行しなかった場合に比べ、相続税を約578万円減らすことができます。無理をせずにこの金額ですので、まずまずの節税効果といってよいでしょう。

比較的少額の贈与でもこのような効果を得られるのは、相続税が超過累進税率をとっているためです。超過累進税率では、相続財産

贈与税のしくみ早わかり ▶これだけで十分！◀

贈与税は個人の間で贈与があったときや、贈与の形をとっていなくても、ほかの人の行為によって何らかの経済的利益を得たとみなされる場合に課税される税金です。子や孫への贈与が増えると、相続税が軽くなる関係にあることから、相続税逃れを牽制する意味合いで、相続税よりも税負担が高くなっているのが特徴です。

贈与税には相続税と一体化した相続時精算課税制度（60ページ参照）もありますが、ここでは暦年課税についてみていきましょう。

暦年課税の計算方法はとっても簡単です。1年間に贈与された財産の価額から基礎控除の110万円を引き、それに税率を適用するだけ。税率の適用は下の速算表を使って計算すると便利です。なお、子や孫に親や祖父母が贈与する場合には、①の軽減税率を適用できます。

贈与税の計算方法（暦年課税）

（1年間の贈与財産の合計額－基礎控除額110万円）×速算表の税率－速算表の控除額＝贈与課税

＊相続税の速算表は43ページ参照

贈与税の速算表

①直系尊属から子や孫への贈与＊

基礎控除後の課税価格	税率	速算控除額
200万円以下	10%	——
200万円超　400万円以下	15%	10万円
400万円超　600万円以下	20%	30万円
600万円超　1000万円以下	30%	90万円
1000万円超　1500万円以下	40%	190万円
1500万円超　3000万円以下	45%	265万円
3000万円超　4500万円以下	50%	415万円
4500万円超	55%	640万円

②左記以外の贈与

基礎控除後の課税価格	税率	速算控除額
200万円以下	10%	——
200万円超　300万円以下	15%	10万円
300万円超　400万円以下	20%	25万円
400万円超　600万円以下	30%	65万円
600万円超　1000万円以下	40%	125万円
1000万円超　1500万円以下	45%	175万円
1500万円超　3000万円以下	50%	250万円
3000万円超	55%	400万円

【計算例】祖父から500万円の贈与を受けた場合→（500万円－110万円）×15%－10万円＝48.5万円

＊令和4年4月1日から18歳以上の子や孫が該当

が増えるほどに税率が高くなります。生前贈与をすると、この高い税率が適用される部分の財産を減らすことができるのです。

ケーススタディでは遺産額を3億円（適用税率は妻40％、子30％）に設定していますが、遺産額がもっと大きく、より高い税率が適用されるケースでは、さらに大きな節税効果があります。

最少の贈与税負担でスピード贈与も

前出の例は基礎控除の範囲内でコツコツと贈与していく方法ですが、贈与税を支払ってでもスピードアップで贈与したほうが有利な場合もあります。

ケーススタディのパターン2は、パターン1と同じ条件設定で贈与額を1人あたり310万円に増やしたものです。贈与税は、基礎控除後の課税価格200万円までは10％の税率ですので、310万円までは最低税率で贈与することができます。

ケーススタディ

Yさん（60歳）には妻と2人の子どもがおり、2人の子どもにそれぞれ1人ずつ孫がいる
現在の財産　3億円
推定相続人　妻、長男、長女（法定相続分どおりに相続）

Yさん ─ 妻
　├ 長男 ── 孫
　└ 長女 ── 孫

	パターン1	パターン2	パターン3
内容	3人の相続人に110万円ずつ10年間贈与	3人の相続人に310万円ずつ10年間贈与	孫を加えた5人に110万円ずつ10年間贈与
対策前			
[相続財産]	3億円	3億円	3億円
相続税額	2860万円	2860万円	2860万円
対策後			
[贈与財産]	3300万円	9300万円	5500万円
[相続財産]	2億6700万円	2億700万円	2億4500万円
贈与税額	0万円	600万円	0万円
相続税額	2282.5万円	1437.5万円	1912.5万円
税額合計	2282.5万円	2037.5万円	1912.5万円
	577.5万円の節税	**822.5万円の節税**	**947.5万円の節税**

310万円にかかる贈与税額は20万円です。3人分・10年間で600万円の贈与税を支払うことになりますが、相続税とのトータルでは納税額を約823万円減らすことができ、パターン1と比べてもより高い効果を得られます。

ただし、この方法が基礎控除内でコツコツ贈与するより常に有利とは限りません。資産額や贈与の期間、人数などの条件によって異なりますので、それぞれのケースで試算してみる必要があります。一般的には、比較的高齢で資産が多く、なるべく早いペースで財産移転をしたほうがよいと思われる方に適した方法です。

また、同じくスピード贈与を狙うなら、1人あたりの贈与額を増やすこと以上に、贈与する人数を増やすのが効果的です。

パターン3のように、孫など相続人以外の人を加えて小分けで贈与すると、早いペースで、しかも贈与税の負担を最小限に抑えた財産移転が可能になります。

連年贈与をするときはココに注意！

これまで紹介したような毎年繰り返して贈与する方法を連年贈与といいます。簡単な方法ですが、それだけに次のような落とし穴もありますので注意してください。

まず、実際に贈与があったという証拠を残しておくことが大切。そのためには現金を渡すのではなく、銀行振込を利用するのが賢明です。また、あえて基礎控除を上回るように贈与し、申告をして税務署に証拠を残しておくのも有効な方法といえます。

また、税務署に贈与と認めてもらうには、実質的に財産が移転していることが必要です。よく親が黙って子どもの預金口座を作り、せっせと振込をしているケースがありますが、これはNG。そもそも贈与は双方の合意がなければ成立しませんし、実質的に親が管理している口座では名義が子どもになっていても、親の口座とみなさ

れます。

もうひとつ問題になるのが、連年贈与したという事実の立証です。連年贈与自体は問題ないものですが、やり方によっては「定期贈与」とみなされて課税される場合があります。

たとえば、年100万円ずつ10年間にわたって計1000万円を贈与する場合、「1000万円を年100万円ずつ10年間で（分割して）贈与する」という意思のもとで行われた贈与だとみなされ（定期贈与）、合計額の1000万円に対して贈与税が発生してくる危険性もあります。

したがって、上手に生前贈与を行うならば、毎年、必ず贈与契約書を交わすべきでしょう。毎年の贈与の証拠を契約書で残すのが、「定期贈与」と認定されることを避ける最も有効な手段なのです。

また、贈与者の死亡日以前一定期間内の贈与であれば、相続財産に持ち戻さなければならない「生前贈与加算」というルールがあり、持ち戻し期間が見直されたことで従来の3年以内から7年以内*へと延長されました（令和6年1月以降）。この変更によって、早めの連年贈与でないと結局、相続税の節税にならなかったということにもなりかねませんので注意が必要です。

こんな連年贈与は危ない！

1. ×現金で渡している
   ➡銀行振込を利用して証拠を残す
2. ×プレゼントのつもりで、内緒で積み立てている
   ➡受贈者に贈与の事実を伝える
3. ×贈与者が銀行口座を開設し、通帳を保管している
   ➡受贈者自身が口座を作り、通帳と印鑑を管理する
4. ×贈与者と受贈者が贈与の意思確認をしていない
   ➡贈与契約書を、その都度作成して残しておく

テクニック2

子どもを飛び越して孫に贈与する

事情が許せば孫への贈与は効果絶大

財産は、通常「親、子、孫……」と順々に受け継がれていくものですが、子どもを飛び越して孫に贈与する、いわゆる「一代飛び越し贈与」もポピュラーな相続税対策のひとつです。

子を飛び越して贈与すれば、今回の相続だけでなく、子の相続時の財産も同時に減らすことができます。また、その贈与財産については、相続税の課税を1回免れることになるわけです。

孫に贈与するメリットはほかにもあります。たとえば、前述の連年贈与を10年行ったところで被相続人が死亡すれば、生前贈与加算のルールがあるため、一定期間の贈与が無駄になってしまいます。

その点、孫などの相続人でない人に対する贈与は相続財産に加算する必要がありませんので、せっかくの贈与が無駄になるといったことがありません。

相続時に孫に遺贈する方法もあるが……

ところで、孫への飛び越し贈与が有効なら、飛び越し相続というのもアリではないか、と思われるでしょう。孫は相続人ではありませんので（代襲相続を除く）正確

＊令和8年12月31日までは実質3年以内（3ページ参照）

には「遺贈」ですが、実際、飛び越し相続（遺贈）にも同様の効果があり、相続対策として比較的よく行われています。

ただし、孫への遺贈は相続税額の2割加算の対象となり、相続税が高くつきます。生前贈与なら、このような加算はありません。

また、贈与の場合と違い、飛び越し相続は一次相続時の財産を減らすことにはなりません。もし、子の相続時に相続税がかからなかったら、わざわざ割高の税金を支払って孫に遺贈した意味がありません。子の相続はまだ先のことですので、財産の価額を予想するのは難しい面があります。

したがって、孫に財産を移転するのなら、2割増しの相続税よりも生前贈与したほうが有利です。

テクニック3

配偶者控除を利用してマイホームを贈与

2110万円まで無税で贈与できる

結婚20年以上の夫婦なら、**贈与税の配偶者控除**（**配偶者への居住用不動産の贈与の特例**）を活用しましょう。この制度は、婚姻期間が20年以上の配偶者へ居住用不動産、または居住用不動産を取得するための資金を贈与する場合には、最高2000万円を課税価格から控除できるというもの。基礎控除と合わせると、2110万円まで無税で贈与することができます。

この特例を利用した贈与は、相続前7年以内*に行ったものでも相続財産に取り込まれることはありませんので、夫の財産減らしに役立ちます。特例を利用できるのは、同じ夫婦間で1回だけ。2110万円の控除枠を最大限に利用するとよいでしょう。

＊令和8年12月31日までは実質3年以内（3ページ参照）

これは失敗！

妻のために自宅を贈与したのに……

Nさん（58歳）は、三十数年連れ添った妻と二人暮らし。妻は専業主婦で、子どもはいません。

愛妻家のNさんは自分が亡くなったあと、ひとりになった妻が安心して暮らせるようにと、いろいろ準備をしています。

まず、遺言。子どものいない夫婦の場合、故人の父母や兄弟姉妹が配偶者と並んで相続人となります。Nさんには2人の妹がいるので、妻が全財産を相続できるように遺言を書きました。また、Nさんには2億円弱の資産があり、妻には相続税がかかります。そこで、新たに生命保険に加入。納税資金の用意も万全です。

そんな折、雑誌で知ったのが配偶者控除の特例。「結婚20年以上の夫婦は必ずしないと損！」と書いてあります。Nさんの自宅の敷地は、路線価の評価額で約1億円。2000万円を贈与することにし、5分の1を妻の持ち分としました。登記も無事に済ませ、これでいつ、自分になにかあっても安心と思っていたのです。

ところが、予想外のことが起こりました。妻が突然、亡くなったのです。そして法要のあと。すっかり気落ちしているNさんに追い打ちをかけるかのように、妻の兄が切り出しました。妹の遺産の4分の1は自分に権利があると。

妻の遺産といえば、先だって贈与した自宅敷地の5分の1。その4分の1、つまり土地全体の20分の1が妻の兄に渡ることになります。自宅を関係性の薄い人と共有するのは望ましくありません。

贈与の際の土地の評価額は1億円でしたが、実勢価格を調べてみると約1億2000万円。結局、その20分の1にあたる600万円を現金で支払うことで話はまとまりました。

妻の相続税を少しでも軽くしたいと思ってしたことが裏目に……。頭から自分が先に亡くなるものと思い込んでいたNさん。反対のことが起こりうることを、すっかり見落としていたのです。

一般的には土地のみの贈与がトク

不動産取得のための金銭ではなく、不動産そのものを贈与する場合には、①土地のみ、②家屋のみ、③土地と家屋、の3通りの方法が考えられます。

家屋の評価額は年々下がっていくのに対し、土地は値上がりする可能性がありますので、一般的には土地のみを贈与する方法がもっとも有利といえます。

ただし、近い将来売却する予定があり、3000万円以上の売却益が見込める場合は、土地と一緒に家屋部分も贈与しておくのが得策。居住用資産を売却した際の譲渡所得税には「3000万円の特別控除」があるため、こうしておくと、夫婦で最高6000万円まで控除を受けることができます。

なお、土地全体の価額が贈与する土地の価額を上回るときは、共有の持ち分として贈与するのが一般的です。分筆して贈与する必要はありません。

節税効果はどれくらい？

この特例を利用した贈与が相続財産減らしに貢献することは間違いありませんが、じつは、相続税額は期待ほどには減らないことがあります。左上のケーススタディをみてください。2000万円以上も贈与したのに、それにより減少した相続税額は、約84万円にすぎません。これは、自宅敷地は小規模宅地等の特例により、相続税の計算の際には最高で80%引きの評価になるため。つまり、実際には贈与額の20%しか相続財産が減っていないのです。

もちろん、自宅以外に小規模宅地等の特例を適用することもありますし、遺産の総額などによっても節税効果は大きく違います。

ただ、贈与税の配偶者控除は、相続税対策としては思ったほどの効果が得られない場合もあること、また不動産の移転には登記の際の諸費用（登録免許税、司法書士に依頼する場合の手数料など）がかかることなどを知ったうえで、上手に活用したいものです。

ケーススタディ　Sさん（55歳）の場合

現在の財産　3億円
推定相続人　妻、長男（法定相続分どおりに相続）
＊自宅は妻が相続し、80%減の小規模宅地等の特例を受ける

▶路線価評価額1億円の自宅敷地のうち2110万円相当を妻に贈与する

対策前

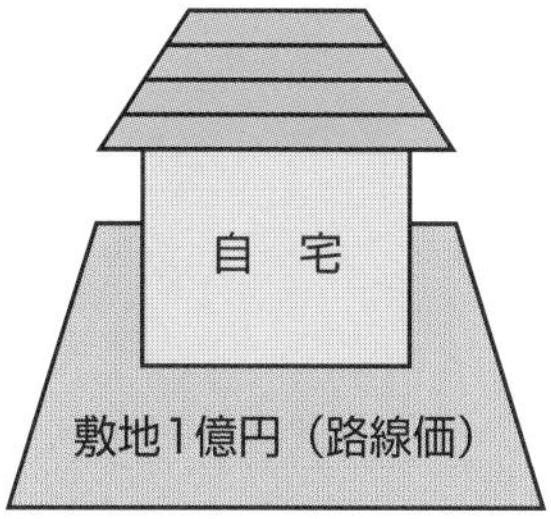

(200m²)

［相続財産］

自宅敷地（小規模宅地等の特例適用後）	2000万円
その他の財産	2億8000万円
合計	3億円
相続税額	3460万円

対策後

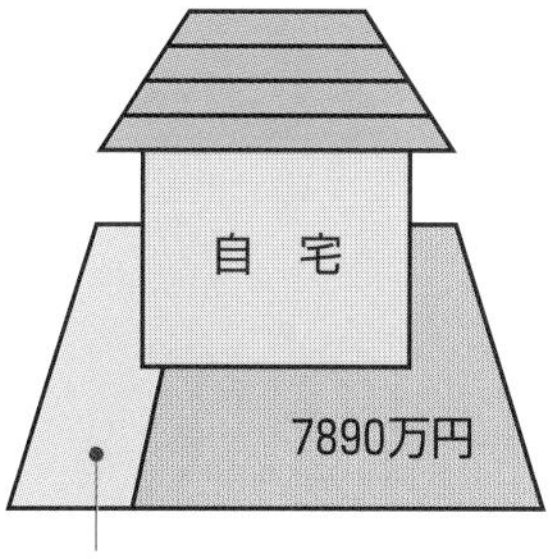

妻の持ち分（2110万円）

［相続財産］

自宅敷地（小規模宅地等の特例適用後）	1578万円
その他の財産	2億8000万円
合計	2億9578万円
相続税額	3375.6万円

約84万円の節税

生前の財産移転の切り札、相続時精算課税制度

贈与と相続を一体化した制度が相続時精算課税制度といえます。どう活用すればよいのでしょうか？

相続時精算課税制度ってどのような制度？

相続時精算課税制度は、その名のとおり「相続時に税額を精算する制度」で、贈与税と相続税が一体になっています。つまり「生前贈与した財産もあとで相続財産に加えますから、遠慮せずどんどん贈与して有効活用してください」という趣旨の制度です。

たとえば親から子どもへ財産を贈与したとき、贈与する財産に贈与税がかかります（贈与時に納付する贈与税は一律20％と軽減されています）。この贈与税はいわば相続税の〝仮払〟

そして実際に相続があったときにはその贈与財産を含めて計算した相続税額から、すでに納めた贈与税額を控除するわけです。

２５００万円まで非課税で贈与できる

相続時精算課税制度の最大の魅力は、なんといっても贈与時に２５００万円という大型の特別控除があることです。つまり、**２５００万円までは非課税**で贈与することが可能です。この特別控除は累積で２５００万円になるまで複数年にわたって利用できます。

また、相続時精算課税制度の特別控除の２５００万円とは別に、年間１１０万円まで基礎控除が認められるルールも新設されました（令和6年1月以降より適用）。年間１１０万円までの贈与であれば、贈与税がかからない上に贈与税の申告が不要であり、生前贈与加算の相続税への「持ち戻し」の対象からも除外されます。

左ページ下の図は、相続時精算課税制度を利用して１１１０万円の贈与を3回行った場合の課税のしくみを表しています。基礎控除の年間１１０万円を除いた初めの2回の贈与は２５００万円の非課税枠に収まっていますので、贈与税は発生しません。3回目の贈与時には非課税枠が５００万円しか余っていませんので、これを超える５００万円の部分に20％の贈与税（１００万円）がかかります。

このとき納めた１００万円は、いわば将来の相続税の〝前払〟ともいえるものです。贈与者である親の相続が発生したときには、相続財産に贈与財産を加えたうえで税額を計算し、算出されたその子どもの相続税額から先に納めた贈与税を差し引きます。残った金額が納付税額です。また、算出された相続税額が１００万円より少な

いか赤字になった場合には、その部分が還付されます。

ただし相続時精算課税制度を利用する人には、以下にあげる一定の要件があります。

まず**贈与者は60歳以上*の親または祖父母で、受贈者は贈与者の推定相続人（相続人になると推定される人）である18歳以上の子、または18歳以上の孫でなければなりません**。同一の贈与者からは、暦年課税か相続時精算課税のいずれかを選択することになり、両方を同時に受けることはできません。選択は受贈者が行い、兄弟姉妹がいればそれぞれに選択できます。

暦年課税とはココが決定的に違う！

では相続時精算課税制度は、暦年課税制度と、どこがどう違うのでしょうか。

暦年課税の場合の基礎控除額は毎年110万円。これを超える部分には10〜55％の税率で課税されます。一方、相続時精算課税は一度に2500万円まで非課税で贈与でき、これを超えた場合も一律20％の税率ですみます。これだけをみれば、圧倒的に相続時精算課税のほうが有利に思えます。

しかし、このあとが肝心です。相続時精算課税は、確かに2500万円までは非課税ですが、これで課税関係が終わったわけではありません。生前にいくら贈与しても相続財産からは切り離されず、相続時には相続税の課税対象となります。

また、基礎控除110万円が制度に加わったことで（令和6年1月以降より適用）、相続時精算課税制度は暦年課税よりも有利な節税対策になりますが、デメリットもあります（63ページ）。そのため、相続全体を把握した上での判断が求められてきます。

相続時精算課税制度のしくみ

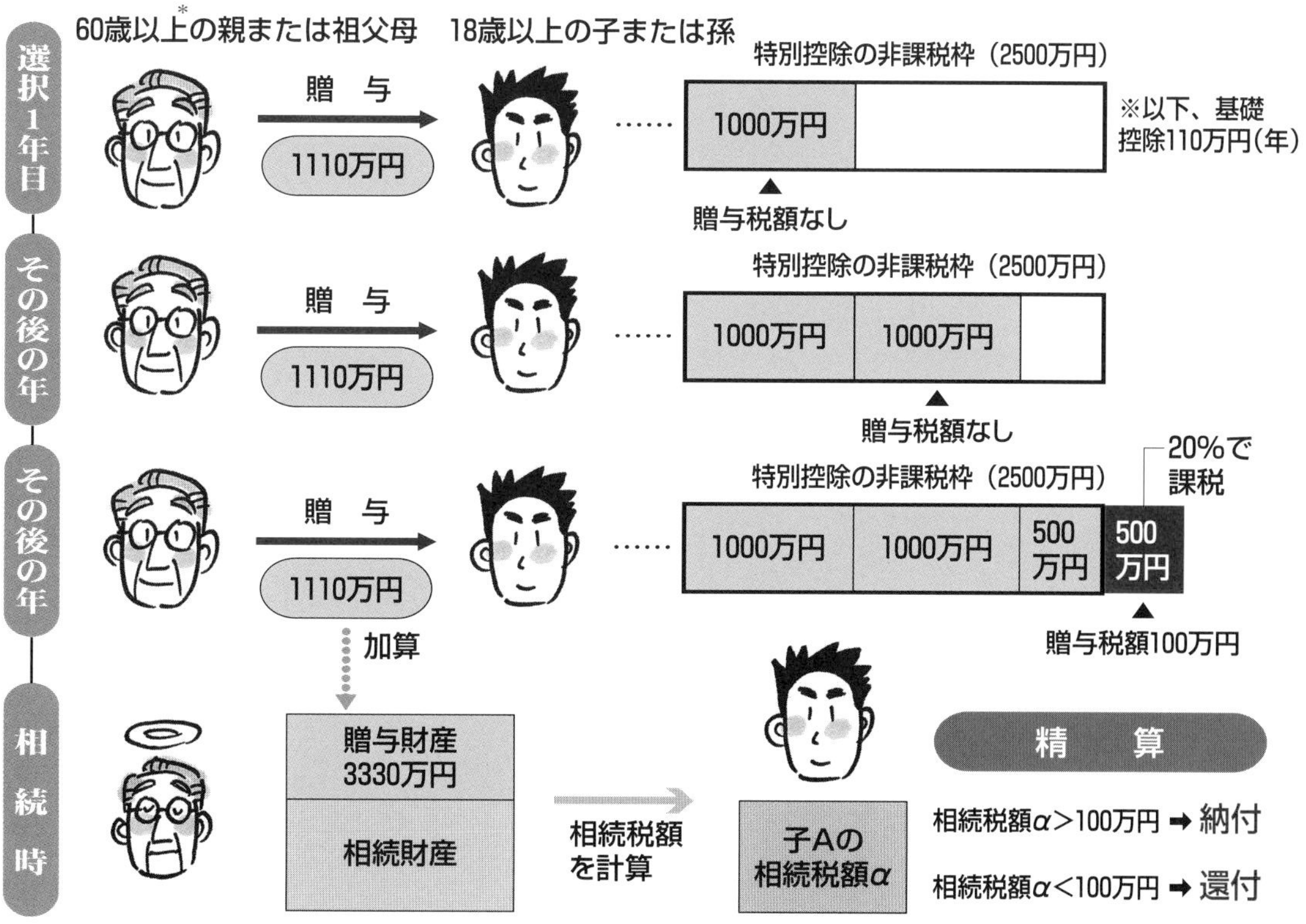

＊令和6年1月1日から令和8年12月31日までの間に父母などからの贈与で住宅取得等資金を取得した場合、贈与者が60歳未満であっても相続時精算課税を選択することが可能

暦年課税と相続時精算課税の比較（原則課税のケース）

令和6年1月1日～令和8年12月31日までの時限的措置として住宅取得等資金の贈与の特例があります。詳細は67ページを参照してください

項　目	暦年課税	相続時精算課税
贈与者	問わない	60歳以上*の父母または祖父母
受贈者	問わない	18歳以上の子または孫
適用対象財産	問わない	問わない。種類、金額、回数に制限なし
適用手続き	不要	必要。「相続時精算課税選択届出書」を提出する 相続時まで継続適用
控除額	毎年110万円の基礎控除	累積で2500万円までの特別控除 毎年110万円の基礎控除
税　率	10～55%	一律20%（特別控除、基礎控除を超える贈与分）
申　告	贈与された財産が110万円以下の場合は不要	選択した場合、贈与された財産が110万円以下は不要（令和6年1月より）。110万円超は必要
贈与財産の相続時の扱い	贈与財産の課税関係はすでに完了。相続財産には加えない（生前贈与加算分を除く）	特別控除分は、贈与財産を相続財産に加えて相続税を計算（基礎控除分は相続税の計算に含めない）。相続税額を超える贈与税額があるときは還付

＊令和6年1月1日から令和8年12月31日までの間に父母などからの贈与で住宅取得等資金を取得した場合、贈与者が60歳未満であっても相続時精算課税を選択することが可能

孫への贈与は ここに注意！

平成25年度の税制改正により、相続時精算課税制度の受贈者の範囲が、18歳以上の子どものほか、孫にも拡大されるようになりました。

相続時精算課税制度を使って、孫になにがしかの財産を残したいと考える人は少なくないでしょうが、この場合には、次の点を念頭に置いて行ってください。

①孫も相続税の納税義務者になる

孫は通常は相続人ではありませんが、相続時精算課税制度によって贈与を受けたときには遺贈によって財産を受けたときと同様に、相続税の納税義務者となり、ほかの相続人と共同で申告、納付または還付を受けることになります。

②相続税が2割加算される

孫は被相続人一親等の血族または配偶者ではありませんから、代襲相続や一定の養子の場合を除き、通常は相続税の2割加算の対象になります。

③納税資金対策も合わせて考える

孫は代襲相続の場合を除き、遺産分割により相続財産を取得することができません。そのため、相続税が払えなくなることも想定して、納税資金対策も合わせて考える必要があります。

相続時精算課税制度のメリット・デメリット

ではここで、相続時精算課税制度をもう少し掘り下げてみていきましょう。まずメリットとして次のような点が考えられます。

①大型の特別控除により、一度にまとまった金額を贈与できる

相続時精算課税制度では、多額の贈与を受けても、贈与時の税率は20％。仮に生前に親から1億円の財産を贈与されたとしても、そのうち2000万円を現金で受け取っておけば、納税に心配することはありません。

②最適な時期を選んで贈与できる

③早期の財産移転で、子や孫の意思で財産を有効活用できる

④相続税の心配のない人は安心して利用できる

⑤アパートなどの収益物件や、将来値上がりしそうな財産を贈与すれば相続税対策になる

これは、相続時精算課税制度が、相続税を精算する際に、贈与した時点の価格で相続財産に取り込まれるからです。そのため土地や株式といった、将来値上がりしそうな財産を、価格の低い時期を選んで贈与すれば、節税のメリットがあります。

⑥遺産分割協議での〝争族〟対策となる

相続時精算課税制度なら、生きている間に、自分の意思で〝遺産分割〟できるので、相続時のトラブルを回避することができます。

そのほかにも、オーナー社長がその後継者である子に、相続時精算課税制度を利用して持ち株を贈与すれば、子は20％の〝前払〟としての税金を払うだけで、実質的なオーナーとしての地位を高めることができます。また、子が受け取る配当金は、納税資金対策にもなります。

⑦新設された基礎控除分は相続税に持ち戻されない

相続時精算課税制度の受贈者一人につき年間110万円の基礎控除は、生前贈与加算の対象外となります。生前贈与加算による相続税への持ち戻し期間は7年以内*（令和6年1月以降）ですが、被相続人の死亡の直前の年に相続時精算課税制度の基礎控除分が贈与されていたとしても、この分は相続税へ持ち戻されることはありません。

また、基礎控除が110万円以下ならば申告の必要はありません。

次に相続時精算課税制度を選択した場合のデメリットについて検証していきます。

①相続時精算課税制度を選択すると、相続時までの継続適用となり、変更することができない

②生前贈与をしても全額が直接的な相続財産の減少にはならない（年間110万円の基礎控除以外は相続時に相続財産に加算）

③小規模宅地等の特例が使えない

このほかにデメリットとして、子からの贈与の催促が増える可能性があるという点も……。いちばん悲しいのは、兄弟姉妹間で生前贈与の取り分でもめることです。これでは死後にもめるか、生前にもめるかの違いだけになってしまいます。親の財産をあてにされ、子どもの人生を狂わすようなことがあっては、本末転倒です。

*令和8年12月31日までは実質3年以内（3ページ参照）

これは失敗！

自社株の贈与が裏目に……

相続時精算課税制度で、親から評価額1億円の自社株をもらい、1500万円の贈与税を払いました（当時）。その後、経済状況が一変。親が亡くなったときには、会社が倒産してしまったのです。それでも相続財産には自社株1億円を加算しなくてはならず、その分の税金を払う羽目になってしまいました。

相続時精算課税制度のココが知りたい！

Q＆A

Q 相続時精算課税制度の適用を受けるための手続き

相続時精算課税制度を受けるときにはどのような手続きをしますか？

A 相続時精算課税制度の適用を受けようとするには、その贈与の申告期限内に「相続時精算課税選択届出書」を納税地の税務署に提出しなければなりません。届出書は、贈与をした者ごとに作成し、特定贈与者からの贈与により取得する財産については、この届出書の提出により、その贈与年以降において、すべて相続時精算課税の適用を受けることになります。なお提出された届出書は撤回できません。

Q 相続時精算課税制度適用後の養子縁組の解消

養子が相続時精算課税適用者として贈与を受けた後、その養子縁組の解消をしました。このようなときは？

A 相続時精算課税適用者が、特定贈与者から贈与により取得した財産については、引き続き相続時精算課税が適用されます。したがって、養子縁組が解消されても、相続時にはその元養子は相続税を申告し、相続税が発生すれば納付しなければなりません。

Q 相続時精算課税制度を受けた者が先に死亡

相続時精算課税適用者が特定贈与者より先に死亡したらどうなりますか？

A その相続時精算課税適用者（仮にAさんとしましょう）の相続人は、原則としてAさんの納税にかかわる権利または義務を継承することになります。この場合、Aさんの相続人が2人以上いる場合の各相続人が継承する権利義務の範囲は、法定相続分、代襲相続分、あるいは指定相続分に規定する相続分になります。

Q 相続時精算課税適用者が欠格や廃除で相続権を失ったとき

相続時精算課税適用者が廃除された場合、その贈与財産の取扱いは？

A 欠格や廃除で相続権を失ったとしても、それまでに取得した相続時精算課税制度による財産があれば相続税が課税されます。また、欠格や廃除で相続権を失ったときはその者の子が代襲して相続人となるので、本人とその子どもが納税者となります。

Q 相続時精算課税適用者である相続人が、相続の放棄をした場合

相続時精算課税適用者が相続の放棄をしました。相続税はどうなりますか？

A 相続人が民法上の放棄をした場合でも、相続時精算課税制度により贈与財産があれば、財産を取得したこととみなし相続税が課税されます。

Q 相続時精算課税制度による贈与財産を物納に充当したい

相続時精算課税制度による贈与財産を物納にあてることはできますか？

A 相続時精算課税制度による贈与財産は、財産そのものを相続財産に持ち戻して合算せず、相続税額の計算にあたり贈与時の価額を相続財産に加算するものです。また、贈与された財産が相続時まで受贈者によって残されている保証がないなどの理由により、相続時精算課税制度による贈与財産は物納できません。

相続時精算課税制度活用ポイント

相続時精算課税制度の最大の魅力、特別控除２５００万円をうまく活用することで大きな節税につなげます。

相続時精算課税制度と暦年課税制度のどちらを選ぶ？

単純に相続税を減らすだけという目的なら、暦年課税制度で１１０万円の基礎控除枠を使いながら、相続税の実効税率より低い税率の範囲内で贈与を続けていくことも考えられます。

ただし、生前贈与加算が7年以内に延長されたため、相続開始前7年間の暦年課税制度の基礎控除分は、相続税の対象になってしまうリスクがあります（令和13年1月1日以降）。仮に1人の子どもに10年間、暦年課税制度の基礎控除１１０万円を毎年贈与していた人が死亡したのであれば、１１０万円×7年－１００万円（4年前から7年以内の控除分）＝６７０万円が相続税の対象になるわけです（3ページ参照）。

その点、相続時精算課税制度の基礎控除は生前贈与加算の対象外なので、確実に相続税の対象となる財産を減らすことができます。

相続時精算課税制度は収益物件の贈与で効果的

さらに収益物件の贈与では、相続時精算課税制度を効果的に使うことができます。

①時価より安く贈与可能

建物の相続税評価額は固定資産税評価額で評価され、建築費用の約60％です。さらに賃貸物件は通常30％が控除されるので、時価の約42％で評価されることになります。時価６０００万円弱の賃貸物件なら評価額は約２５００万円。したがって２５００万円の相続時精算課税制度の特別控除によって、非課税で贈与できます。

②納税資金の確保

また、アパート収入を贈与税ゼロで子どもに移管できます。たとえば、先の例で相続時精算課税制度の特別控除をめいっぱい使い、アパートを生前贈与すれば、賃貸物件の利回率を5％とすると、実質的に毎年約３００万円の家賃収入を渡すことになります。そこから必要経費を引いた所得が子どもに入り、子どもはそれを納税資金の原資にあてることができます。

③所得税の節税効果と所得分散

所得税率は累進課税なので、所得が多いほど税額は高くなります。そこで高所得者から税率の低い子どもへ収益物件を贈与すれば、家族全体の所得税額を抑えることになります。つまり親の所得税率と子どもの所得税率との差額を利用して節税効果を得るわけです。

親の所得が４０００万円を超えると、その超過部分に対し45％の税率が適用されます。この超えた部分を税率20％の子どもに移せば、25％の節税ができます。約３００万円の家賃収入がある収益物件を贈与すれば、単純に考えると年に約75万円の節税になります。

相続時精算課税制度を選択すると小規模宅地等の特例が使えないというデメリットはあるものの、令和6年からの制度改正で暦年課税よりも相続時精算課税制度が有利になるケースが多くなったといえます。

相続時精算課税制度と暦年課税制度のベストマッチ

相続時精算課税制度と暦年課税制度を組み合わせることで、節税効果を上げることもできます。

贈与される側から考えると、相続時精算課税制度は、親ごとに選択できるのがポイントです。たとえば、父親からの大型の贈与は相続時精算課税制度を選択し、母親からは少額ずつ暦年課税制度でもらうなど、2つの制度を合わせて活用する方法が考えられます。

結果として、親の財産の合計額を減少させる相続税対策が可能になりますので、ベストな組み合わせを考慮して行うことが肝心です。

注意したいのは、贈与を受ける側の基礎控除は、何人から受けたとしても年110万円であるという点です。父親と母親からそれぞれ年110万円、計220万円の贈与を受けたとしても、110万円が贈与税の非課税枠の上限ということになります。

相続時精算課税制度で新しい親子関係を……

相続時精算課税制度は、親から大型の財産贈与が可能な制度ともいえます。子どもの立場でいえば、住宅ローンや子どもの教育費などで支出がかさむ若い世代で受け取るほうが嬉しいのではないでしょうか。

子どもは親から贈与を受けたことに感謝して、しっかり親孝行をすれば、財産をあげるほうにとっても、もらうほうにとっても望ましいといえます。

相続時精算課税制度は、生前に相続の問題を親の意思によって解決し、親子がお互いに感謝し合う新しい親子関係を構築できる可能性があります。したがって、節税テクニックだけでなく、残される子どもの将来を、長期的かつ戦略的に相続問題に取り組むのに活用すべきでしょう。

Q&A

Q **相続時精算課税を利用して住宅を贈与するとき、効果的な方法は？**

A 中古物件でもう償却できる部分がない場合は、親がリフォームをすませてから贈与しましょう。こうすれば親の相続財産が減少し、さらに建物の収益力がアップします。修繕程度のリフォームぐらいでは、相続税評価額となる固定資産税評価額は上がりません。

贈与したい物件にまだローンが残っている場合は、通常の売買とみなされ、通常の取引価額から、ローンの残高を差し引いた金額が贈与されたとみなされます。このケースは親に譲渡収入、子どもには贈与税がかかります。したがって、借金が残っている物件は、すべて返済してから贈与するのが望ましいのです。

Q **収益物件を贈与するときに、土地も一緒に贈与したほうがいいのでしょうか？**

A この贈与の目的が家賃収入を移転させることにあるのであれば土地まで贈与する必要はありません。土地のリスクは大きいです。贈与時より相続時のほうが下落していた場合どうなるでしょう。現状での贈与は贈与時の評価額で加算されるので、その差額分、相続財産が増えてしまいます。

ただし相続時にもめる要素はありますので、遺言書などで〝争族〟を未然に防ぎましょう。

Q **相続時精算課税選択の適用により、特定贈与者とみなされた60歳未満の者から住宅取得等資金以外の贈与財産をもらった場合の贈与税は？**

A 住宅取得等資金の贈与者が60歳未満であっても、住宅取得等資金の贈与を受けた子どもが、相続時精算課税選択の特例を受けた場合、その贈与者からの贈与財産は、たとえ特定贈与者が60歳に達しなくても、財産の種類にかかわらず相続時精算課税の適用を受けることになり、2500万円の非課税枠内であれば贈与税はかかりません。

住宅取得等資金の贈与の特例を活用しよう

子や孫世代への資産の早期移転に有効な制度です。令和6年度税制改正で3年間延長されました。

相続時精算課税との合わせ技も可

この制度は、父母や祖父母などから住宅取得等資金の贈与を受け、居住用の家を新築（または取得）したり、増改築等の対価にあてた場合、受贈者1人につき、一定額（68ページ表参照）までは贈与税が非課税になるというもの。暦年課税、または相続時精算課税の基礎控除・特別控除と合わせて使えますから、祖父母や親世代から子、孫世代へと、一挙にまとまったお金を移すことができます。

また住宅取得等資金の贈与に限り、親または祖父母の年齢が60歳未満であっても、相続時精算課税制度を選択できる扱いになっています。

父母または祖父母からの贈与で

住宅取得等資金の贈与が非課税となる要件

項　目	暦年課税	相続時精算課税
贈与者	●受贈者の直系尊属（父、母、祖父、祖母、曽祖父、曽祖母など） ●年齢制限なし	●受贈者の父母、祖父母 ●年齢制限なし
受贈者	●贈与を受けたときに日本国内に住所を有していること または日本国籍を有し、過去10年以内に日本に住所を有したことがあること ●贈与を受けた年の1月1日において18歳以上であること ●贈与を受けたときに贈与者の直系卑属であること。ただし令和4年3月31日以前の贈与については20歳 ●贈与を受けた年の合計所得金額が2000万円以下であること ●贈与を受けた年の翌年3月15日までに自己の居住の用に供する一定の住宅を取得、または新築、増改築し自己の居住の用に供すること	
対象となる住宅	●家屋（区分所有の場合は区分所有する部分）の登記簿上の床面積が50㎡以上240㎡以下であること* ●中古住宅の場合は、新耐震基準に適合していること ●居住の用に供する家屋が複数ある場合には、主として居住の用に供する1つの家屋に限られる ●床面積の2分の1以上が居住の用に供されるものであること	
対象となる増改築工事	●自己の居住の用に供している家屋について行われる増築、改築、大規模修繕、大規模な模様替えなどであること ●増改築等の工事費用が100万円以上、かつ居住用部分の工事費が全体の2分の1以上であること ●増改築後の家屋の床面積の2分の1以上が居住用であること ●増改築後の床面積が50㎡以上240㎡以下であること*	
適用期間	令和6年1月1日～令和8年12月31日までの贈与	
手続き	贈与を受けた年の翌年2月1日～3月15日までの間に、納税地を管轄する税務署へ贈与税の申告書（住民票の写しや登記事項証明書など一定の書類を添付）、相続時精算課税制度を選択する場合にはその届出書も提出	

＊不動産そのものの贈与や住宅ローン返済目的の金銭の贈与はあてはまらないので注意

＊住宅取得等資金には、敷地の用に供される土地や借地権などの取得、住宅用家屋の新築に先行してする土地や借地権などの取得も含む

＊贈与を受けた年の年分の所得税にかかる合計所得金額が1000万円超の場合。1000万円以下の場合は床面積が40m^2以上であることが要件

非課税限度額

住宅用の家屋の種類 ／ 贈与の時期	質の高い住宅	一般住宅
令和６年１月１日から 令和８年12月31日まで	1000万円	500万円

＊上記の非課税制度の適用を受ける人が、所得税の住宅ローン控除の適用を受ける場合、住宅ローンの年末残高が、住宅の新築等の対価の額から非課税制度等の適用を受けた金額を差し引いた額の金額を超えるときには、その超える部分の金額については住宅ローン控除の適用はありません
＊令和６年１月１日から令和８年12月31日までの間に、父母や祖父母などからの贈与により、自己の住宅用の家屋の新築等の対価に充てるための金銭を取得した場合、贈与者が60歳未満であっても相続時精算課税を選択することができます

あれば、暦年課税が住宅取得等資金の1000万円（令和6年1月からの質の高い住宅の場合の金額）と贈与税の基礎控除110万円を合わせて最大1110万円非課税であるのに対し、相続時精算課税制度では、非課税枠1000万円に特別控除の2500万円と基礎控除110万円とを合わせて、最大3610万円を住宅取得にあわせて子または孫世代に移すことができます。適用は、**令和8年12月31日まで**です。

なお受贈者は、贈与を受けたときに贈与者の直系卑属（贈与者は受贈者の直系尊属）であることが要件であり、配偶者の父母（または祖父母）は直系尊属には該当しません（ただし、養子縁組をしている場合は直系尊属に該当）。

また、受贈者は平成21年から令和5年までの間に住宅取得等資金の贈与の非課税の特例を受けていないことも要件となります。受贈者1人について1000万円が非課税の限度額ですので、その範囲であって同一年度内の贈与であれば、複数回の贈与であっても、住宅取得等資金の贈与の非課税の特例を受けることは可能です。

質の高い住宅の範囲

住宅取得等資金の贈与の特例における質の高い住宅の場合、以下のいずれかの要件を満たす住宅であることと合わせ、その性能について一定の証明書を提出できることが必要になってきます。

①断熱等性能等級5以上かつ一次エネルギー消費量等級6以上である（令和6年以後に建築確認を受けた住宅または令和6年7月以後に建築された住宅）
②耐震等級（構造躯体の倒壊等防止）2以上、または免震建築物である
③高齢者等配慮対策等級（専用部分）3以上である
④増改築の場合には、断熱等性能等級4または一次エネルギー消費量等級4以上、耐震等級2以上または免震建築物、高齢者等配慮対策等級3以上である

住宅取得等資金贈与のココが知りたい！ Q&A

Q 配偶者の親からの贈与があったとき

配偶者の親から住宅取得等資金の贈与を受けました。非課税の扱いにできるでしょうか？

A 配偶者の親はあなたの直系尊属にはあたらないので、非課税とはなりません。もちろん、配偶者の親から配偶者への贈与であれば非課税になります。この場合、取得した住宅は配偶者との共有名義にするなどの配慮は必要です。

Q 住宅での贈与があったとき

父親から住宅を贈与されました。非課税になりますか？

A 住宅取得等資金の贈与は、あくまでも金銭での贈与に限られています。したがって住宅そのものを贈与された場合にはあてはまりません。

Q 複数の者からの贈与があったときの扱い

令和6年4月に父親と祖父の両方から、住宅取得のための資金にとそれぞれ1000万円ずつの贈与を受けました。この場合の扱いはどうなりますか？

A 住宅取得等資金の贈与は、贈与者ごとに非課税となるわけではなく、受贈者1人について、非課税の枠が定められています。令和6年4月であれば質の高い住宅の場合で、受贈者1人につき1000万円が上限です。仮に祖父からの贈与分を非課税枠に充当、父からの贈与分については相続時精算課税制度を選択すると、1000万円が住宅取得等資金の非課税枠で使えるほか、残り1000万円も相続時精算課税制度の非課税枠（特別控除2500万円＋基礎控除110万円）をあてることができますので贈与税はかかりません。

Q 住宅ローンの返済にあてることは？

祖父から1000万円の金銭贈与を受け、住宅ローンの返済にあてようと思います。住宅取得等資金の贈与の特例は使えますか？

A この特例は、家屋の新築や取得、増改築の費用などにあてるためのもので、ローンの返済にあてることはできません。

Q もらった住宅取得等資金は相続財産に加算？

相続開始前7年以内＊の贈与については、相続財産に加算しなければならないそうですが、非課税となった住宅取得等資金はどうなりますか？

A 相続があった場合、住宅取得等資金の贈与の特例で受けた最大1000万円の贈与分は、相続税の課税価格に加算する必要はありません。

＊令和8年12月31日までは実質3年以内（3ページ参照）

教育資金の一括贈与を活用しよう

教育資金の一括贈与なら受贈者1人につき最大1500万円が非課税。子や孫とのきずなづくりにも……。

使わない手はない！今だけの非課税措置

平成25年度税制改正で創設された制度で、教育資金の一括贈与に係る贈与税非課税措置というのが正式名です。

教育費や生活費は、必要に応じそのつど贈与するぶんには非課税でしたが、計画が立てにくいという面がありました。この制度では子や孫1人につき1500万円（うちピアノやバレエなど学校以外のものへの費用は500万円）まで非課税になるため、相続税対策の一環として計画的に実行できます。

①父母、祖父母から30歳未満の子、孫などへの贈与であること（30歳以上でも、継続して学校へ在学中などであれば40歳まで非課税を適用）

教育資金一括贈与の非課税制度のしくみ

教育資金口座の開設

- 平成25年4月1日～令和8年3月31日までの期間に拠出
- 金融機関に教育資金非課税申告書を提出

教育資金支払い・教育資金口座からの払い出し

- 入学金、授業料、修学旅行費用、遠足費用などを学校等に支払い、その金額を教育資金口座から払い出す
- 金融機関に学校等が発行する領収書を提出

教育資金口座に係る契約終了

受贈者が30歳に到達（または死亡）したときに契約終了。継続して学校へ在学中などの場合は最長40歳まで

- 教育資金口座に係る契約終了時（受贈者が30歳に達したときなど）に残高があればその分に対して贈与税がかかる
- 税務署に贈与税の申告書を提出

教育資金一括贈与の非課税制度の要件

項　目	要　件
贈与者	●受贈者の直系尊属（父母、祖父母、曽祖父母など）であること（養父母を含む） ●教育資金にあてるために金銭等を拠出したこと
受贈者	●贈与者の直系卑属であること　●受贈者の合計所得金額が1000万円以内 ●30歳未満であること（継続して学校へ在学中などの場合は最長40歳まで）
非課税限度額	受贈者1人につき1500万円 うち学校等以外のもの（71ページ参照）に支払われる金銭については500万円
適用期間	平成25年4月1日～令和8年3月31日までに金融機関に拠出されるもの
預入先	信託会社（信託銀行など）、銀行、証券会社

②信託銀行などに預け入れること
③平成25年4月1日から令和8年3月31日までに拠出されたものであること

などの要件があります。贈与者が死亡した場合の教育資金口座にある管理残額については、原則、相続税の課税対象となりますが、受贈者が23歳未満などのケースでは、非課税措置が適用されます。(贈与者の相続財産が5億円を超える場合には、受贈者の年齢にかかわらず、教育資金贈与額の残額は相続税の課税対象となる)。

なお、契約終了で管理残額に贈与税が課されるときは、受贈者の年齢にかかわらず一般税率が適用されます(令和5年度税制改正より)。

さらに贈与者が死亡したケースで、贈与者の子以外(孫やひ孫)が受贈者で管理残額に相続税が課される場合には(遺贈)、相続税額の2割加算の対象となります。

対象となる教育費の範囲

学校等に対して直接支払われるもの	学校等以外に対して直接支払われるもの
●入学金 ●入園料 ●授業料 ●保育料 ●施設設備費 ●入学（園）試験の検定料 ●学用品費 ●学校給食費 ●修学旅行費　など	●教育に関する役務の提供の対価や施設の使用料* ●スポーツまたは文芸芸術に関する活動や、教養の向上のための活動にかかる指導への対価* ●通学定期代 ●留学渡航費　など ＊23歳以上の受贈者の場合は対象外

Q&A

Q この制度の対象となる「学校等」と「学校等以外のもの」とは具体的にどのようなものがあげられますか?

A 左にそれぞれ箇条書きでおもなものを示しています。海外への留学も対象となります。

学校等の範囲

- 幼稚園、小学校、中学校、高等学校、特別支援学校、中等教育学校
- 大学（大学院・短期大学・専門職大学）
- 高等専門学校
- 専修学校、各種学校
- 保育所、保育所に類する施設、認定こども園
- 外国の教育施設のうち一定のもの（日本の幼稚園、小学校、中学校、高等学校、大学、大学院などに相当する学校、日本人学校など）
- 水産大学校、航空大学校、国立看護大学校
- 職業能力開発総合大学校、職業能力開発短期大学校　など

学校等以外のものの範囲

- 学習（学習塾、そろばん、家庭教師など）
- スポーツ（スイミングスクール、野球チームでの指導など）
- 文化芸術活動（ピアノの個人指導、絵画教室、バレエ教室など）
- 教養の向上のための活動（習字、茶道など）

Q 下宿代は非課税の対象になりますか?

A なりません。ただし、学校の寮に入り、学校に対して支払われたことが確認できる場合、１５００万円を上限とする非課税の対象となります。

Q 学校の制服や体操服、上履き、通学かばんなどを業者に支払った場合はどうですか?

A 学校で必要なものであり、学校が書面を通じて業者からの購入を依頼したような場合には、５００万円までの非課税の対象になります。

Q 手続きはどのようにすればよいですか?

A まず取扱金融機関の受贈者名義の口座に入金します。このとき、金融機関に教育資金非課税申告書を提出します。その後入学金や授業料などで金融機関から払出しを受ける場合には、学校等が発行する領収書を金融機関に提出しなければなりません。受贈者が30歳に達した時点で残高があれば、その分に贈与税が課税されます。

Q 金融機関に拠出する場合、複数回に分けられますか?

A 適用期限内であれば1回目に１０００万円、次に５００万円というように、分けることができます。この場合、追加教育資金非課税申告書を金融機関に提出しなければなりません。要はトータルで非課税の範囲内であればよいのです。

結婚・子育て資金の一括贈与を活用しよう

若い世代の結婚、出産、育児に役立てるなら、結婚・子育て資金の一括贈与。1000万円までが非課税です。

非課税枠は1000万円！注目の新特例とは……

平成27年度税制改正の目玉として創設されたのが、**結婚・子育て資金の一括贈与**（結婚・子育て資金の一括贈与に係る贈与税非課税措置）です。対象となる費用の範囲が結婚から出産、育児までと、より拡げられているのが特徴です。

非課税枠は最大で**1000万円（うち結婚資金は300万円）**。受贈者の要件が、教育資金の場合には30歳（最長40歳）未満であるのに対し、18歳以上50歳未満となっている点などが異なっています。また、結婚・子育て資金口座残高に贈与税が課税されるときは、令和5年度の改正により一般税率が適用されることになっています。

結婚・子育て資金一括贈与の非課税制度のしくみ

結婚・子育て資金口座の開設

- 平成27年4月1日～令和7年3月31日までの期間に拠出
- 金融機関に結婚・子育て資金非課税申告書を提出

結婚・子育て資金支払い・結婚・子育て資金口座からの払い出し

- 結婚・子育て資金などを支払い、その金額を結婚・子育て資金口座から払い出す
- 金融機関に領収書を提出する
- この期間に贈与者が死亡した場合には、その贈与者が拠出した資金の残額は相続財産とみなされる
- 税務署に相続税の申告書を提出

結婚・子育て資金口座に係る契約終了

受贈者が50歳に到達（または死亡）したときに契約終了

- 結婚・子育て資金口座に係る契約終了時（受贈者が50歳に達したときなど）に残高があればその分に対して贈与税がかかる
- 税務署に贈与税の申告書を提出

結婚・子育て資金一括贈与の非課税制度の要件

項　目	要　件
贈与者	●受贈者の直系尊属（父母・祖父母・曽祖父母など）であること（養父母を含む） ●結婚・子育て資金にあてるために金銭等を拠出したこと
受贈者	●贈与者の直系卑属であること（養子を含む） ●18歳以上、50歳未満であること　●受贈者の合計所得金額が1000万円以内
非課税限度額	受贈者1人につき1000万円 うち、結婚に際して支払われる金銭については300万円
適用期間	平成27年4月1日～令和7年3月31日までに金融機関に拠出されるもの
預入先	信託会社（信託銀行など）、銀行、証券会社

対象となる結婚・子育て資金の範囲

区分		対象となる費用	対象とならない費用
結婚資金	挙式・披露宴にかかる費用	●会場費、衣装代、披露宴の飲食代 ●引き出物代、写真代 ●結婚披露を目的とした二次会の費用 など	●結納式にかかる費用 ●婚約指輪、結婚指輪の費用 ●エステ代 ●新婚旅行代 ●挙式や披露宴に出席するための交通費　など
	新居費用	●入籍の前後1年以内に契約をした賃貸住宅の家賃、敷金、礼金など ●仲介手数料 ●引っ越し代 など	●受贈者以外の者が契約をした賃貸契約 ●駐車場のみを借りている場合の駐車場代 ●光熱費 ●家具、家電の購入費用 ●不用品の処分費　など
子育て資金	妊娠・出産にかかる費用	●人工授精、体外受精など不妊治療の費用 ●妊婦検診などにかかる費用 ●出産費用（分べん費・入院費など） ●産後ケアにかかる費用	●海外の医療機関にかかった場合の費用 ●遠隔地や海外の病院に通うための交通費や宿泊代 など
	育児にかかる費用	●子の医療費 （治療費、予防接種代、医薬品代など） ●幼稚園・保育所などの保育料 （ベビーシッター代を含む） ●入園のための試験にかかる検定料　など	●処方箋にもとづかない医薬品代 ●海外の医療機関にかかった場合の費用 など

Q&A

Q 海外で挙式をする予定ですが、その費用は対象となりますか？

A 対象になります。なお新婚旅行をかねて海外で挙式をする場合も少なくありませんが、挙式・披露宴の部分と新婚旅行の費用が分けられるときには、挙式・披露宴の部分のみが対象となります。

Q 未婚でもこの制度を利用できますか？

A できます。

Q 教育資金の一括贈与の特例と合わせて受けることはできますか？

A できます。ただし、1回の支払いについて、それぞれの制度から重複して払い出しを受けることはできません。

Q 契約の終了前に贈与者が死亡しました。この場合、税務上の取扱いはどうなりますか？

A 残額がある場合には、受贈者がそれを相続または遺贈により取得したものとみなし、相続税の課税対象になります。

Q 祖父母のそれぞれから贈与を受けましたが、契約の終了前に祖父が死亡しました。祖母は健在です。この場合の残高の扱いはどうなりますか？

A 贈与者が複数いる場合、贈与者それぞれが拠出した金額の割合で残額を按分し、相続または遺贈により取得したとみなされる金額を算出する必要があります。この結果残った金額は、引き続き非課税枠として活用することができます。

なお、贈与者の子以外（孫やひ孫）が受贈者で管理残額に相続税が課される場合には（遺贈）、相続税額の2割加算の対象となります。

生命保険を賢く利用しよう

生命保険は「節税対策」「納税資金対策」「争族対策」のいずれにも役立つ相続対策の切り札です。

生命保険はメリットがいっぱい

相続対策には①節税対策、②納税資金対策、③争族対策、の3つの柱があります。生命保険は、このすべてに対応できる相続対策のマルチプレイヤーです。

といっても、ひとつの保険ですべて、というわけにはいきません。保険でなにがしたいのかを確認し、目的に応じた加入をすることが大切です。

生命保険には、おもに次のようなメリットがあります。

①遺族の生活保障となる

②非課税の特典がある

③相続時に現金が支払われるため、納税資金などに利用できる

④保険料の支払いにより、相続財産が減少する場合がある

⑤遺産分割のトラブル回避に利用できる（79ページコラム参照）

⑥相続放棄をした人でも保険金は受け取ることができる

このうちの②〜④が、相続税対策として威力を発揮します。

テクニック1

非課税枠を活用し、納税資金を確保する

納税資金だけでなく、財産圧縮の効果も

財産の大部分が不動産で、現金や預貯金はわずか、といったケースは決して珍しくありません。このような場合、相続時に必ず現金が入る生命保険（終身保険）は、納税資金を確保する手段として非常に有効です。

しかも、故人が契約者（＝保険料負担者。以下同じ）でありかつ被保険者であった死亡保険金には［500万円×法定相続人の数］の非課税枠があります。たとえば、法定相続人が妻と子ども2人の計3人なら、遺族が1500万円まで非課税の保険金を受け取れるというわけです。

このような非課税枠が設けられているのは、保険金が遺族の生活保障となるためですが、この非課税枠は相続税の節税対策としても利用価値大です。

というのも、生命保険に加入すれば払込保険料以上の死亡保険金を受け取るのですから、財産は増えることになります。しかし、保険金が非課税の範囲内であれば、相続財産には加算されません。つまり、実際の財産は増えているにもかかわらず、支払った保険料の

生命保険のココだけはおさえておこう①

契約形態によって課税される税金が違う

被保険者の死亡によって支払われる保険金は、だれを契約者（保険料負担者）、受取人とするかによって課税される税金の種類が異なります。

●Aパターン

父が自分で保険に加入し、相続人である妻や子を受取人とするパターン。もっとも一般的な加入のしかたです。

保険金は相続財産とみなされ相続税の対象となりますが、「500万円×法定相続人数」の非課税枠があります。非課税枠を超える部分のみ相続財産に加算されます。

死亡保険金にかかる税金

契約の形		具体例（父を被保険者とする） 契約者	被保険者	受取人	税金の種類
A	契約者*と被保険者が同一	父	父	母	相続税
		父	父	子	
B	契約者と受取人が同一	母	父	母	所得税と住民税（一時所得）
		子	父	子	
C	契約者、被保険者、受取人の三者が異なる	母	父	子	贈与税
		子	父	母	

＊契約者＝保険料負担者とする

一時所得にかかる税金の計算方法

❶（受取保険金額－払込保険料額－50万円）× $\frac{1}{2}$ ＝課税される一時所得

❷❶の金額をほかの所得と合算し、所得税と住民税の税率を適用

●Bパターン

たとえば、子が父に保険をかけ、自分で保険金を受け取る形です。保険金は子の一時所得となり、所得税と住民税がかかります。一時所得の税負担は、ほかの種類の所得に比べて軽くなっています。

●Cパターン

たとえば、母が父に保険をかけて保険料を支払い、子を受取人とする形です。この場合は贈与税がかかり、税負担が非常に重くなります。

加入済みの保険がこのような契約形態になっているときは、保険会社に申し出て、受取人を変更しましょう。受取人の変更は簡単に行えます。

分だけ課税財産が減少するという効果があるのです。

また、仮に非課税枠を超える保険金を受け取り、結果として相続税が増えることになっても、決して損をするわけではありません。増えた財産（受取保険金）を納税資金にあてることができるのですから、積極的な相続税対策として優れたものといえます。

非課税が適用される加入のしかたとは

相続税の非課税の適用を受けるためには、契約者と被保険者が同一で、受取人を相続人とする契約形態でなければなりません。

たとえば、夫婦と子どもという家族で父親の相続に備えるのなら、契約者と被保険者を父、受取人を母または子とします（76ページ図ケース1）。

さらに、母（被相続人の妻）は配偶者の税額軽減により納税額をゼロにすることもできますので、納税資金の確保を目的として保険

ケース1 父を契約者とし、非課税枠を利用する場合

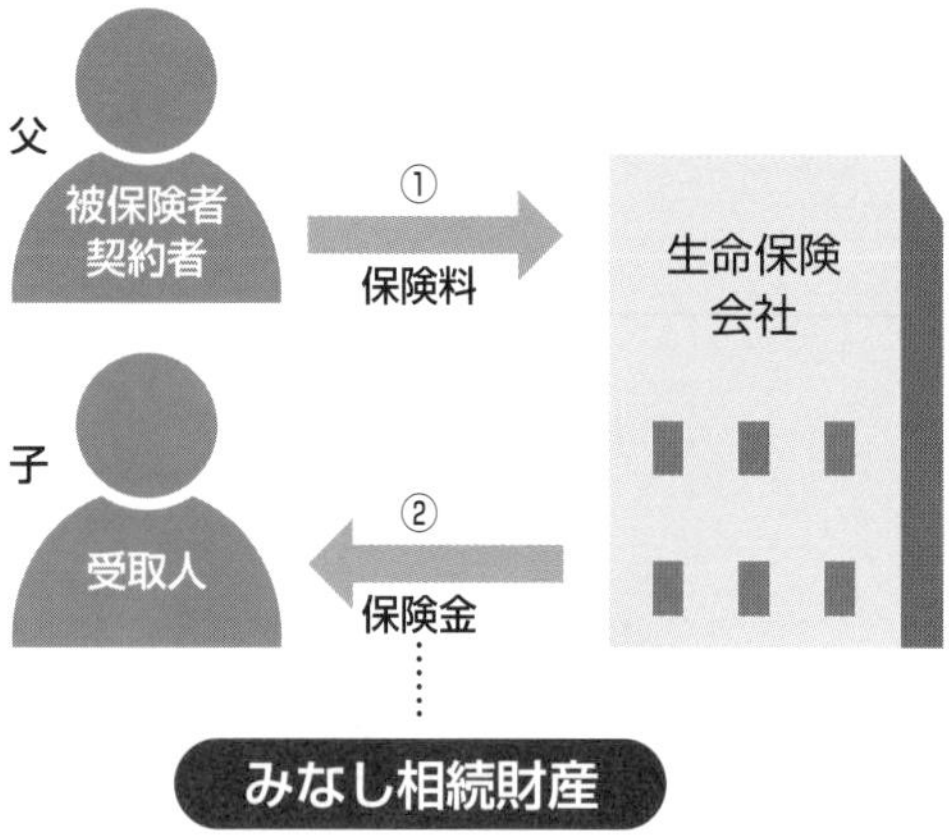

相続税が課税される（一定額まで非課税）

特徴
- 受取保険金のうち[500万円×法定相続人数]は相続財産に加算されない
- 非課税枠を超える保険金が払込保険料より少ないときは、課税財産が減少する

■加入例
現在の財産　5億円
推定相続人　妻と2人の子ども
（法定相続分どおりに相続）
▶一時払保険料3000万円で、5000万円の終身保険に加入。受取人は2人の子ども

対策前

現金（預金）	5000万円
不動産	4億円
その他の財産	5000万円
相続税額	**6556万円**

⬅ 現金で納付する場合は1556万円の不足

対策後

現金（預金）	2000万円
受取保険金	5000万円
（うち課税金額は3500万円）	
不動産	4億円
その他の財産	5000万円
相続税額	**6661万円**

保険金受取後の現金は7000万円。⬅ 相続税納付後も339万円残る

に加入するのなら、受取人は子とするのが基本です。妻の生活保障が必要な場合には、別途に保障を用意します。

テクニック2 子が父に保険をかけて納税資金を確保する

保険金を相続財産にしない方法とは

テクニック1は非課税枠を利用するオーソドックスな方法ですが、非課税枠を超える保険に加入する場合には、保険金を相続財産にしない契約形態にするほうが有利な場合があります。つまり、父を被保険者とし、子が契約者かつ受取人となって加入する方法です。こうすれば子が受け取る保険金は子自身の一時所得（所得税と住民税の課税対象）となり、相続財産には組み込まれません。

この場合は非課税枠の適用はありませんが、課税される一時所得の金額はかなり軽減されます。

具体的には、まず受取保険金から払込保険料と特別控除額50万円を差し引きます。課税対象となるのは、それをさらに2分の1にした金額です。所得税の最高税率は45%*、住民税の税率は10%で合計55%ですので、受取保険金に対する税負担は実質的に最大27・5%ですむということになります。

では、保険金を相続税の対象とするのと一時所得とするのとでは、どちらが有利なのでしょう。

各相続人の法定取得財産が5000万円を超えると相続税率が30%になるので、一応の目安として法定取得財産が5000万円を超えるようであれば子が保険料を負担し、子の一時所得とするのが有利といえます。

ただし、具体的な遺産額、保険金額、子の所得金額などさまざまな条件によって変わりますので、

*令和19年までは復興特別所得税（基準所得税額の2・1%）を加算

生命保険のココだけはおさえておこう②

相続対策に適した保険は？

被保険者の死亡時に保険金が支払われる保険には、おもに左表の種類があります。このうち相続対策にもっとも適しているのは終身保険です。

終身保険は、死亡保障が一生涯続きます。相続はいつ起こるか予測できませんので、死亡時に必ず保険金が受け取れる終身保険が最適というわけです。

定期付終身保険とは、終身保険に一定期間のみ定期保険を上乗せしたもの。働き盛りの時期の保障を厚くできる保険として人気がありますが、期間満了後は保障額が少なくなるので注意が必要です。

たとえば3000万円の定期付終身保険に加入しても、終身部分が100万円しかなければ、相続時に100万円しか受け取れないといったことが十分に考えられます。

定期付終身保険は保険会社の主力商品ですので、すでにこの保険に加入している人も多いはず。相続対策として利用するなら、保険証券で終身部分の額を確認しましょう。金額が足りない場合は終身部分を増額するか、ほかに終身保険に加入するなどの方法で対応する必要があります。

相続対策に適した保険は？

保険の種類	相続対策	保険の特徴
定期保険	×	一定期間のみ死亡保障がある掛捨ての保険。期間満了後は保険金は一切支払われない
終身保険	◎	生涯保障が続き、被保険者の死亡時に必ず保険金が支払われる。相続対策にもっとも適している
定期付終身保険	△	一定期間の死亡保障を厚くした終身保険。定期期間の終了後は終身部分のみの保障となる（保険金額が減る）ので注意が必要
養老保険	×	満期までの死亡保障と、満期時に死亡保険金と同額の満期金がある貯蓄性の高い保険。死亡保険金と満期保険金のどちらになるか不確定なため、相続対策としては使いにくい
医療保険	×	医療費の保障を目的とした保険で、死亡保険金はわずか（一般的に50万円程度）。相続対策には不向き

それぞれのケースで試算してみる必要があります。一時所得の試算の際、多額の保険金によってふだんの年より所得税率がアップする場合には、保険金以外の所得（給与所得など）にかかる税金も増えることに注意しましょう。

保険料を贈与すればさらに効果アップ

このように子が契約者となって保険に加入する場合は、保険料にあてる現金を父が子に贈与する方法をとるとよいでしょう（78ページ図ケース2）。それだけ相続財産が減り、節税効果があります。

保険料にあてる現金は一度に贈与するのでなく、贈与税の非課税枠を利用して、毎年、小分けで行うのがポイントです（54ページの連年贈与の方法）。

ただし、このような保険料充当金の贈与を行う場合は、次の2点に注意してください。

①贈与の事実を証明できるようにしておく

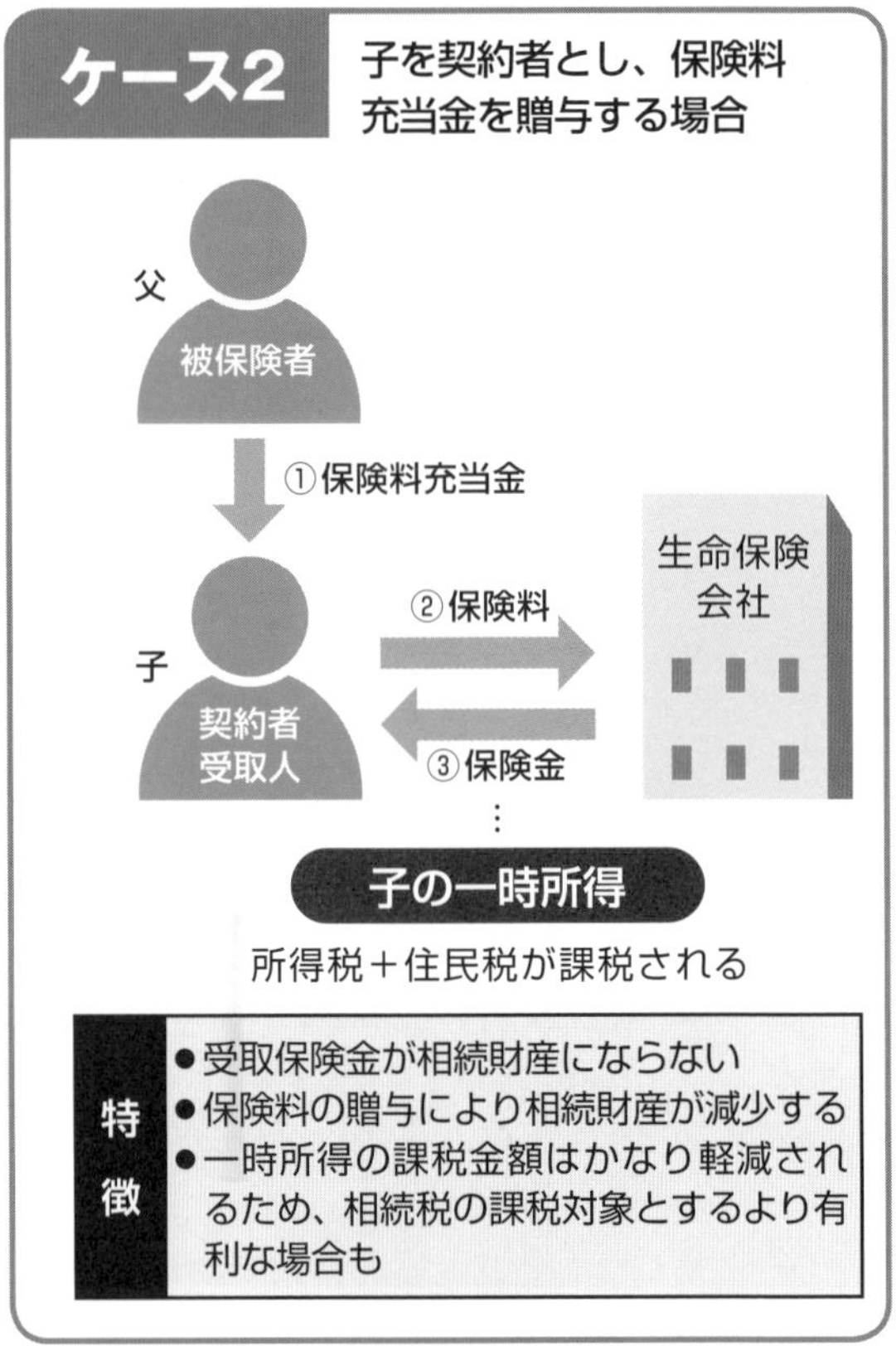
ケース2
子を契約者とし、保険料充当金を贈与する場合
父
被保険者
①保険料充当金
子
契約者
受取人
②保険料
③保険金
生命保険会社
子の一時所得
所得税＋住民税が課税される
特徴
●受取保険金が相続財産にならない
●保険料の贈与により相続財産が減少する
●一時所得の課税金額はかなり軽減されるため、相続税の課税対象とするより有利な場合も

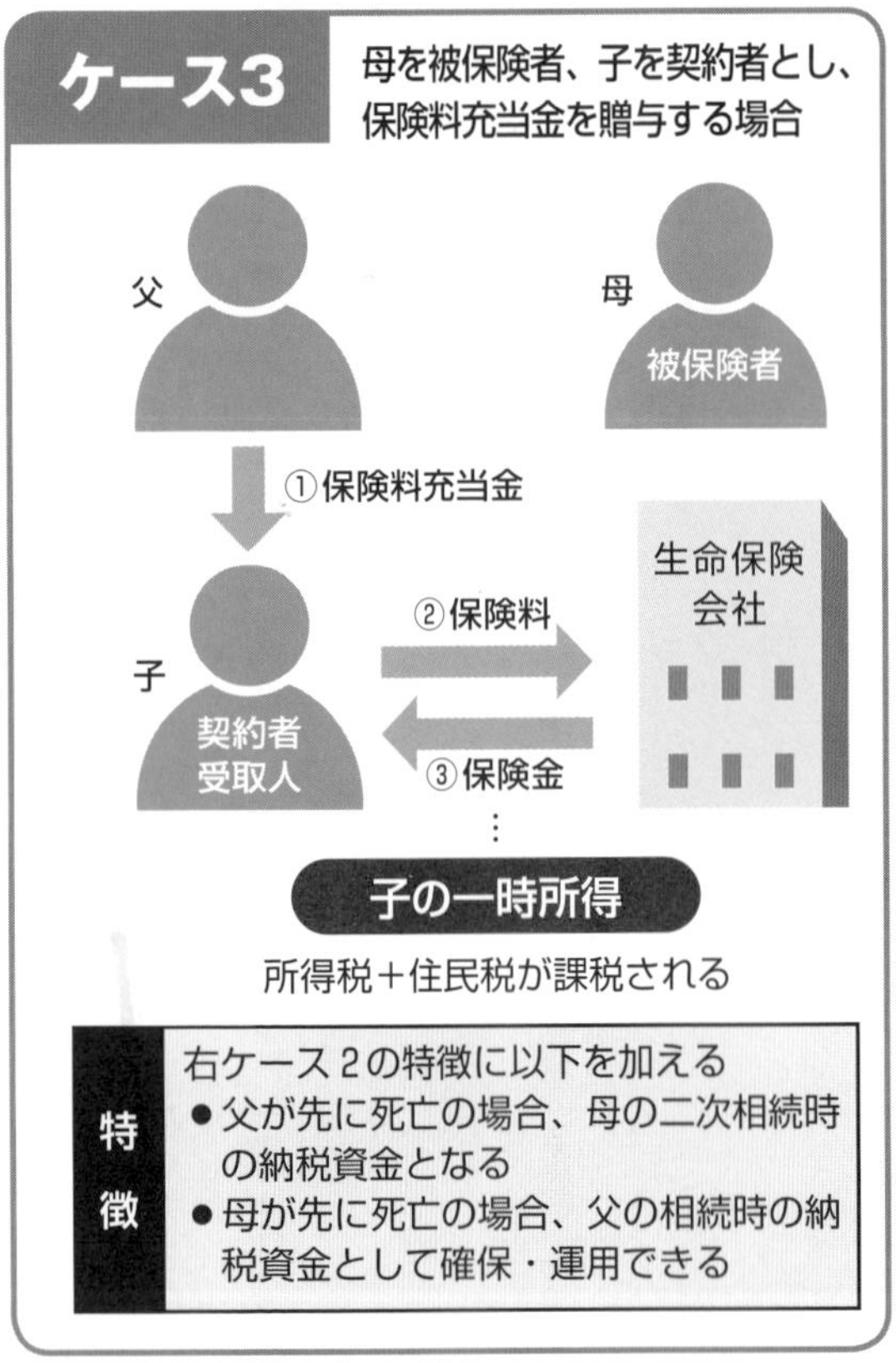
ケース3
母を被保険者、子を契約者とし、保険料充当金を贈与する場合
父
母
被保険者
①保険料充当金
子
契約者
受取人
②保険料
③保険金
生命保険会社
子の一時所得
所得税＋住民税が課税される
特徴
右ケース2の特徴に以下を加える
●父が先に死亡の場合、母の二次相続時の納税資金となる
●母が先に死亡の場合、父の相続時の納税資金として確保・運用できる

これは、連年贈与のページで述べた注意点とまったく同じです。

②父親の所得税の確定申告（または年末調整）の際に、生命保険料控除を適用しない

保険料の支払者はあくまでも子です。うっかり父が保険料控除を使わないようにしましょう。

テクニック3 二次相続に備えて母を被保険者とする方法も

父が加入できないときはこんな方法も効果的

父親を被保険者とする生命保険に加入しようと思っても、年齢や健康上の理由などから加入できないケースも少なくありません。こんなときは、母親を被保険者とするのもひとつの方法です。契約者と受取人は子とします（上図ケース3）。

このような保険加入にはどんな効果があるのでしょうか。

まず、父親が先に死亡した場合。このときには当然、保険金は支払われませんが、母の二次相続時には保険金が支払われますので、それを納税資金などに利用することができます。

反対に母親が先に死亡した場合ですが、通常は相続税の負担は発生しませんので、受け取った保険金を父の相続時の納税資金として確保することができます。

つまり、どちらが先に死亡した場合でも、父・母いずれかの相続の納税資金として役立つというわけです。このような加入のしかたは必要保障額の設定が難しいため本来は好ましくないのですが、父が保険に加入できない場合の手段としては有効です。

また、テクニック2の場合と同じように保険料を父から子に贈与する形にすれば、父親の相続財産減らしにも一役買います。

生命保険のココだけはおさえておこう③

保険会社も選ぶ時代になった

生命保険は、土地を利用する相続対策などと比べて安全な方法といわれます。しかし保険会社の破綻が起こりえる今日では、必ずしも安全・確実とはいいきれません。保険会社破綻のリスクを最小限に抑えるために、加入者自身が経営の健全な会社を選ばなくてはならないのです。

現在の制度では、保険会社の破綻によって保険金がゼロになるといった事態は起こりません。しかし、責任準備金(保険金などの支払いのため保険会社が積み立てているお金)の一部切捨てや、予定利率の引下げなどによって、将来の保険金が減る可能性はあります。とくに終身保険などの貯蓄性の高い保険は影響が大きいので、より慎重を期す必要があります。

生命保険会社の健全性を判断するための材料となるのが、各保険会社が発行するディスクロージャー誌です。財務内容を中心にさまざまな情報が公開されています。

そのなかで注目される指標が「ソルベンシーマージン」です。これは「支払余力」という意味で、この指標が200%を下回ると、監督当局から経営改善の命令が出されることになっています(ただし、この指標だけで健全性を判断することはできない)。

ディスクロージャー誌は保険会社の営業所などで閲覧できるほか、ホームページで公開している会社もあります。

このほか、素人でもわかりやすいのが、専門の格付会社による保険会社の「格付け」です。各生命保険会社の財務内容が「AAA」「AA」といった分類で評価されています。S&P社(スタンダード&プアーズ社)やムーディーズ社などの格付けが有名です。

テクニック3の保険加入の際に大事なのは、契約者を必ず子とすること。そうすれば受け取った保険金は子の一時所得として課税されます。父親を契約者として同じことを行うと贈与税の対象となりますので、くれぐれも注意してください。

遺産分割争いの回避にも利用価値大

税金対策だけでなく、生命保険は遺産分割をスムーズに進めるうえでも大きな威力を発揮します。

たとえば、父親が死亡した場合の相続人が長男と次男の2人で、おもな財産は5000万円の自宅だけとしましょう。

自宅を売却して2人で分ければ丸く収まりますが、なかなかそうもいきません。仮に長男が同居していたとすると、一般的には長男が自宅を相続するのが自然のように思われます。しかし、それでは次男の取り分はゼロ。兄弟間の争いに発展する可能性大です。

そこで、活躍するのが生命保険です。父親が自分を被保険者、次男を受取人とする生命保険(たとえば1000万~3000万円程度)に加入すれば、次男に相応の現金を残すことができます。この場合、自宅は長男に相続させる旨の遺言書を書いておくことも忘れてはいけません。

保険金額は、必ずしも自宅と同額でなくてもよいでしょう。自宅を相続する長男はこれまでとなんら変わらない状況であるのに対し、次男は自由に使える現金が手に入るのですから、納得してくれる可能性は大きいと思われます。

土地の有効活用による相続税対策

土地を上手に活用すると、土地の評価減や納税資金の確保など、さまざまなメリットがあります。

テクニック1

遊休地にアパートなどを建築する

貸家の建築がなぜ相続税対策に？

地主さんにとっての気がかりは、やはり広大な土地にかかってくる相続税と、それをなんとか減らすことができないか、ということでしょう。

地主の相続税対策として、よく土地の有効活用ということがいわれます。代表的なのが、遊休地あるいは自宅敷地の余裕部分にアパートやマンションなどの貸家を建てる方法。いまや相続税対策の常套手段ともなっています。

たしかに、不動産経営の採算がとれるのであれば、この方法は非常に効果的です。

では、遊休地などに貸家を建てることがどのような効果をもたらすのか、そのしくみをみてみましょう。

1 土地の評価が下がる

自宅の敷地や空き地、青空駐車場など、地主が自由に利用できる土地を「自用地」といいます。26ページの財産評価のところで紹介したように、自用地にアパートやマンションなどの貸家を建てると、その土地は**「貸家建付地《かしやたてつけち》」となって評価額が下がります。**

減額の割合は「借地権割合×借家権割合」です。借地権割合70%の地域であれば（借家権割合は30%）、自用地の21%引きになります。

2 建物の評価減がとれる

たとえば、建物の建築費用として1億円かかったとしましょう。建物の相続税評価額は固定資産税評価額と同じで、**建築費用のおおむね60%程度となります。**

つまり、現金1億円が建物に姿を変えると評価上は6000万円となり、財産が40%圧縮されるわけです。

さらに、**アパートなどの「貸家」は自用家屋の70%で評価されます。**したがって、建築費1億円の貸家は、最終的に4200万円の評価となるのです（約60%の減額）。

ところで、1億円の現金をポン

アパート建築による相続税対策のメリット・デメリット

メリット	デメリット
●土地が貸家建付地となり、評価減が実現できる ●建築費用と建物評価額の差額分の評価減が実現できる ●賃貸収入が見込まれ、納税資金対策になる	●立地などの諸条件により、空き室のリスクがある ●見込みどおりの賃貸収入が得られない場合など、借入金の返済リスクがある ●貸家の管理・補修などのわずらわしさがある（管理会社への委託も可）

と出せる人はそう多くはないでしょう。たいていは建築費用の一部または全部を銀行からの借入金でまかないます。借入金は債務控除として相続財産から控除できますので、前述の現金を支出する場合と同様の効果があります。

アパート建築による土地活用の例

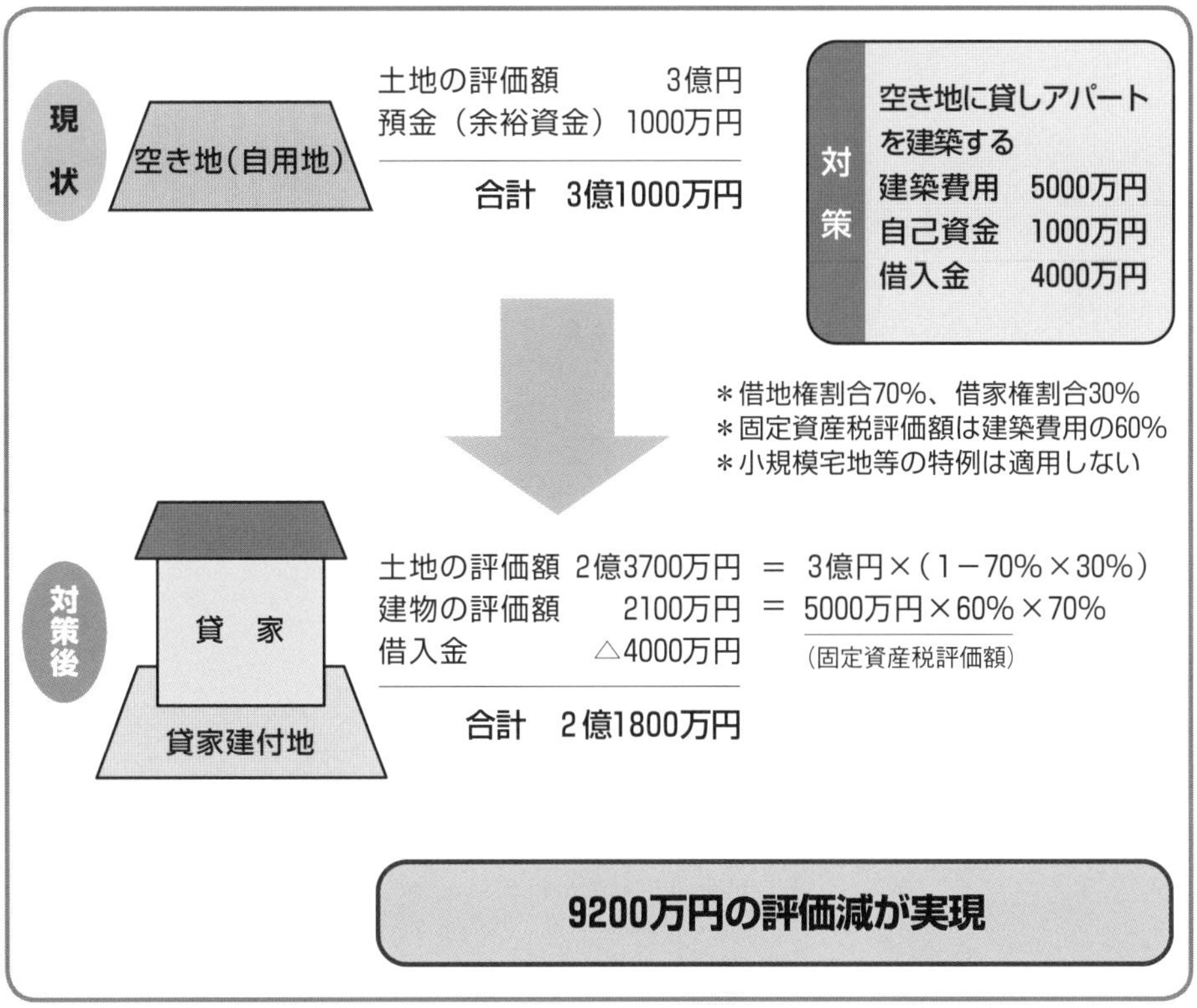

現状
空き地(自用地)
土地の評価額　3億円
預金（余裕資金）1000万円
合計　3億1000万円
対策
空き地に貸しアパートを建築する
建築費用　5000万円
自己資金　1000万円
借入金　4000万円
＊借地権割合70%、借家権割合30%
＊固定資産税評価額は建築費用の60%
＊小規模宅地等の特例は適用しない
対策後
貸　家
貸家建付地
土地の評価額　2億3700万円　＝　3億円×（1−70%×30%）
建物の評価額　2100万円　＝　5000万円×60%×70%
（固定資産税評価額）
借入金　△4000万円
合計　2億1800万円
9200万円の評価減が実現

3 小規模宅地等の特例が使える

空き地などに貸家を建てると、その土地は事業用宅地（貸付用宅地）として「小規模宅地等の特例」の適用対象になります（88ページ参照）。その土地に特例を適用すれば、200㎡までの部分について50％引きで評価することができます。

この特例はマイホームの敷地にも適用されますが、適用対象となる宅地の種類（価額）や面積が増えることで、もっとも有利な形を選択し、特例のメリットを最大限にいかすことが可能になります。

注意しなければならないのは、平成30年度の税制改正で、相続開始前3年以内に貸付事業として用いられるようになった宅地が除外された点です。

4 納税資金の用意ができる

アパートやマンションの家賃収入により、相続税の納税資金を用意することができます。

収入が増えればそれだけ相続財産も増えますが、換金性の低い不動産の評価額を抑え、一方で現金収入を得るのですから、積極的かつ効果的な手段といえます。

また、収入の一部を原資に生命保険に加入したり、子どもに納税資金として生前贈与するなどの方法も考えられます。

資金計画と採算性を十分に検討する

以上が、貸家建築による土地の有効活用と相続税対策のカラクリです。金額の単位が大きいだけに、上手に活用すればかなりの効果を期待できます。

しかし、こうした土地の有効活用は、決して税金問題を思いのままに解決してくれる〝魔法の杖〟ではありません。アパート・マンション経営は一種の事業ですから、当然、それにともなうリスクがあることを忘れないでください。

空き室のリスクもありますし、予定どおりの家賃収入が得られな

これは失敗！

マンションを建ててはみたものの……

Sさんがマンション経営を始めたのは、いまから6年前。青空駐車場にしていた土地に、相続税対策のため、建築費3億円でマンションを建てたのです。

建築費のうち5000万円は自己資金、残り2億5000万円は取引銀行からの借入金でまかないました。

当初は独身者向けのアパートを考えていたのですが、建築を請け負ったハウスメーカーのすすめもあり、1階を店舗、上階を住宅用とするマンションにすることに。この立地ならテナントもすぐにみつかるだろうとの話でした。

たしかに、建築中に3室すべてのテナント入居が決まり、滑り出しは順調でした。しかし、店子のひとつのコンビニが、近所にできた大手コンビニのあおりを受けて1年も経たないうちに撤退。その後もテナントの交代があり、結局、2年前から2つの店舗が空いたままになっています。家賃の値引きもしてみましたが、どうにも借り手がみつかりません。

また、最近では近隣に新しいマンションが増え、住宅部分の空きも目立つように。不動産業者と相談のうえ、新規募集のほか、すでに入居している人についても契約更新時に順次、家賃を値下げすることにしたのです。

立地はそれほど悪くないのに、なぜこんなことになってしまったのでしょう。

不動産業者の話によれば、ここ2、3年で、割安で良質なアパートやマンションの供給が増えているとのこと。また、Sさんのマンションの建築費は割高とか。Sさんは素人で、またハウスメーカーを紹介してくれた銀行の担当者への遠慮もあって、他社の見積りさえとっていなかったのです。

現在は、なんとか持ち出しで借入金の返済を続けていますが、このままテナントがみつからなかったら……と不安な毎日を送るSさんです。

ければ借入金の返済に奔走することになり、相続税対策どころではなくなります。

実際、バブル期には相続税対策のためにこうした貸家が次々と建築されましたが、その後の経済不況のあおりを受け、借入金を返済できなくなったビルが競売に出されるなどの事態が多発しました。

立地や採算性はもちろん、自己資金と借入金の比率などの資金計画、また返済計画を十二分に検討することが重要です。

テクニック2

土地の利用区分を変更する

道路との接し方で評価額が変わる

市街地にある土地の評価額は路線価をベースに決められますが、2つ以上の道路に面している土地は評価が高くなります。また、その価額は、土地が接している道路のうちでもっとも高い路線価（奥行価格補正後。正面路線価という）をベースにして決められます（23ページ参照）。

そこで、比較的広い土地が複数の道路に面しているときは、土地の利用区分を変更・分割することによって、土地の評価額を下げる

土地の利用区分変更による効果の例

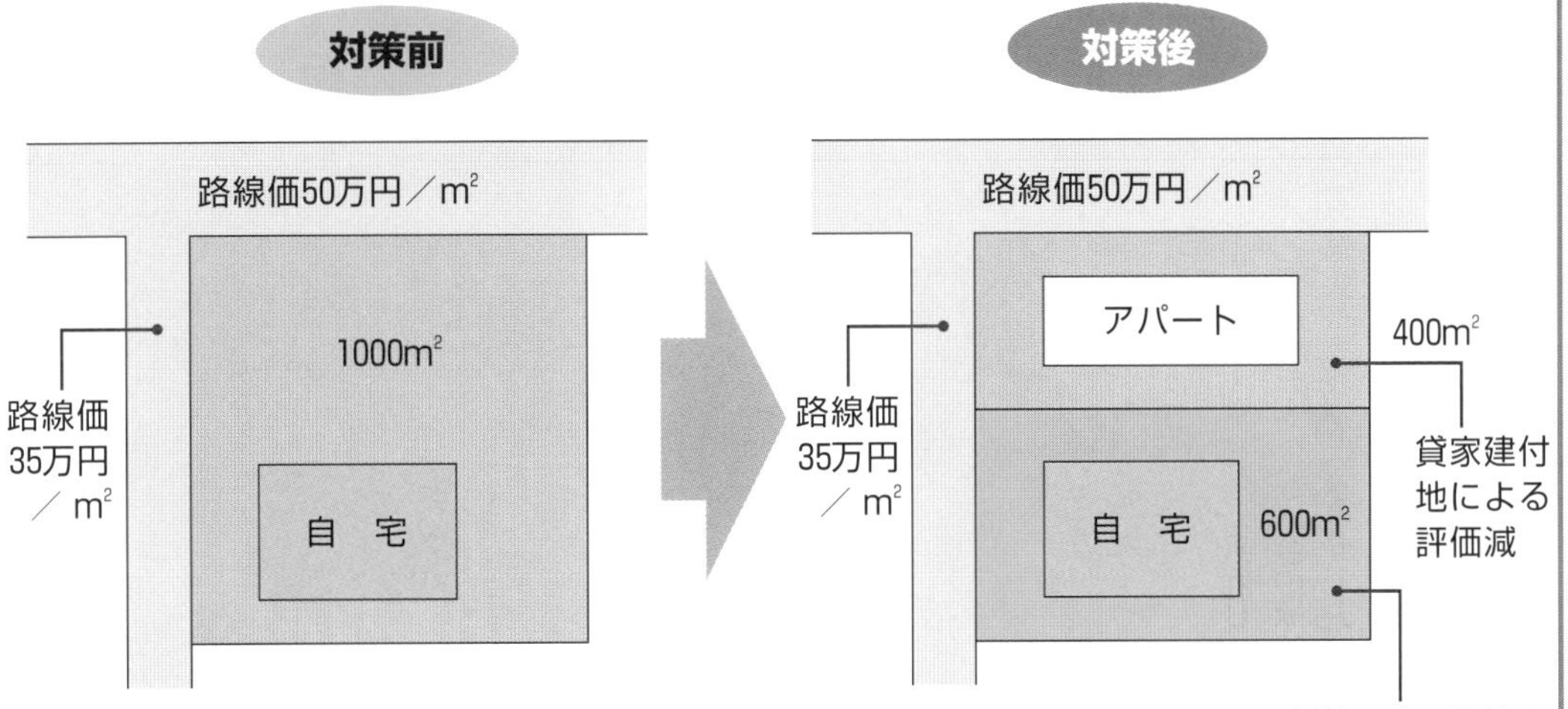

【土地の評価額】

1m²あたりの価格

＊側方路線影響加算率

50万円＋35万円×0.03＊＝51.05万円

51.05万円×1000m²＝5億1050万円

小規模宅地の特例適用後　**3億7572.8万円**

【土地の評価額】

■貸家部分（貸家建付地）

51.05万円×400m²×（1－70%×30%）

＝1億6131.8万円……①

■自宅部分（自用地）

35万円×600m²＝2億1000万円

小規模宅地の特例適用後　1億1760万円……②

①＋②＝　**2億7891.8万円**

土地だけで9681万円の評価減

＊奥行価格補正はここでは無視する
＊小規模宅地の特例は330m²の部分を80%引きで計算
＊借地権割合70%、借家権割合30%とする

ことができます。とくに、一方が幹線道路など路線価の高い道路に面している場合には効果的です。

上図の例をみてください。角地に1000㎡もの土地があり、その一角に自宅があります。現状では2つの道路のうち、高いほうの路線価（正面路線価）をもとにした価格で、土地全体が評価されます。

ところで、この土地には自宅の建っている部分以外に、ずいぶんと余裕があります。そこで、なにか有効活用をという場合には、正面路線の側にアパートを建築することが効果的な方法として考えられます（上図右の対策後）。

土地は利用の単位ごとに評価することになっていますので、こうすると自宅の敷地は路線価の低い道路のみに接することになり、評価額が大幅に減ります。

また、高い路線価で評価されるアパートの敷地は「貸家建付地の評価減」によって、評価額を抑えることができるのです。

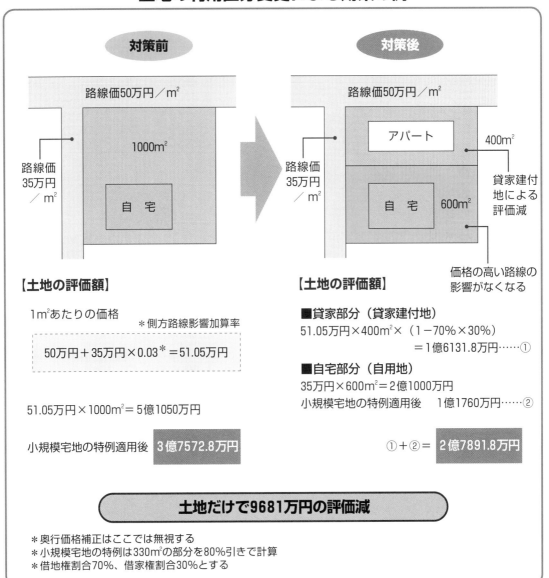

等価交換方式のしくみ

■地主の現況　時価（取引価格）4億円の自宅敷地を所有
■等価交換の内容　デベロッパーがマンションを建築。建築費用は6億円
地主は土地の60%（2.4億円）を業者に譲渡
業者は建物の40%（2.4億円）を地主に譲渡

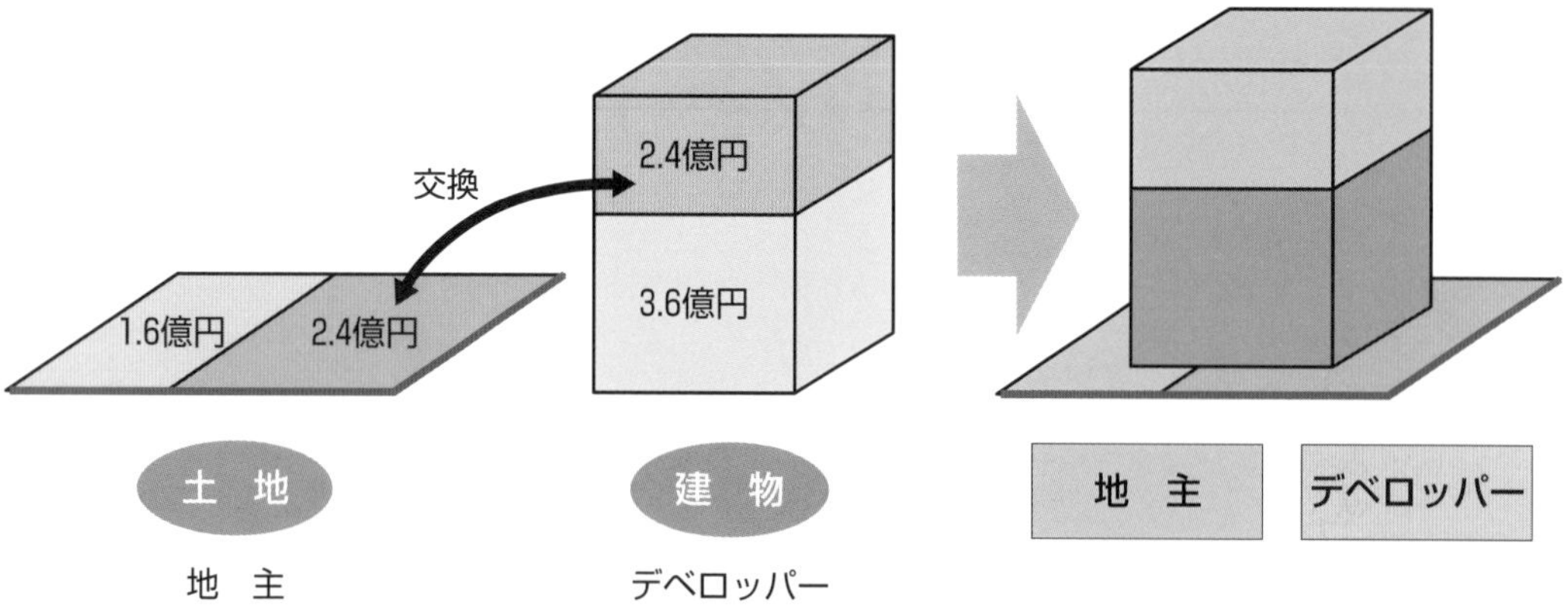

■等価交換後の地主の状況
土地の40%の共有持分（1.6億円）
建物の40%を区分所有（2.4億円）
※いずれも時価

マンションの一部を居住用、残りを賃貸用にすると……

土地は、自己の居住用部分を除き貸家建付地としての評価になる
建物の賃貸部分は貸家としての評価になる

等価交換方式のメリット・デメリット

メリット	デメリット
●借入金が発生しない ●土地が貸家建付地として評価される ●建物部分を賃貸にすれば賃貸収入が期待できる。また貸家の評価減も実現できる ●設計や建築後の管理をプロに一任できる	●土地の一部を手放すことになる ●設計、土地の評価額、交換比率などにおいてデベロッパー主導になりやすい ●デベロッパーが取得部分を譲渡した場合、権利者などが多人数になる

テクニック3

等価交換方式を利用する

返済リスクのない土地活用が可能

土地の有効活用を行いたいが、そのノウハウがなかったり、多額の資金を負担できず、自分では手がつけられないといったケースがあります。こんな場合に検討されるのが、**等価交換方式**です。

等価交換方式とは、地主とデベロッパー（土地開発業者）とが共同で、おもに貸ビルや賃貸マンションなどを建設する事業方式のひとつです。地主は土地を、デベロッパーは建築費を出資して建物を建設します。その後、土地の一部と建物の一部を等価になるように交換し合い、それぞれが土地・建物を所有するという方法です。

この方式を利用すれば、地主は土地の一部を手放すことにはなりますが、資金をまったく負担せずに建物を手に入れることができます。借入金が発生しませんので、返済のリスクもありません。

また、設計から施工、建築後の管理までを一括でデベロッパーに委託でき、デベロッパーの各種ノウハウをいかした資産価値の高い

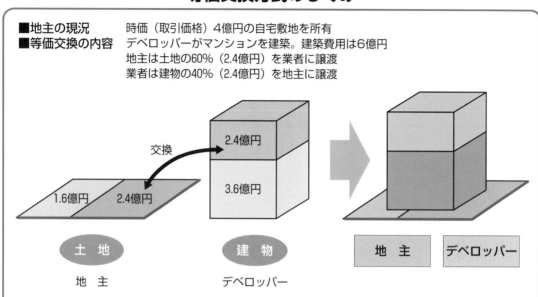

借地権と底地の交換のしくみ

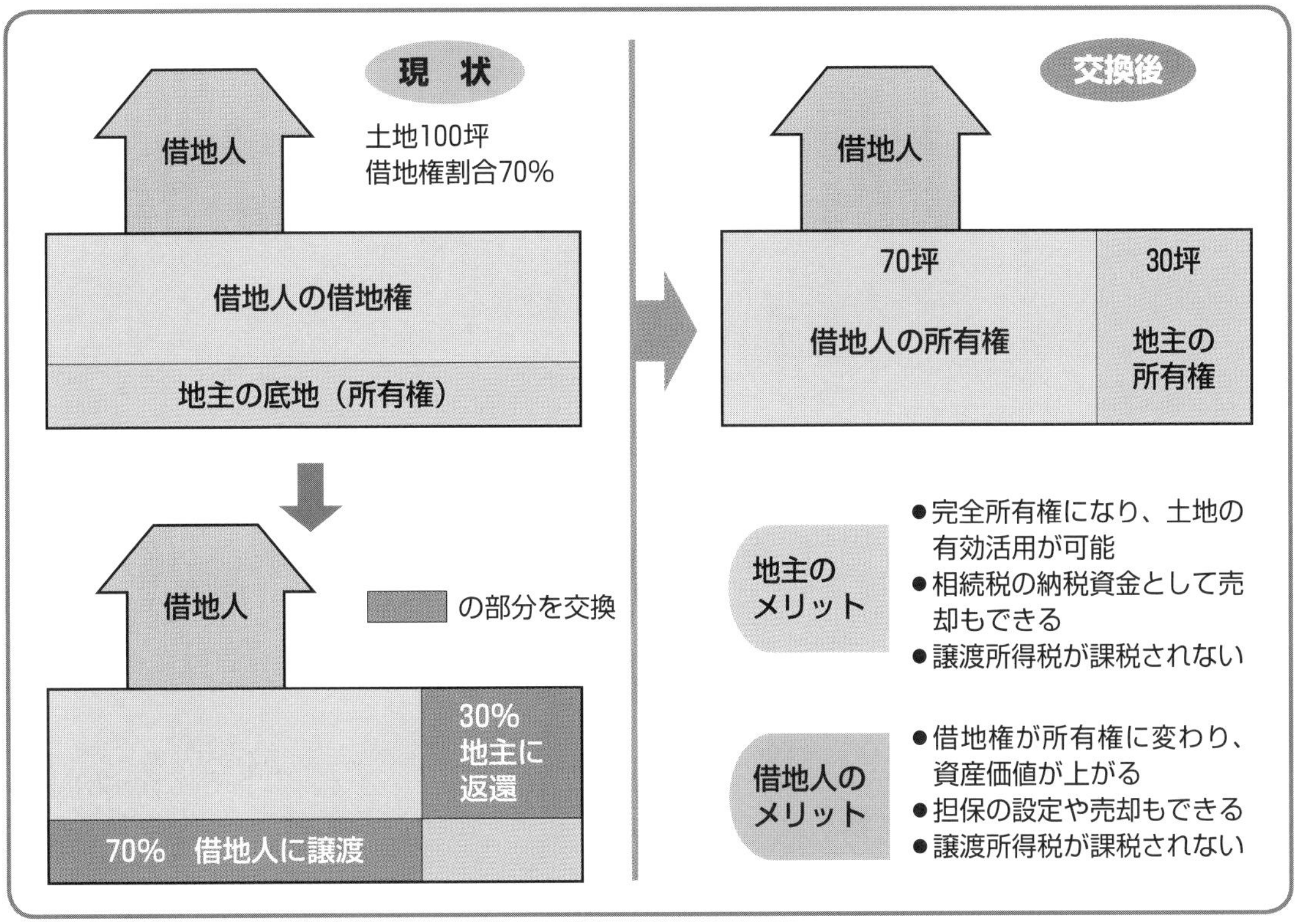

物件の取得が可能になります。

しかしその反面、設計や土地の評価額、交換比率などの面においてはデベロッパー主導になりやすいという感は否めません。

なお、このような土地の譲渡に対しては譲渡所得税が課税されますが、一定の要件を満たす場合には、特例により課税の繰延べを受けることができます。

テクニック4

借地権と底地の交換で土地の自由度を確保する

土地の活用や納税資金対策にも

地主さんが所有する土地のなかには、先代あるいは先々代から安い地代で他人に貸しているといったケースがよくみられます。旧借地法による借地権は借地人の権利が非常に強く、いったん土地を貸したら、もう地主のところには戻ってこないというのが実情です。

土地を有効活用したり納税資金のために処分したいと思っても、地主の自由にはなりません。もちろん借地人の側にも簡単には立ち退けない事情があるでしょう。

この解決策として有効なのが、**借地人の借地権と地主の底地を交換する方法です。**

たとえば、借地権割合70%の場合なら底地70%と借地権30%が等価になりますので、これを交換し、両者が借地権の付着しない土地を所有するのです。もちろん借地人の合意が必要ですが、双方にメリットのあることなので、交渉してみる価値は十分あります。

また、税制上の優遇措置も受けられます。このように同種類の固定資産を等価で交換し、一定の要件を満たす場合、譲渡はなかったものとして譲渡所得税が課税されません。この特例を受けるためには確定申告書の提出が必要です。

養子縁組で相続人を増やす

相続人が増えると、基礎控除額の増加や累進税率の低下などによって相続税が少なくなります。

1人増えるだけで相続税はグンと下がる

相続人が少ないときは、嫁や孫などを養子にし、相続人を増やすのも一法です。相続人の数が増えると、次の節税効果があります。

①**基礎控除額が増える**……相続人が1人増えるごとに、基礎控除額が600万円増加する

②**累進税率が下がる**……各相続人の「法定相続分に応じた取得金額」が小さくなるので、適用される累進税率の区分が変わることがある

③**生命保険金や死亡退職金の非課税枠が大きくなる**……相続人が1人増えるごとに、非課税金額が500万円増加する

ただし、相続税の計算上、法定相続人に含める養子の数には制限があります。実子がいる場合は1人、実子がいない場合には2人までです（39ページ参照）。

それでも、相続人が1人増えるだけで相続税はグンと減ります。たとえば、相続人が子ども2人から3人に増えると、遺産が3億円の場合は6920万円から5460万円に、遺産8億円では2億9500万円から2億5740万円に減少します。

これは前述の①と②の効果によるもの。財産に③が含まれている場合には、さらに効果が大きくなります。

養子縁組は、節税だけでなく、相続権のない人に財産を相続させるための手段としても有効です。世話になった嫁に財産を与えるときなどは、養子縁組の制度を積極的に活用するとよいでしょう。

これは失敗！

孫のひとりを養子にしたら……

古稀を迎え、相続のことが気になり始めたFさん。妻はすでに亡く、相続人は長男、長女、次男の3人です。

養子縁組が節税に有効と聞き、同居している長男の子どものひとりを養子にすることにしました。

相続が起こったのはそれから数年後のことです。

長男の子どもが父親の養子になっていたことを、このとき初めて知った長女と次男。当然、面白くありません。なぜ兄の子だけ特別扱いされるのか、自分の子どもだって同じ孫ではないか……。

さらに悪いことに、遺言がありません。

「親父の意思で養子にしたのだから、ここは法定相続分どおり平等に分けよう」と長男。

「なにが平等よ。きょうだいで公平に分けるべきだわ」

こんなやりとりが繰り返され、なんとか遺産分割を済ませたあとも、それまで仲のよかったきょうだいたちは絶縁状態に……。

なお、平成29年2月には、相続税対策の養子縁組が有効かどうかが争われた裁判で、最高裁は「有効」との初判断を示しました。養子縁組の意思さえあれば、節税目的でも認めると結論付けていますので、司法上はFさんに落ち度はなにもありません。

とはいえ、こうしたトラブルは十分に予測できたこと。Fさんは遺言を残しておくべきでしたし、それ以前に、養子縁組することを親族でよく話し合っておく必要があったでしょう。

㊟孫養子は2割加算の対象になっています

生前にできるそのほかの対策

墓地の購入や老朽化した自宅の建替え。近い将来必要になるのなら、生前に行うのが得策です。

墓地や仏壇などを購入する

お墓がまだない人は、ぜひ生前に購入しておきましょう。墓地、墓石、仏壇などには相続税がかかりませんので、購入費の分だけ相続財産を減らすことができます。相続後に遺族が遺産から支出して購入しても、このような効果はありません。

なお、墓地などをローンで買って返済中に亡くなった場合、未払金は債務控除の対象になりません。お金に余裕のある人は、キャッシュのほうが無難です。

老朽化した自宅を建て替える

自宅の老朽化が目につくようになったり、近く、子ども夫婦と同居の予定がある場合などは、自宅の建替えを検討するのもよいでしょう。

家屋の相続税評価額は、固定資産税評価額と同じです。固定資産税評価額は建築費用の60％程度となりますので、建築費用と評価額の差額だけ、評価上の財産を圧縮することができます。もちろん古い家屋はなくなりますので、その分も財産が減少します。

建築費用は、自己資金と借入金のどちらでも同様の効果を得られます。

生活費や教育費は非課税で贈与できる

夫婦ともに収入のある家庭では、生活費や子どもの教育費などを夫婦で負担しているケースも多くみられます。それぞれの家庭の事情にかかわることですが、相続税対策の面からいうと、できるだけ資産の多い方が支出するほうが有利です。

家族の生活費や教育費で通常必要と認められるものの贈与は非課税となっており、夫婦のどちらかひとりが負担しても贈与税はかかりません。

小さなことのようですが、たとえば妻が月10万円支出していた生活費などを妻名義の貯蓄に回し、代わりに夫が支出すれば、1年で120万円。10年間では1200万円を、夫が妻に生前贈与したのと同様の効果があるわけです。

これは失敗！

ゴルフ会員権で節税のはずが……

ゴルフ会員権は取引価格の70％で評価されるため相続税対策になると聞いたMさん。ゴルフはつきあい程度にしかしませんが、節税になるならと500万円で会員になりました。

しかし、その後ゴルフ場が破綻。結局、一度もプレーしないまま500万円をドブに捨てることになったのです。

相続後に行う対策もこんなにある

相続税対策は早くからじっくり行うのが原則ですが、相続開始後も打つべき手はいろいろあります。遺産をどのように分割するかによっても、納付税額は大きく違ってきます。

小規模宅地等の特例を活用する

小規模宅地等の特例をどのように適用するかによって、課税価額が大きく違ってきます。

小規模宅地等の特例はこんな制度

被相続人の自宅、あるいは店舗や事務所など事業用に使っていた宅地は、残された家族や事業継承者の生活の基盤となる財産です。そこで、これらの宅地の価額については一定の面積までを80％引きまたは50％引きで評価できることになっています。これを「**小規模宅地等の特例**」（小規模宅地等についての相続税の課税価格の計算の特例）といいます。

この特例の適用のしかたによって、課税価格が大きく変わってきます。まずは制度の内容をよく知っておきましょう。

●対象となる宅地は？

特例の対象となる宅地には、大きく分けて「**居住用宅地**」と「**事業用宅地**」の2種類があります。いずれも、被相続人または被相続人と生計を一にしていた親族が居住用または事業用として使用していたものが対象です。また、その宅地の上に建物や構築物があることが条件です。

なお、ここでいう事業には、事業規模にいたらない不動産の貸付け（たとえば小規模なアパート経営）なども対象になります。

●特例を受けられる人は？

この特例を受けられる人は、その宅地を相続や遺贈によって取得した人です。相続人あるいは親族

小規模宅地等の特例の概要

宅地の種類		適用面積	減額割合
居住用	特定居住用宅地	330㎡	80%
事業用	特定事業用宅地	400㎡	80%
	特定同族会社事業用宅地		
	不動産貸付用宅地	200㎡	50%

その居住用宅地はどれだけ減額される？

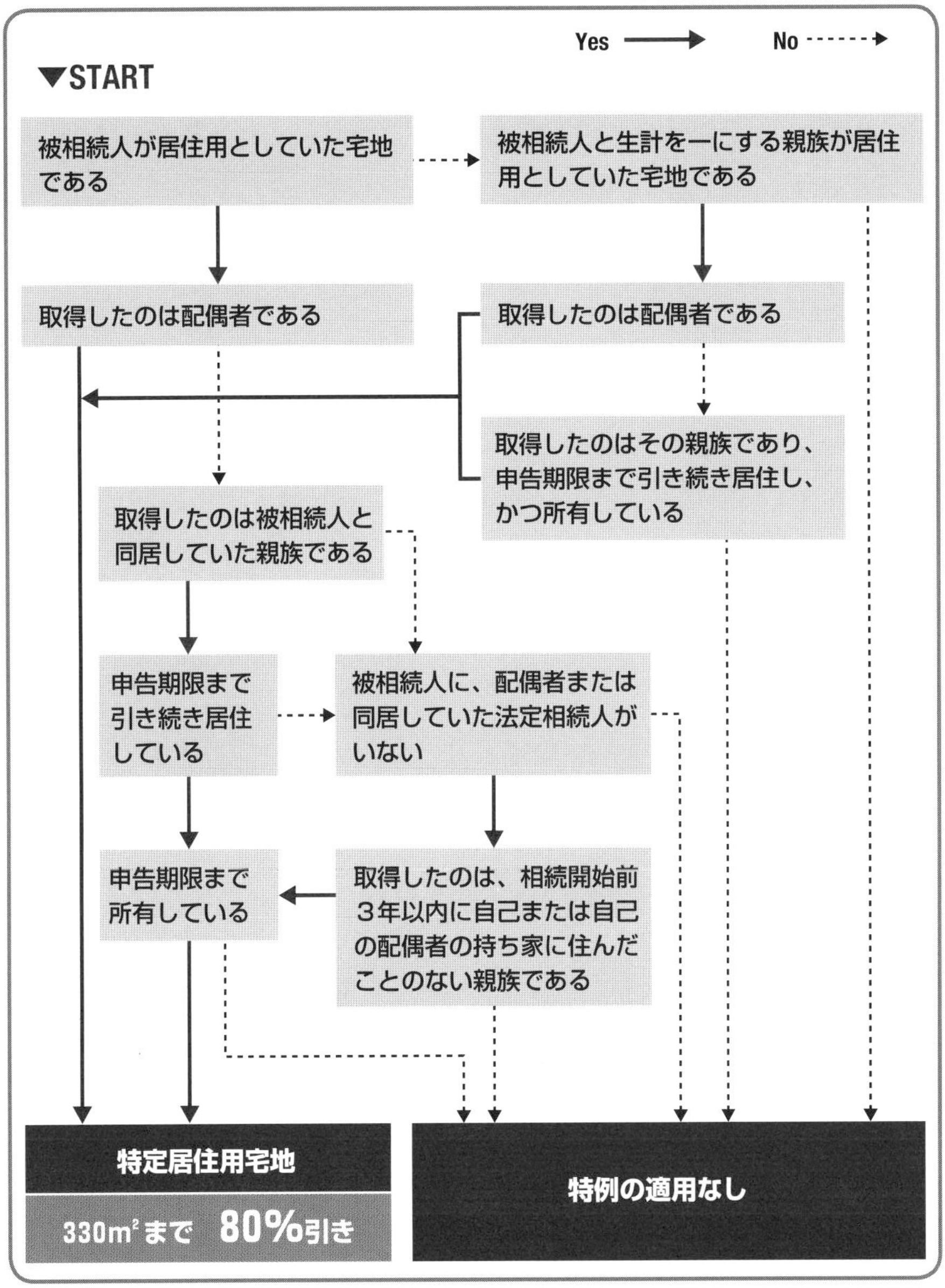
Yes
No
▼START
被相続人が居住用としていた宅地である
被相続人と生計を一にする親族が居住用としていた宅地である
取得したのは配偶者である
取得したのは配偶者である
取得したのはその親族であり、申告期限まで引き続き居住し、かつ所有している
取得したのは被相続人と同居していた親族である
申告期限まで引き続き居住している
被相続人に、配偶者または同居していた法定相続人がいない
申告期限まで所有している
取得したのは、相続開始前3年以内に自己または自己の配偶者の持ち家に住んだことのない親族である
特定居住用宅地
330m²まで 80%引き
特例の適用なし

であるかどうかは問いません。

ただし、被相続人の配偶者など特定の者を除き、少なくとも相続税の申告期限まで引き続き居住、または事業を行うことが求められます。居住継続、事業継続の要件を満たすことができない場合には、評価減の特例は適用することができません。

●どれくらい減額される？

評価減の対象となる面積は、居住用宅地・事業用宅地の別で異なります。減額割合は居住用、事業用ともに80％減ですが、不動産貸付用宅地は50％減となっています（詳細は右ページ下表参照）。

80％引きになる 特定居住用宅地の要件

特例の対象となる宅地を取得した人が、次の①～④に該当する場合は、「特定居住用宅地」として330㎡までの部分が80％引きになります。

①配偶者

被相続人または被相続人と生計を一にする親族の住宅の敷地を被相続人の配偶者が取得した場合は、無条件で80％引きになります。

②同居親族

被相続人と同居していた親族がその敷地を取得し、申告期限まで居住かつ所有している場合に適用されます。たとえば、同居していた子どもが自宅を相続し、そのまま住み続ける場合などです。

③3年借家住まいの別居親族

被相続人に配偶者や同居していた法定相続人がいない場合は、別居の親族が取得した場合も80％引きになります。ただし、相続開始前3年以内に自分または自分の配偶者の持ち家に住んだことのない人——いわゆる「3年借家住まい」の親族（家なき子）に限られます。また、申告期限までその宅地を所有していることが必要です。

たとえば、母がすでに死亡し、ひとり暮らしをしていた父の自宅を、マイホームを持っていない子どもが相続した場合などです。

なお、平成30年度の税制改正により、「家なき子特例」の対象者から、①相続開始前3年以内に、3親等内の親族や特別の関係のある法人が持つ家屋に居住したことがある者、②住んでいる家屋を過去に所有していたことがある者、が除外されています。

④生計を一にする親族

被相続人と生計を一にする親族が居住していた宅地を、その親族が取得し、申告期限まで引き続き居住かつ所有する場合です。

たとえば、父親の土地に子どもが家を建てて住み、遺産分割でその敷地を相続するといったことがよくありますが、このようなケースが該当します。ただし「生計を一にする」という要件がありますので、父親に常に生活費や療養費を渡していたなど、「財布が一緒」であることが必要です。

居住用宅地が80％引きとなる形（被相続人を父親とした場合）

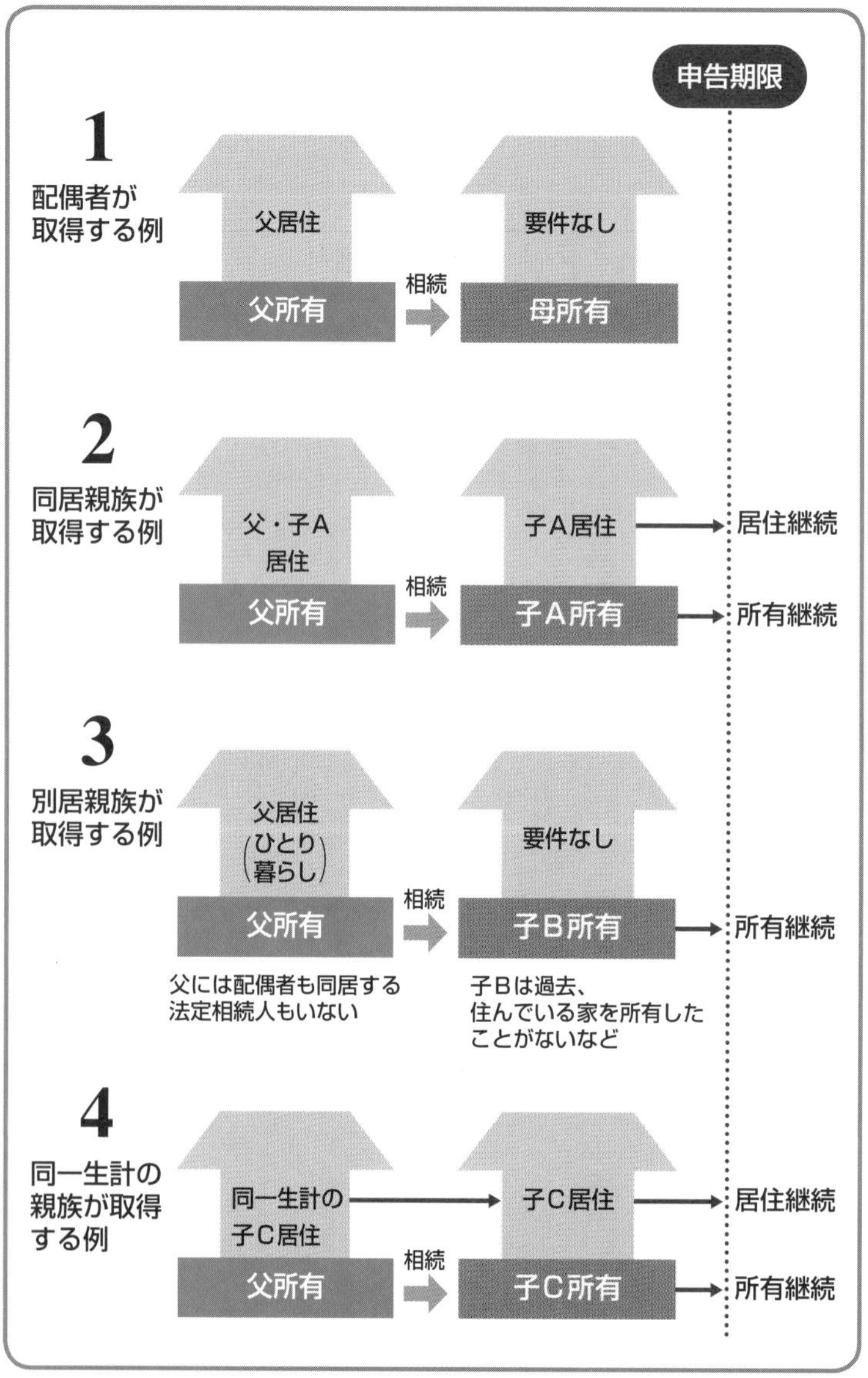

特定事業用宅地なら400㎡まで80％引き

被相続人が事業に使用していた宅地を、その事業を引き継ぐ親族が取得し、申告期限まで事業を継続かつ宅地を所有しているときなどは、**「特定事業用宅地」**に該当します。この場合は**400㎡までの部分を80％減**で評価できます。

また、被相続人個人の事業用の宅地だけでなく、被相続人がオーナー社長である同族会社などが使用していた宅地で、一定の要件を満たす場合も、**「特定同族会社事業用宅地」**として**80％引き**の適用を受けられます。それぞれの具体

その事業用宅地はどれだけ減額される？

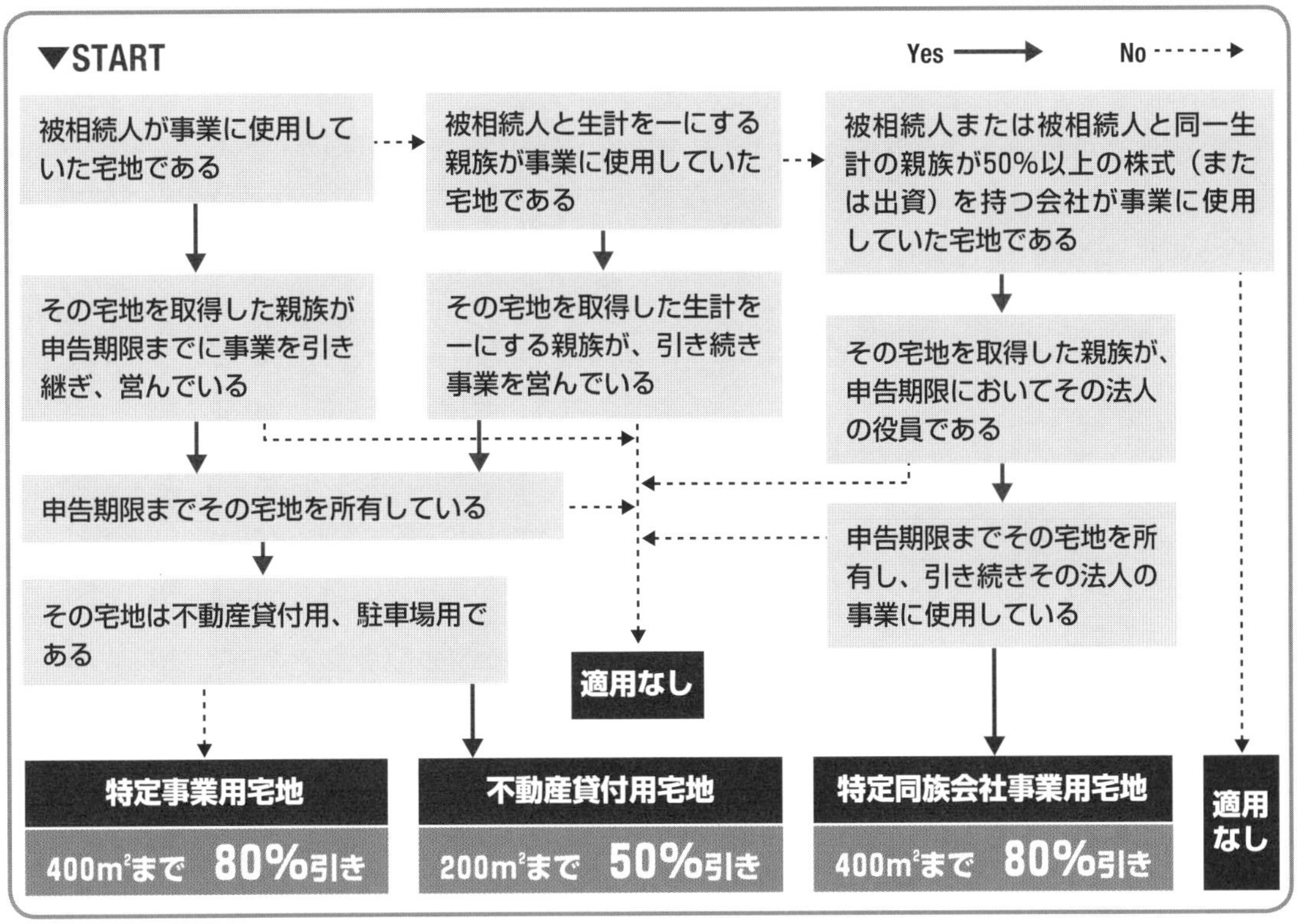

その宅地を取得した親族が、申告期限においてその法人の役員である

その宅地は不動産貸付用、駐車場用である

的な要件については上のチャートを参照してください。

被相続人などが営む事業が、①不動産貸付業、②駐車場業、③自転車駐車場業である場合は200㎡までの部分が50%引きになりますので注意しましょう。事業規模にいたらない不動産の貸付けも、同じく200㎡までの部分が50%引きです。なお、特定事業用宅地および貸付事業用宅地の対象として、相続開始前3年以内に事業として用いられるようになった宅地は特例の適用外となります。ただし、宅地の上で事業に用いられている建物等の減価償却資産が、特定事業用宅地の価額の15%以上であるなら特例が適用されます。

居住用と事業用はそれぞれで適用でき、合わせて730㎡まで認められます。なおこれらが限度面積に満たない場合、不動産貸付用宅地との併用ができますが、合計200㎡までに調整されます。

複数の宅地で適用する場合の扱い

A：特定居住用宅地の面積→上限330㎡
B：特定事業用宅地の面積→特定同族会社事業用宅地もあるときはそれを含めて上限400㎡
C：不動産貸付用宅地の面積→上限200㎡

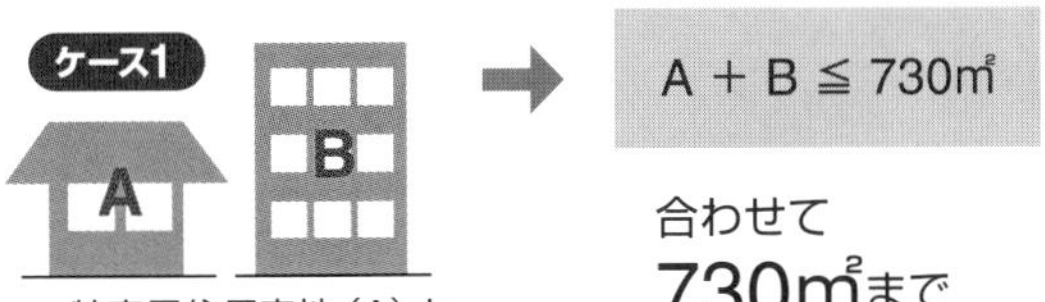

特定居住用宅地（A）と特定事業用宅地（B）がある

$$A \times \frac{200}{330} + B \times \frac{200}{400} + C \leqq 200㎡$$

合わせて
200㎡まで

特定居住用宅地（A）と特定事業用宅地（B）と不動産貸付用宅地（C）があり、それぞれが限度枠以下である

特定居住用宅地と不動産貸付用宅地、特定事業用宅地と不動産貸付用宅地の組み合わせについてもケース2と同様に考える

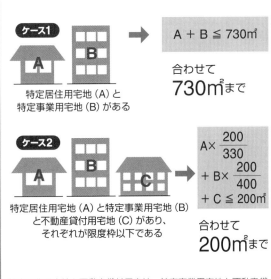

小規模宅地等の特例のココが知りたい！

Q&A

Q 共同で相続する場合は？

被相続人の配偶者と長男が居住用宅地を相続することになりました。評価減の特例を使えますか？

A 複数の人が事業用宅地や居住用宅地を共同で相続する場合、適用の可否は相続人ごとに判定します。その結果事業用宅地では事業に関係のない相続人の相続は特例の対象外となりますし、居住用宅地でも継続してそこに住まない相続人の持ち分については、配偶者といわゆる「3年借家住まいの別居親族」を除き、評価減の特例の対象となりません。

Q 二世帯住宅を相続したとき

父親の土地に二世帯住宅を建てて父と長男一家が住んでいましたが、長男がその宅地を相続することになりました。小規模宅地等の特例は使えますか？

A 近年では建物が構造上区分された、いわゆる二世帯住宅が増えています。この二世帯住宅については、小規模宅地等の特例の要件のひとつ、被相続人との同居要件を満たすか否かの判断をめぐって、内部扉があればよしなどといった迷走もありました。

そこで平成25年度税制改正では、この二世帯住宅についても特例の適用を認め、加えてその翌年度税制改正において、さらにどのような場合に適用するかが具体的に定められました。

実際の判定にあたっては、登記のかたちや生計のあり方がポイントとなります。簡単なチャートで示しているので参考にしてください。

父が所有する土地に二世帯住宅を建て、父と長男一家が暮らしていた場合

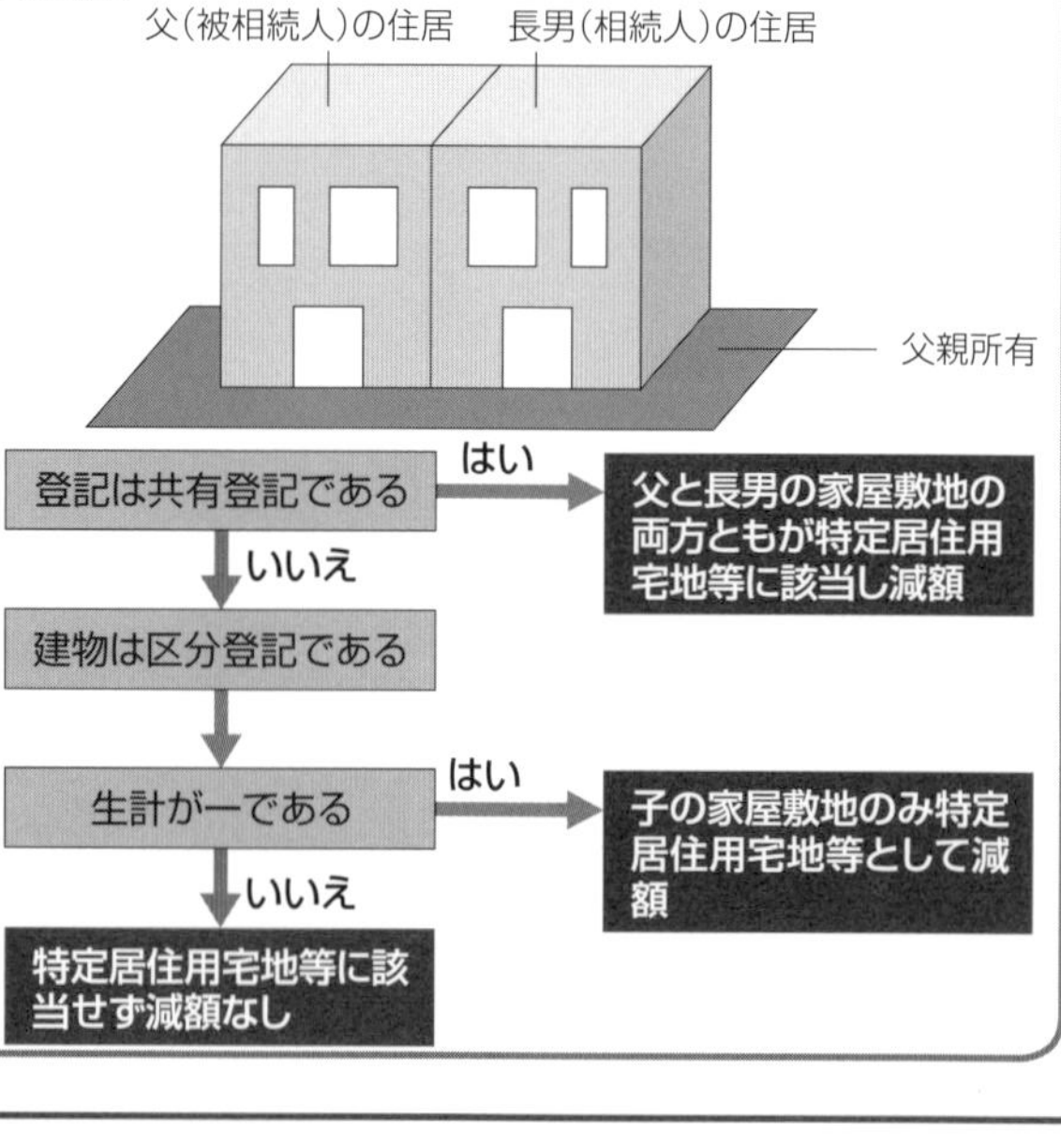

父（被相続人）の住居
長男（相続人）の住居
父親所有
登記は共有登記である
はい
父と長男の家屋敷地の両方ともが特定居住用宅地等に該当し減額
いいえ
建物は区分登記である
生計が一である
はい
子の家屋敷地のみ特定居住用宅地等として減額
いいえ
特定居住用宅地等に該当せず減額なし

Q 被相続人が老人ホームに入所していたときは？

父は、介護のため入っていた老人ホームで死亡し、同居していた息子が家を相続することになりました。このようなとき、小規模宅地等の特例は受けられますか？

A 被相続人が老人ホーム入所中に死亡した場合であっても、一定の要件を満たせば、小規模宅地等の特例を受けることができます。

どのような場合に適用できるかにつ

いては、国税庁が具体的な指針を定めています。左表にまとめていますので参考にしてください。

老人ホーム入所の場合の取扱い

項　目	新基準
介護等の認定	●要介護等の認定は相続開始直前において判定（老人ホーム入所時では不要）
ホーム入所中の自宅の利用等	●貸付や事業用にしない ●被相続人と生計を一にしていた親族以外の者の居住の用としない ●生計を一にする親族が勉強部屋などとして使うことは可。ただし空き家にしない
老人ホーム等の範囲	●終身利用権付き有料老人ホームや高齢者住宅であっても可

Q 賃貸併用住宅の取扱い

被相続人は建物の一部を居住用とし、残りを賃貸用としていました。うち一室は空き室です。この場合、小規模宅地等の特例はどうなりますか？

A 所有している建物の一部が被相続人の居住用で、残りは賃貸用というケースをよく見かけます。

このようなケースでは、宅地の面積を居住用と賃貸用の床面積で按分し、特例を適用することになります。ただし空き室の部分には軽減措置は適用されません。

Q 複数の宅地を居住用にしていたとき

居住用の宅地が複数あるとき、小規模宅地等の特例はどうなりますか？

A 基本的には、「被相続人が主としてその居住の用に供していた一の宅地等」（措令40の2⑧）とあることから、単に週末に使う別荘などは認められません。

ただし続く条文に「生計を一にしていた親族が主としてその居住の用に供していた一の宅地等」とも定められています。つまり、別居中の配偶者が居住していたなどのケースでは、特例の対象宅地になるということです。

Q 相続後転業してしまったときは？

家業として豆腐屋を営んできましたが、父親の死後、その宅地を相続した長男は、相続税の申告期限前に飲食店に転業してしまいました。小規模宅地等の特例は使えますか？

A 特定事業用宅地等の要件の一つに、その宅地の上で営まれていた被相続人の事業を引き継ぎ、相続税の申告期限まで引き続きその事業を営んでいることがあります。

この場合、豆腐製造販売業は継続されていないので、特定事業用宅地には該当しません。そのため、特例は適用されません。

なお、酒屋からコンビニエンスストアに転業したような場合、引き続き酒類を販売していれば事業継続で特例の適用可、酒類を扱っていなければ非継続で特例の適用不可、というようにみられます。判断に迷う場合には、専門家に相談すると安心です。

小規模宅地等の特例の活用ポイント

この特例を十二分に活用しようという場合、まず考えつくのは、親の自宅を相続する予定の子どもが同居することでしょう。こうすれば80％引きの要件を満たすことはできます。しかし、節税のためだけに同居するというのは、現実的ではないでしょう。

そこで、ここでは相続開始後に無理なく行える特例の活用ポイントをいくつか紹介します。

1 申告期限まで売却しない

居住用宅地を80％減とするには、配偶者が取得する場合を除き、申告期限まで所有していることが要件になります。

したがって、取得後にその宅地を売却する予定があっても、少なくとも申告期限までの10か月間は所有を続けるのが賢明です。

なお、事業用宅地の80％減の適用についても、申告期限までの事業の継続と宅地の保有が要件になります。特例の適用を受ける予定の宅地については申告期限まで売却しないようにしましょう。

2 申告期限までに分割する

これは活用のポイントというより、小規模宅地等の特例を受けるために不可欠の要件。相続税の申告期限までにその宅地の分割が済んでいなければ、特例そのものを受けることができません。

ただし、特例の適用を受けずに申告したあと、次のいずれかに該当するようになったときは特例を受けることができます。

①申告期限後3年以内に分割された場合

②申告期限後3年以内に分割できない事情があり、税務署長の承認を受けた場合で、その事情がなくなった日の翌日から4か月以内に分割された場合

以上の場合は、遺産分割後4か月以内に「更正の請求」が必要です（186ページ参照）。

なお、小規模宅地等の特例を受けるためには、納付税額がない場合でも必ず申告書等の提出が必要ですので注意しましょう。

3 申告期限まで事業を継続する

特定事業用宅地等に該当する場合には、申告期限までその事業を継続しているか否かがポイントです。将来、転業や廃業の予定があるとしても、すぐに実行に移すのではなく、少なくとも申告期限までは続けるのが得策です。

駐車場で特例を受けるには

遊休地を貸駐車場にするケースがよくありますが、地面を区画割りしただけの青空駐車場などは、小規模宅地等の特例の対象にはなりません。特例の適用を受けたい場合は、あらかじめアスファルトを敷きつめる、塀を設けるなど、土地に構築物を施しておく必要があります。

なお、砂利を敷いた程度では構築物とは認められない場合がありますので注意しましょう。

評価しだいで土地の価額は変わる

実態に即した時価評価をすることで、土地の評価額が大幅に下がることがあります。

路線価によらない評価もできる

相続税額を左右するのは、なんといっても土地の評価額です。

土地の評価を下げる代表的な手法として貸家の建築がありますが(80ページ参照)、これは生前に行っておくべきこと。実際に相続が起こったら、あとは機械的に評価額を計算するしかないように思われるでしょう。

ところが、必ずしもそうではないのです。

市街地にある宅地は「路線価」をベースに算出されます。しかし、これはあくまで国税庁の基本通達が定める基準であって、法的な拘束力はありません。法律は「相続開始時の時価で評価する」と定めていますので、これに合致する合理的な価額であれば、税務署にも認められます。

では、具体的にはどのように時価を割り出すのでしょうか。売買実例価格をもとにするなどいくつか方法は考えられますが、一般的なのは不動産鑑定士に評価を依頼する方法でしょう。

たとえば、がけ地だったり地形や道路付けが悪かったりすると、土地の価値は下がります。路線価ベースの評価にもこれらの調整項目はありますが、画一的な調整にならざるを得ません。一方、鑑定による評価なら、個々の土地について実態に即した価額を割り出すことが可能です(鑑定価格のほうが高くなることもありえます)。

不動産の鑑定には相応の費用がかかりますが、ケースによっては大きな節税につながることもありますので、選択肢のひとつに加えてみてください。

専門家に依頼しても任せっきりはダメ

相続税の実務では、財産の評価を含めて税理士などの専門家に依頼することがほとんどでしょう。商売やアパート経営をしている人などは、ふだん決算や所得税の申告をお願いしている税理士に依頼することが多いと思います。

しかし、このような場合でも、任せっきりはよくありません。とくに土地の評価は重要ですので、算定してもらった価額は必ず確認してください。土地の現況をいちばんよく知っているのは、依頼者自身にほかなりません。そして疑問点などがあれば、遠慮せずに確認することが大切です。

宅地評価のチェックシート

- □ 相続税評価額が実勢価格を上回っていないか
- □ 公図と土地の現況は一致しているか。測量の必要はないか
- □ 間口が狭い土地、奥行が長い土地は補正を行ったか
- □ がけ地、不整形地、三角地、無道路地は減額評価したか
- □ 私道は30%で評価したか。不特定多数が通行する私道が含まれていないか
- □ 広大地の評価が適用できないか
- □ 接している道路の幅は4m以上あるか。セットバックの必要はないか

そのほかの相続後対策のいろいろ

相続後の所得税も含め、税金面からみた上手な遺産分割のヒントと節税のノウハウを紹介します。

配偶者の税額軽減を上手に利用しよう

遺産額がそれほど大きくなく、二次相続時（父の遺産を相続した母の死亡時）の税負担が生じない場合は、配偶者の税額軽減をフルに使えるように遺産を分割するのが税金面では有利です（46ページ参照）。

しかし、二次相続でも相続税が発生する場合は要注意。二次相続では当然、配偶者の税額軽減は使えません。一次相続の配偶者の取得分を大きくしすぎると、子どもの税負担が予想以上に重くなることがあります。

配偶者と子どもの取得割合を変え、二次相続を含めた税額のシミュレーションをしてみるとよいでしょう。

なお、母が元気で二次相続まで時間の余裕がありそうなときは（確証はありませんが）、とりあえず配偶者の税額軽減をフル活用して一次相続の税額を最小限に抑え、その後、生前贈与などの方法で二次相続に備えるという方法も考えられます。

収益物件は子どもが相続する

賃貸マンションやアパートなど高い収益を生む財産は、できれば子どもが相続するほうがよいでしょう。こうした収益物件を配偶者が取得すると、二次相続時の財産がふくれあがってしまいます。

同じ理由から、株式や土地など将来値上がりする可能性のある財産も、なるべく子どもが取得するというのが相続税対策の基本的な考え方です。

収益物件は所得の低い人が取得

賃貸マンションなどの収益物件は子が相続すると有利なことは前述のとおりですが、さらに相続後の税負担を考えあわせると、所得の低い人が取得するのがもっとも有利となります。

相続後の収益は所得税の対象になりますが、所得税は超過累進税率であるため、高所得の人ほど税負担が重くなります。

土地の分割取得で評価額を下げる

土地を複数の相続人で分割して取得すると、分割後の利用区分ごとの評価となり、相続税が安くなることがあります。

公益法人などに寄付する

相続や遺贈によって取得した財産を国や地方自治体、特定の公益法人に寄付すると相続税がかかりません。節税効果があるだけでなく、故人の遺産を社会福祉事業などに役立てることができます。

非課税扱いにするためには、相続税の申告期限までに寄付することが必要です。

たとえば、左図のように2つ以上の道路に接している土地は、ひとりの相続人が取得（または複数の相続人が共有）するより、図下のように分割して取得するほうが評価額が大幅に下がります。これは、二方路線の加算がなくなったこと、また、一方の土地が路線価の高い道路から切り離されたことによります。

ただし、狭い土地を強いて分割するようなことは、資産価値の面からみておすすめできません。また、明らかに相続税回避を目的とした不合理な土地の分割は、税務上否認されることがありますので注意しましょう。

土地の分割取得の例

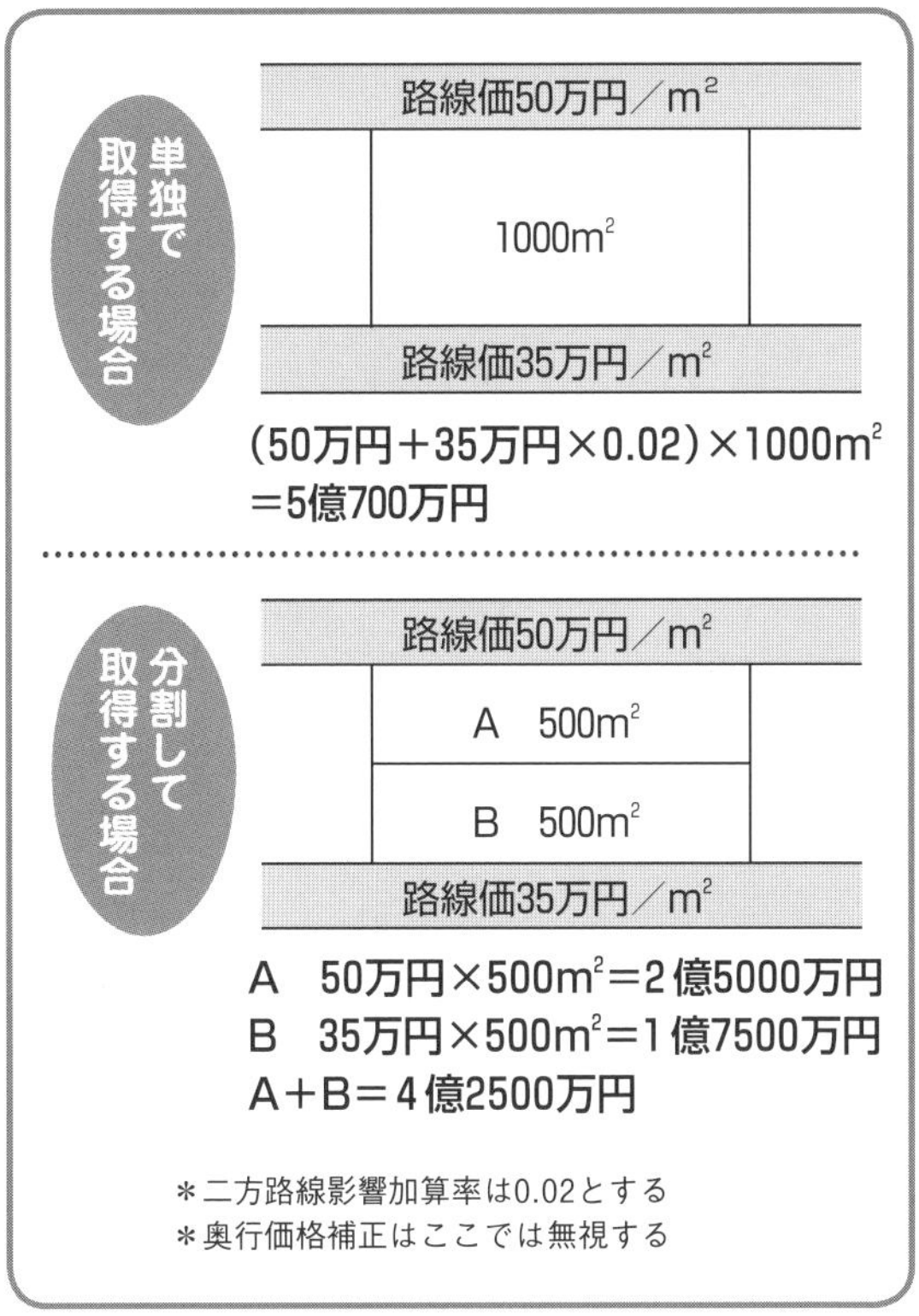

土地を売却するなら有利な方法で

相続税の納税などのために、相続した土地や建物を売却することがあります。このとき譲渡所得税と住民税がかかりますが、次のポイントをおさえておくと税負担を軽くすることができます。

①売却予定の不動産は共有に

家とその敷地を譲渡した場合には、居住用財産の3000万円の特別控除を受けることができます。居住用財産が共有である場合は、共有者各々が一定の要件を満たせば、それぞれで3000万円の特別控除が適用されます。

②申告期限後3年以内に譲渡

相続や遺贈で取得した土地などの売却は、できれば相続税の申告期限から3年以内に行うこと。そうすれば「取得費の加算の特例」を受けられ、その人の相続税額のうち相続した土地等に対応する金額を、譲渡所得の計算上の「取得費」に加算することができます。

譲渡所得の金額は［売却価格−《マイナス》取得費−《マイナス》譲渡費用］で求めますので、取得費が増えれば、それだけ課税所得が減ります。ただし、その売却が③の短期譲渡に該当するときは注意が必要です。

③短期譲渡に注意する

不動産の譲渡は、売却した年の1月1日現在で所有期間が5年を超えるものは長期譲渡、5年以下は短期譲渡に区別されます。長期の場合は所得税・住民税あわせて20%*の税率ですが、短期は原則として売却益の39%*もの税金がかかり、長期の約2倍になります。

相続などで取得した不動産の所有期間は被相続人が取得した日から数えますが、5年以内の譲渡は税負担が非常に重くなりますので十分に注意しましょう。

*令和19年までは復興特別所得税（基準所得税額の2・1％）を加算

スムーズな事業継承のための

同族会社の自社株対策ガイド

税理士　加藤　厚

オーナー経営者にとって、後継者選びと並んで重要なのが自社株の相続対策です。早くから対策を講じておかないと、重い税負担が経営に悪影響を与えかねません。ここでは、事業継承対策の一環としての自社株対策について、基本的な考え方と手法を紹介します。

基本戦略は、早期移転と評価額の引下げ

自社株対策がなぜ必要なのか？

　高度成長期の日本経済を支えた中小企業の大半はオーナー企業であり、その多くが現在、世代交代期を迎えています。しかし、その事業継承のほとんどが先代の死亡、または突然の引退発表となっており、必ずしも積極的な事業継承対策がなされてはいないように思われます。

　大勢の株主が会社に出資をし、その利益の分配を受ける上場企業は、株主と役員の役割が明確です。しかし、同族会社の場合は株主と経営者が同一ですので、社長を交代するということは、後継者にオーナー株を譲ることを意味します。優秀な非上場の同族会社の株価は、非常に高くなる可能性があり、自社株対策をしておかないと先代が後継者に株式を相続・贈与等するときに、高額の納税が発生します。

　非上場株式は閉鎖性が強く換金性が乏しいので、売却により納税することが難しく、後継者が資金繰りに苦しんだり、その株式をオーナー一族以外の人に分散したりということが起こります。このような経済的負担や経営権の分散が重なると、事業の継続にまで悪影響を与えかねません。

　会社を設立することも大変ですが、むしろもっと大変なのが会社を存続させることです。オーナー企業の経営者は、相続税の納税問題や遺産分割のトラブルを回避するために、事業継承対策としての自社株対策が必要不可欠となってくるのです。

株式移転のために まず、評価額を下げる

では、自社株対策としてなにをすればよいのでしょうか。それには次の3つがポイントとなります。

①早期の株式の移転
②株価評価の引下げ
③納税資金の確保

株式の移転がない状態で相続が発生した場合、金庫株の制度を利用する方法はあるものの、基本的には閉鎖性が強く換金性の低い自社株は相続財産として課税され、納税資金不足の問題が起こります。業績のよい会社であれば毎年株価は上昇しますので、株価の評価の低いうちに少しずつ移転させることが得策です。その移転の方法も、譲渡と贈与がありますが、両者を併用して移転させればより効果的です。

それでは、自社株の評価を下げるにはどのようなことをしたらよいのでしょうか。

31～33ページの「非上場株式の評価方式」のところで記したように、株式の評価額は、基本的に類似業種比準価額と純資産価額をベースにしますので、それぞれの評価額の引下げを図ることになります。そのことを踏まえ、株価の評価を下げて自社株を移転することを考えましょう。

類似業種比準価額を引き下げるには

株式評価額のベースとなる類似業種比準価額は「利益」「配当」「純資産」の3つの比準要素をもとに算定されます。したがって、この3つの数値の圧縮が株式評価額の引下げにつながります。順をおってポイントを紹介しましょう。

1 利益の圧縮は法人税の節税策でOK

ここでの利益とは法人税法上の所得であり、法人税の節税対策がそのまま相続における相続税、生前贈与における贈与税・譲渡所得税の引下げにつながります。とくに利益は、ほかの2つの算定要素と比較してさまざまな対策を講じることができます。

利益の圧縮には、以下の方法が考えられます。

①資産の計上を少なくし、負債は極力多く計上する

具体的には、含み損を抱えた資産を売却します。いまの中小企業の会計処理では含み損が決算書に反映されていません。売却しない限り損金に算入できませんので、含み損を抱えた投資有価証券、ゴルフ会員権、遊休不動産があれば、それらを売却などすることで節税対策になります。

そのほか、在庫の棚卸減耗損の計上や、繰延資産の一時償却などがあげられます。

また、負債の計上をこまめにチェックすることも大切です。未払給与の日割計算、販管費の未払費用の計上などが利益の圧縮につながります。

②従業員のボーナスを増やす

ただし、役員へのボーナス支給は、税務署への事前届出賞与を除いて損金にはなりません。結果、利益を下げることになりませんので注意してください。その場合は役員報酬を適正な範囲内で増額しましょう。

③会計基準の見直し

会計方針を節税になる方法に変更させることも効果的です。たとえば、減価償却の定率法、棚卸資産の低価法、特別償却、引当金の設定などがあります。

以上、いろいろな方法がありますが、株価対策だけのために会社の利益を下げることは本末転倒です。無駄な経費の使い方は絶対にしないでください。

会社の利益は、将来の費用の前払いや将来の利益の増加につながる投資に活用すべきです。あくまでも現在の利益を下げて将来の利益を増やす。そうなると現在の株価が安くなり事業継承がしやすく、贈与も可能になる。その後利

益を上げても、株はすでに移管されている状態になっている、というようになれば理想的です。

2 配当率を極力抑え、配当金額を下げる

類似業種比準価額の算定基準となる1株あたりの配当金額は、直前期末前2年間の平均を使い、通常の配当のみが対象となります。

したがって、少なくとも2年以上にわたる対策が必要ですが、継続性のない配当、たとえば、業績のよい事業年度に記念配当などを実施し、通常の配当率を極力抑えることで算定要素から除くことができます。

これなら、株主の手取額を減らさずに（むしろ増やしても）、株価の基準となる配当金額を低くすることが可能です。

あるいは、役員報酬を増額してオーナー一族に分配すれば、配当金という算定要素の引下げになります。

3 純資産引下げには役員退職金が効果的

純資産の引下げは、前述の利益の引下げにも連動しています。

純資産は資本等と利益準備金から構成されています。利益準備金は現在までの利益のうち内部留保されたものですから、純資産を引き下げるには、その蓄積を抑えることです。したがって、会計処理の見直しをし、利益を下げます。

具体的な手法としては、回収不能の債権放棄などがありますが、ここではオーナーの生前退職金の支給について検討しましょう。

生前退職金を支給することにより、その決算期の利益は大幅に減少し、純資産も少なくなります。算定要素のうち2つを同時に引き下げることになるので、十分な効果が期待できます。

なお、オーナーは退職金を支給されても、完全な引退はしないでください。なぜなら、監査役や相談役に就任すれば、死亡時にさらに死亡退職金という形で支給することができ、相続税の非課税枠を利用することができるからです。

しかし、実質的に経営にタッチしない状態でなければ損金算入は認められません。生前退職金が認められる退職とは、

①常勤役員から非常勤役員になる
②取締役から監査役になる
③退職金支給後の報酬額が50％以下に引き下げられる

ことをいいます。

また、ここでもらった退職金をそのまま貯金しておくと、相続財産として課税の対象となります。子どもや孫に生前贈与したり、一時払の終身保険に加入したりする方法で、これを回避します。

このほか、純資産引下げの手法として、会社分割があります。収益の高い事業部門を新会社に移管したり、将来値上がりしそうな資産を子会社に移転する、あるいは債務が多い会社と合併するなどです（詳しくは次項で）。

なお、この純資産の引下げは、純資産価額方式における株価の引下げ策としても有効です。

会社分割の活用で相続対策と円滑な事業継承が実現

収益部門を分離して株価を引き下げる

会社の業績が上がれば、株価も高くなります。そこで、後継者が新会社を設立し、その会社に収益の高い事業部門を移管することで株価の引下げが実現します。

新会社の株式については、後継者が出資をして株式を保有しますので、オーナーの相続財産にはなりません。

固定資産は旧会社の所有のままとし、従業員を移転させ、退職金を支給して旧会社の株式評価を下げることも可能です。また、新会社で収益が上がれば、オーナーが所有する株式の買取りも期待できます。

ただし注意したいのは、この移管により資産構成が変わった結果、土地や株式の保有割合が大きくなって特定評価会社に該当する場合があることです（33ページ参照）。特定評価会社は純資産価額方式で評価することになっており、そのために株価が上がることもあります。

自社への貸付金も相続財産になる！

会社の資金繰りが苦しくなると、オーナー社長が資金を貸し付けるケースがよくあります。

しかし、その状態で相続が発生すると、それは相続財産となり課税されます。これを回避するには、それを増資にあてます。借入金を現物出資として資本に組み入れ、経営体質の改善を図るのです。また社長が債権放棄する方法もあります。会社から見ると債務免除になりますが、繰越欠損の補填で使えば、法人税は発生しません。このようにして社長からの借入金をなくし相続財産を減らします。

スムーズな事業継承にも効果あり

会社分割は比較的簡単に行え、一定の要件のもとに税制の優遇措置も受けられます。

兄弟での会社分割も簡単にできるようになりました。この場合は要件に該当しないため優遇措置は受けられませんが、次のような事例では有効です。

たとえば、オーナーに子どもが2人いて、両者とも会社の役員として従事し後継者としての素質はあるが、意見が対立していると仮定しましょう。

このケースでは、2人の性格などを考慮してそれぞれの担当部門を分社化し、各々の会社の社長に就任させて経営を任せます。株については、会社分割と同時に株式消却するか、相手に譲渡することにより、まったく独立した経営形態にしなければなりません。

意見の合わない者同士が、今後無理をして会社を経営していくよりも、会社を分割することで未然にトラブルを回避させ、事業を承継させていくのもオーナーの責任のひとつです。

持株会を発足し、従業員に株式を持たせる

従業員持株制度を導入して、従業員に自社株を移転することにより、社外流出させずにオーナーの相続財産を減少させることができます。

オーナーが持っている株式を親族や別の関係会社に譲渡する場合は、評価額が高くなる純資産価額方式などが適用されますが、少数株主である従業員への譲渡では、評価額の低い配当還元方式が適用されます。

従業員持株会の発足はこのよう

にオーナーの相続対策に役立つだけでなく、従業員の福利厚生の一環として活用できる、従業員の経営参加意欲を高められる、などのメリットもあります。また、非上場会社が株式を公開する場合の安定株主対策ともなります。

しかし、反対にデメリットもあります。株主関係が悪化すると会社経営に支障をきたす可能性があることです。また、従業員持株会からオーナー一族が株を買い戻すときに、原則的な評価方法で買い戻さなければ贈与の問題が発生する場合があります。

このような事態を極力避けるために、オーナーの支配権を確保することが重要です。

まず、持株会へ放出する株は配当優先株にします。会社法上、発行済株式数の2分の1までは無議決権株式にすることができます（非公開会社についてはそのような制限はない。ただし全株式は不可）。

また、従業員の退職時には一定の価額で買い取るなど、経営権の確保と株式の社外流出を防止する内容を明記した規約を作っておく必要があります。

オーナー一族で所有する株式は最低50％以上、できれば株主総会の特別決議に必要な持株数（66・67％）以上を確保することが望ましいでしょう。

時機を見て思い切った自社株対策を

以上、さまざまな自社株対策を述べてきましたが、この問題はいつまでも先送りにするわけにはいきません。相続の発生時期などだれにも予測できるものではないからです。

経済や土地・株価の動向をよく見、時機を選んで思い切った事業継承対策を断行すべきです。

たとえば土地や株価の相場が下がったとします。土地や株式をもっている会社であれば、会社が所有する財産の含み益が小さくなっていることを意味します。しかし類似業種株価に比準される自社株の評価が引き下げられるのです。こういうときを見計らって行うと効果的です。

しかも事業継承対策は、すぐに効果が出るものではないので、早期計画、早期実行でなければ手遅れになってしまいます。

事業継承対策はオーナー一族のためだけの問題ではありません。従業員とその家族、取引先などを含め、たくさんの人たちの生活をオーナーとその後継者が担っていくことになるのです。

会社の存続を第一に考え、いかに事業継承していくかは、オーナーにとっての最後の重要な課題であるわけです。

自社株対策としての不動産購入の効果は？

よく相続対策として、個人が借金してマンションなどを購入することがあります。では、法人が同様のことを行った場合、どのような効果があるのでしょう。

土地を購入した場合、その相続税評価額は取引価格の8割程度になります。株価の算定方法のひとつに純資産価額方式という方法があります。すなわち、取引価額と評価額との差額によって、必然的に株式の評価額が下がるという効果があります。

しかし金額が大きいだけに、借入金の返済方法やオーナーの死亡時における退職金の支払いなど、会社の資金繰り計画を綿密に立てないと、会社の経営を揺るがしかねない問題になります。十分に検討したうえで実行してください。

自社株対策の救世主！ 納税猶予制度

これまで取引相場のない中小企業の株式等の扱いは、一筋縄ではいかない頭の痛い問題でしたが、平成20年に「中小企業における経営の承継の円滑化に関する法律」（経営承継円滑化法）が成立。これにもとづき、解決の切り札として創設されたのが「非上場株式等についての相続税及び贈与税の納税猶予及び免除の特例」（事業承継税制）です。

相続税の納税猶予制度

この制度は、後継者が相続や遺贈で非上場株式を取得し事業を続けた場合、その株式にあたる額の納税を猶予・免除するというものです。

令和9年までの特例措置では、納税猶予の対象となる株式数は発行済株式の全株式（100％）で、相続税の納税猶予も税額の100％です（いずれも平成30年度税制改正により）。すなわち、事業承継のために相続した株式への相続税はすべて猶予されることになります。

相続税の納税猶予制度

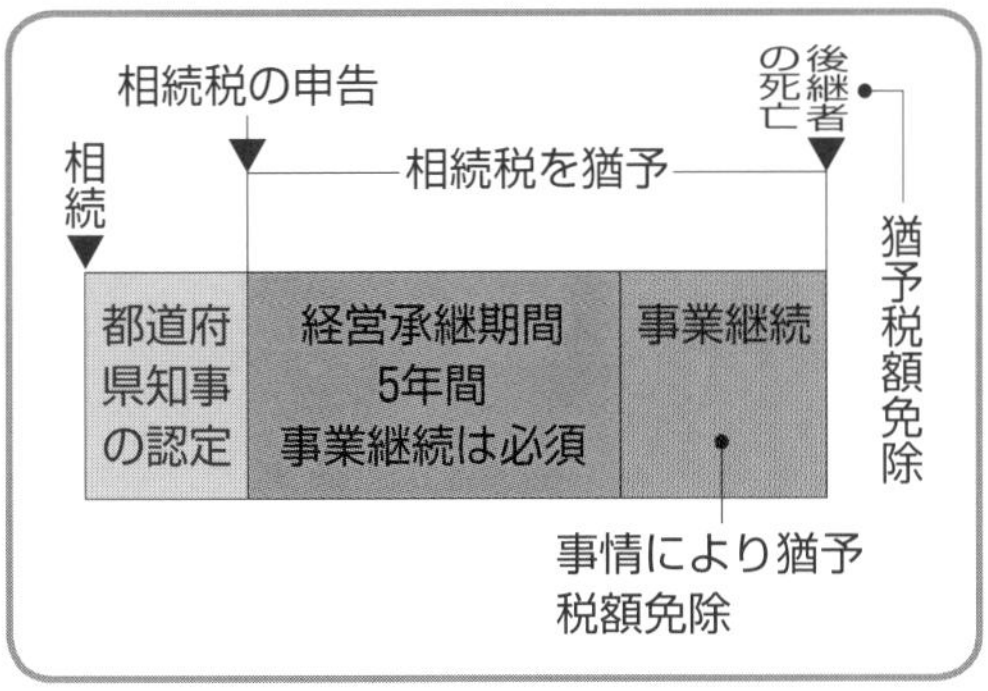

ただし、事業を引き継いだ人は、相続税の申告期限から5年間（経営承継期間という）は事業を継続しなければならず、さらに次のような条件を満たさなければなりません。

①引き続き代表者である

②5年間を平均して相続時の雇用の8割を維持できている（認定経営革新等支援機関の意見書など、満たせない理由を記載した書面があれば納税猶予を継続）

③相続後の相続株式等を継続保有している

④一定の資産管理会社などに該当しない

⑤特例承認を受けるには特例承継計画を提出（改正で令和8年3月31日までに提出）

などの要件を満たす必要があります。代表者でなくなったなどの理由で都道府県知事の認定が取り消された場合には、猶予されていたすべての税額と利子税を合わせて納付しなければならないので注意してください。

経営承継期間経過後は、次のようなことがあれば、猶予されていた税額が免除されます。

①その後継者が死亡したとき

②次世代の後継者に株式を贈与して、贈与税の納税猶予制度の適用を受けたとき

③会社が破産や特別清算したとき

つまり事業を続ける限り、相続税がほとんどかからないしくみになっているのです。これであれば安心して事業を続けることができます。

また、平成30年度税制改正で、納税猶予を受けることができる後継者が1名から3名に拡大されています（特例措置の場合）。

贈与税の納税猶予制度

適用を受けるための要件などについては、基本的には相続税と同じですが、先代が持っている株式の全部または一部を贈与すること、贈与時に先代が代表権者でないことなどが異なります。

納税猶予制度のあらまし

項目		相続税	贈与税
要件	全般	●特例承継計画を都道府県知事に提出（特例措置） ●都道府県知事の円滑化法の認定を受けること（相続開始後8か月以内に申請） ●所定の書類を税務署に提出するとともに、猶予される相続税と利子税に見合う担保を提供すること	●特例承継計画を都道府県知事に提出（特例措置） ●先代から全部または一定以上の非上場株式等を贈与されること ●都道府県知事の円滑化法の認定を受けること（贈与を受けた年の翌年1月15日までに申請） ●所定の書類を税務署に提出するとともに、猶予される贈与税と利子税に見合う担保を提供すること
	先代	●会社の代表者であったこと ●相続開始の直前に、先代と同族関係者等で過半数の議決権を有し、かつ先代が後継者を除く同族内で筆頭株主であったこと	●会社の代表者であったこと ●贈与時に会社の代表者でないこと ●贈与直前に、先代と同族関係者等で過半数の議決権を有し、かつ先代が後継者を除く同族内で筆頭株主であること
	後継者	●相続開始から5か月後において会社の代表者であること ●相続開始時に、後継者と同族関係者等で過半数の議決権を有し、かつ後継者が同族内等で筆頭株主であること。後継者が複数の時は、後継者が総議決権数の10%以上の議決権数を保有し、他の後継者を除く同族内等の中で最も多くの議決権を持つこと ●相続開始の直前において、会社の役員であること（被相続人が70歳未満で死亡した場合、後継者が都道府県知事の確認を受けた特例承継計画に記載されている者である場合を除く）	●会社の代表者であること ●18歳以上であること ●役員等の就任から3年以上を経過していること ●後継者と同族関係者等で過半数の議決権を有し、かつ後継者が同族内等で筆頭株主であること。後継者が複数の時は、後継者が総議決権数の10%以上の議決権数を保有し、他の後継者を除く同族内等の中で最も多くの議決権を持つこと
	会社	以下のいずれにも該当しないこと ●上場会社 ●中小企業者に該当しない会社	●風俗営業会社 ●資産管理会社＊1（一定の要件を満たすものを除く）
猶予税額		●対象株式の課税価格に対応する税額	
免除		●後継者が死亡した場合 ●経営承継期間内で、やむを得ない理由により会社の代表権をなくした日以後に「免除対象贈与」を行った場合 ●経営承継期間経過後に「免除対象贈与」を行った場合	●後継者が先代よりも先に死亡した場合 ●先代が死亡した場合 ●経営贈与承継期間経過後、またはやむをえない事情により、経営贈与承継期間中に3代目に再贈与した場合＊2 ●経営承継期間経過後に「免除対象贈与」を行った場合
		●経営承継期間経過後に、その会社について破産手続きの決定または事業の継続が困難な一定の事由が生じ、会社を譲渡・解散した場合	
全額納付		相続税、贈与税の申告期限から5年以内に以下の事実が認められた場合 ●後継者が代表者でなくなった場合（やむを得ない理由がある場合を除く） ●対象株式の一部を譲渡したり贈与した場合 ●5年間を平均して雇用の8割以上を維持できなくなった場合（認定経営革新等支援機関の意見書など、満たせない理由を記載した書面があれば納税猶予を継続） ●資産管理会社になるなど、会社の要件を満たさなくなった場合	●先代が復権し、代表権を有することになった場合
一部納付		●相続税、贈与税の申告期限から5年経過後に対象株式を全部または一部譲渡した場合、その時点で猶予税額のうち、譲渡株式数の割合に応じた額を納付	
その他		●特例の適用を受ける非上場株式等のすべてを担保として提供した場合、納税が猶予される税額および利子税の額に見合う担保の提供があったものとみなす	

＊1 有価証券やみずから使用しない不動産、現金・預金等の保有割合が貸借対照表に計上されている帳簿価額の70%以上、またはそこからの運用収入が総収入金額の75%以上の会社をいう
＊2 平成30年4月1日以後の贈与について適用

第3章

相続に関する法律の決まり

◈

思わぬ人に遺産がいってしまった、財産をひとり占めにされた、相続してみたら借金のほうが多かった……etc.
相続にまつわるトラブルは数知れませんが、残す側ももらう側も、ほんの少しの法律の知識があったら防ぐことのできたケースも少なくありません。相続の基本的なルールを知っておきましょう。

知っておきたい相続の基本

相続のしかたは民法で決められている

遺言がない場合、故人の財産は法律どおり相続人に引き継がれることになります。遺言をしておけば相続人以外の人に財産を与えたり、相続分を指定したりすることができます。

そもそも相続ってなんだろう？

「相続」とは、死亡した人の財産が、その人と一定の身分関係にある人に移転することです。死亡した人を**被相続人**、一定の身分関係にある人を**相続人**といいます。

財産というと、不動産や現金、銀行預金、株式といったものが思い浮かびますが、このような「プラスの財産」ばかりが財産ではありません。借金やローン、未払金など、もらってあまりうれしくないものも財産の一部です。

相続するというのは、このような「マイナスの財産」も含め、一切の財産の権利義務を引き継ぐということです。プラスの財産は相続するが借金はいらない、というわけにはいきません。

相続人以外は財産をもらえない？

相続人の範囲は民法で定められていて、これ以外の人が財産を「相続」することはありません。

具体的にだれが相続人となるのかは、被相続人の親族構成によって変わります。また、相続人の構成によって、それぞれの相続人の相続分も違ってきます。これらのことが、すべて民法に細かく規定されています。

では、相続人以外の人が故人の財産を承継することはないのかというと、そうではありません。

民法では相続に関する決まりのなかで**遺言**の制度を設けており、被相続人は遺言でだれにでも財産を与えることができます。これは相続ではなく「遺贈」といいます。また、遺言で法律の定める相続分を変えることもできます。

民法は相続の細かい規定を設ける一方で、被相続人が自分の財産を原則として自由に処分することを認めているのです。

相続人になれる人とその順序

・法定相続人・

相続人の範囲と順位が決められている

相続人になれる人は被相続人と一定の身分関係にある人に限られており、その範囲と順位が民法で定められています。この規定により相続人となるべき人を**法定相続人**といいます。

法定相続人には、大きく分けて配偶者相続人と血族相続人との2つがあります。

●配偶者相続人

被相続人の夫または妻です。被相続人に配偶者がいれば、配偶者は常に相続人になります。

●血族相続人

血族相続人の範囲に含まれるのは、被相続人の子や孫などの直系卑属、父母などの直系尊属および兄弟姉妹です。血族相続人には次のような優先順位があって、みんなが同時に相続人になるわけではありません。

第1順位　子（またはその代襲相続人）

第2順位　父母などの直系尊属

第3順位　兄弟姉妹（またはその代襲相続人）

まず、第1順位である子が相続人になります。子がすでに死亡している場合は、その子（孫）が代わりに相続人となります。

第2順位である父母などは、第1順位の子や孫がいなかったり、すべての子や孫が相続放棄をした場合に初めて相続人になります。

そして、子や孫、父母などがいない場合、またはそれらの人すべてが相続放棄をしたときに、第3

相続人の範囲と順位

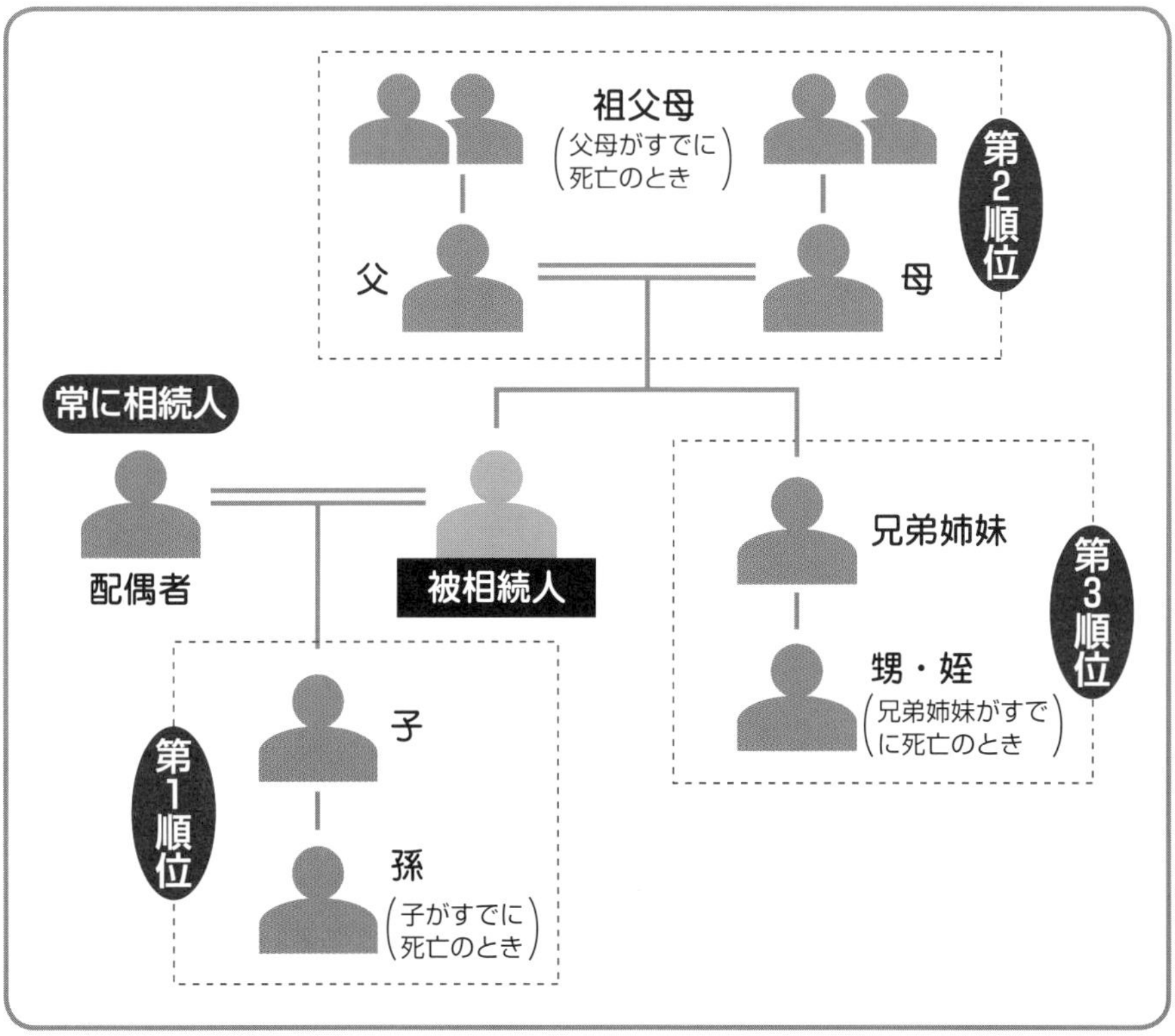

順位である兄弟姉妹が相続人になります。

配偶者相続人と血族相続人の間には、どちらが優位といった関係はありません。配偶者からみた場合、自分のほかに血族相続人もいれば並んで相続人となり、血族相続人がいなければ単独で相続人になります。

子と兄弟姉妹には代襲相続がある

相続人となるべき子が相続開始のときすでに死亡していたり、一定の理由で相続人になれないときは、その子（被相続人の孫）が親に代わって相続します。これを**代襲相続**といい、代わりに相続人となる人を**代襲相続人**といいます。

もし、孫もすでに死亡していれば、曾孫、玄孫《やしゃご》……というように直系卑属のラインで代襲が続いていきます。

兄弟姉妹についても代襲相続の制度があります。被相続人より先に死亡している兄弟姉妹について

こんなケースは相続人になる、ならない？

だれが相続人となるかは相続のいちばんの基本。いろいろな家族関係があるなか、民法の規定では次のように扱われます。

●胎児

相続開始のときまだ生まれていない胎児は、相続に関してはすでに生まれたものとみなされ、一人前の相続権があります。ただし、死産であった場合はこの限りでなく、相続人にはなりません。

●非嫡出子

婚姻の届出をした夫婦の間の子を嫡出子、婚姻関係のない男女の間の子を非嫡出子といいます。

母親と非嫡出子は出生により母子関係が生じますが、父親と非嫡出子は、父親が認知した場合に初めて父子関係が生じます。したがって、認知された非嫡出子だけが父親の相続人となります。

●養子

養子は実子（嫡出子）とまったく同じに扱われますので、当然に相続人となります。

また、養子にいったからといって実の父母と親子でなくなるわけではありませんので、実親の相続人にもなります。つまり、養子は実父母と養父母の両方から相続できるということです。ただし、特別養子（実親との親族関係が終了する養子）は、養父母の相続人になるだけです。

●離婚した元配偶者と子ども

被相続人と離婚した元配偶者は赤の他人ですので、当然、相続人にはなりません。しかし、子どもは離婚によって親子関係がなくなるわけではありませんので、父と母のどちらが引き取ったかにかかわらず嫡出子としての相続権があります。

●再婚した配偶者と連れ子

被相続人と再婚した配偶者は、もちろん相続人となります。しかし、その連れ子は、被相続人と養子縁組をしていない限り親族関係はありませんので、相続人にはなりません。

は、その子（被相続人の甥や姪）が代襲相続人として相続します。ただし、兄弟姉妹の場合は甥や姪で打ち切りとなり、それより下に代襲が続くことはありません。

代襲相続が起きるのは、

①相続開始以前に死亡している
②相続欠格にあたる（126ページ参照）
③相続人を廃除された（126ページ参照）

のいずれかにより、相続人になれなかった場合だけです。

相続放棄も、相続人となるべき人が相続人にならないという意味では似ていますが、相続放棄をした人は初めから相続人でなかったものとみなされます。したがって代襲相続は起こりません。

●内縁の妻や夫

相続人になる配偶者とは、婚姻届を出している法律上の配偶者のことをいいます。最近では入籍しない夫婦（事実婚）も増えていますが、このような内縁関係の妻や夫は相続人になりません。

●事実上、離婚状態の配偶者

配偶者に相続権があるかどうかは、原則として相続開始時の戸籍で決まります。たとえ何十年も別居状態にあったり、離婚の協議をしている最中に被相続人が死亡した場合でも、正式に離婚するまでは相続権があります。

●育ての親

図のようなケースはどうでしょう。被相続人には、父親と育ての母親、生き別れた実の母の3人の親がおり、配偶者と子どもはいません。

父親が相続人になるのは、疑う余地がありませんが、問題は育ての母です。この女性が被相続人にいかに多くの愛情を注いできたとしても、法的には養子縁組でもしていないかぎり親子関係がありません。したがって相続人にはなりません。

ちなみに産みの母は、たとえ離婚していたとしても、被相続人との親子関係がなくなるわけではありませんから相続人になります。

●嫁

嫁いできて夫や夫の親にいくら尽くしたとしても、嫁はそのままでは相続人にはなりません。ただし養子縁組をすれば、相続人になります。

なお、養子になったとしても、実家の親との親子関係は変わりませんから、嫁ぎ先と実家、双方で相続できます。

●同時死亡したときの夫と義兄

たとえば、交通事故や飛行機事故に巻き込まれ、近親者が同時に死亡したという場合、相続はどうなるのでしょうか。

Aさんの夫と義兄が同時に死亡したというケースでみてみましょう。Aさんの親族関係は図のようになっています。

通常であれば、Aさんの夫が死亡したとき、相続人はAさんと義兄になります。しかし、同時死亡の場合（同時死亡の推定）、義兄の子である甥らは相続人になるかが問題といえます。

本ケースは代襲相続になる事例であり、Aさんの夫の財産はAさんと代襲相続人である義兄の3人の甥が相続することになります。

義兄が先に死亡し、のちにAさんの夫が死亡した場合も、甥らは代襲相続人として相続することができます。

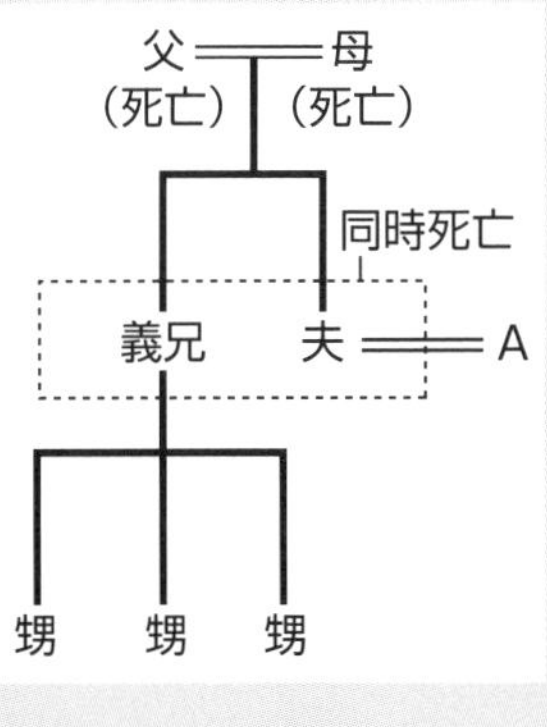

直系尊属は親等の近い順に相続

父母などの直系尊属や配偶者には代襲相続の制度はありません。たとえば、配偶者がすでに死亡していても、その連れ子が親に代わって相続人となるようなことはありません。

直系尊属については、まず親等のいちばん近い父母が相続人になり、父母がいなければ祖父母、次に曾祖父母……というようにさかのぼっていきます。

代襲相続の例

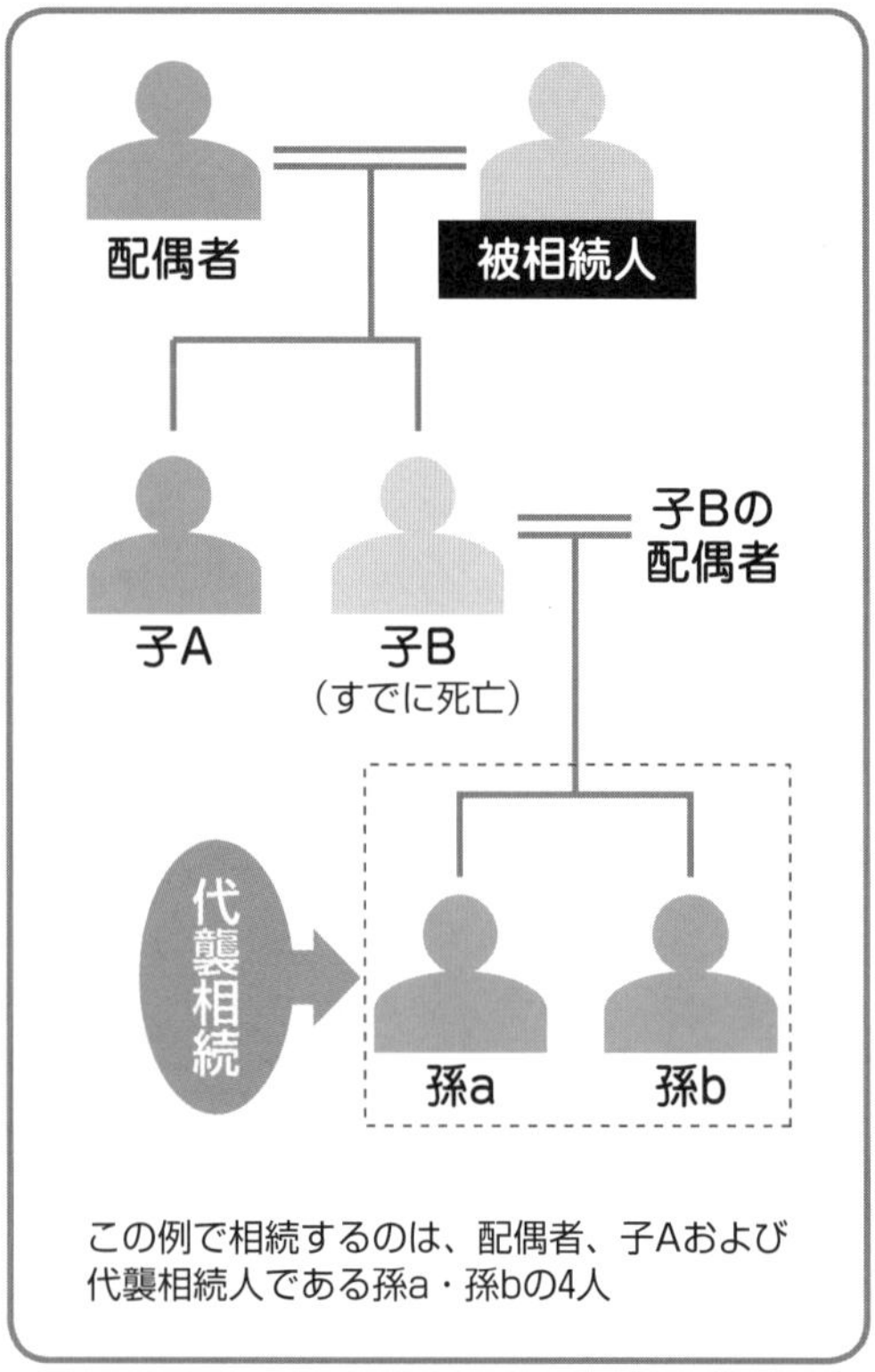

この例で相続するのは、配偶者、子Aおよび代襲相続人である孫a・孫bの4人

相続人になる人はだれ？

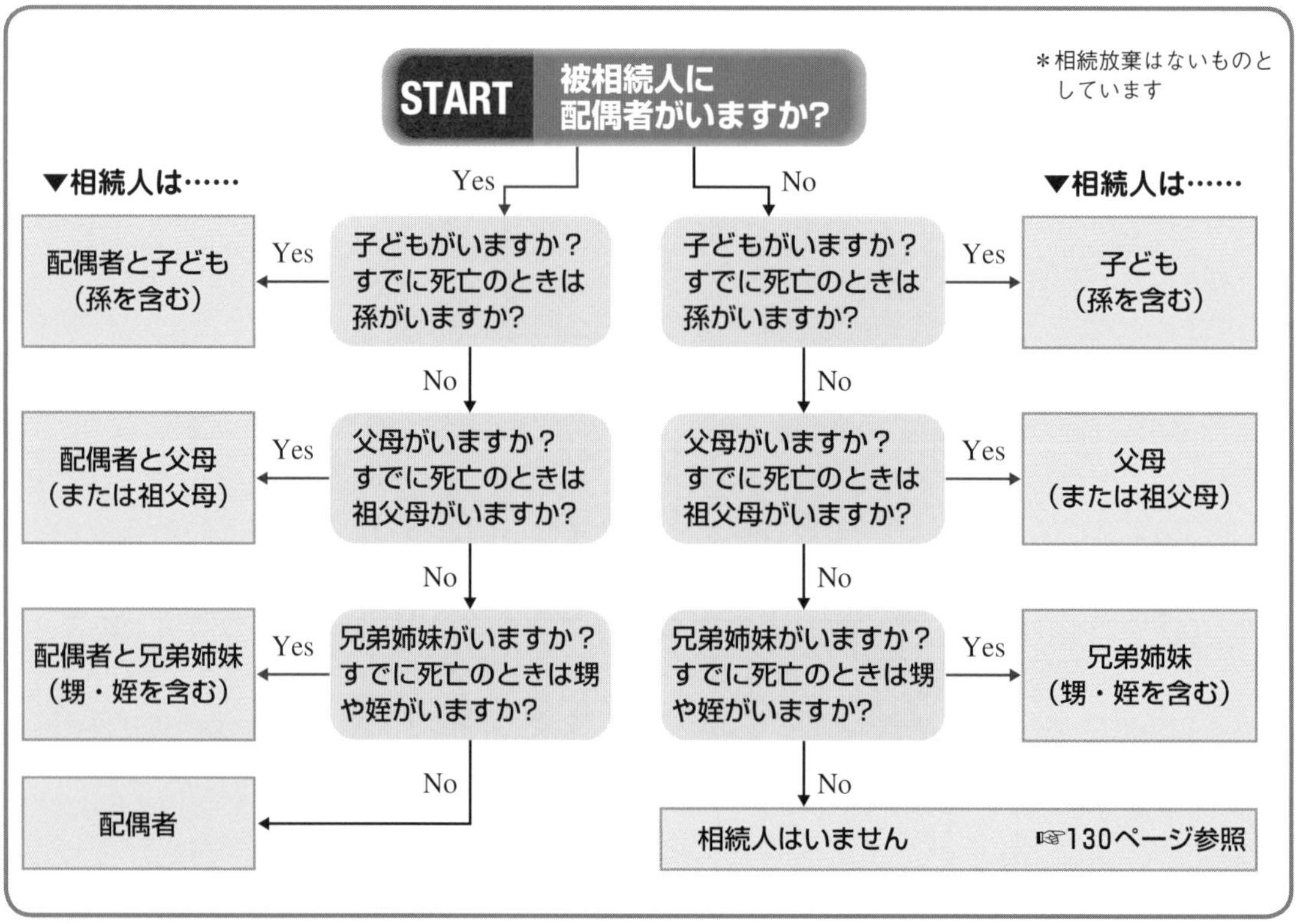

＊相続放棄はないものとしています

相続人に割りあてられた財産の取り分

・法定相続分・

各相続人の法定相続分は？

相続人が複数いるときは、財産の分け前の割合（**相続分**）が問題になります。民法では、この相続分について基準を定めています。これを**法定相続分**といいます。

法定相続分は、相続人のメンバー構成によって変わります。

まず配偶者と血族相続人の組み合わせによって大枠が決まります（112ページ上図参照）。そして血族相続人が数人いるときは、その相続分を頭数で均分（均等分割）することになります。具体的には次のとおりです。

●配偶者と子が相続人の場合

配偶者と子が2分の1ずつ相続します。子が複数いれば子の相続分である2分の1を均分します。

●配偶者と直系尊属が相続人の場合

配偶者が3分の2、直系尊属が3分の1です。直系尊属が複数いれば3分の1を均分します。

●配偶者と兄弟姉妹が相続人の場合

配偶者が4分の3、兄弟姉妹が4分の1です。兄弟姉妹が複数いれば4分の1を均分します。

●配偶者のみ、または血族相続人のみが相続人の場合

相続人が、①配偶者のみ、②子のみ、③直系尊属のみ、④兄弟姉妹のみ、というケースでは全部が相続分となります。相続人が複数いれば頭数で均分します。

代襲相続がある場合の相続分は？

代襲相続人の相続分は、被代襲者（死亡している相続人）の相続分をそのまま引き継ぎます。

たとえば、すでに死亡している子に代わって2人の孫が代襲相続する場合、子の相続分が4分の1なら、孫の相続分も2人合わせて4分の1。代襲相続人が何人いようと、被代襲者の相続分を分けるだけです。

法定相続分は法律が示す基準

法定相続分は、絶対にこの割合で相続しなければならない、というものではありません。被相続人が遺言で相続分を指定していれば、遺言による相続分が優先します（114ページ参照）。

また、遺言による相続分の指定がなければ、財産を相続する複数の人たちを示す共同相続人が話し合って相続分を決めます。法定相続分は、この話し合いの際の〝よりどころ〟となりますが、相続人全員の合意により決まった相続分が法定相続分と異なっていてもまったく問題ありません。

話し合いがまとまらなければ調停・審判と進みますが、相続税の申告は相続開始後10か月以内ですから、ひとまず法定相続分で相続することになります。

相続人（配偶者+血族相続人）の組み合わせによる法定相続分

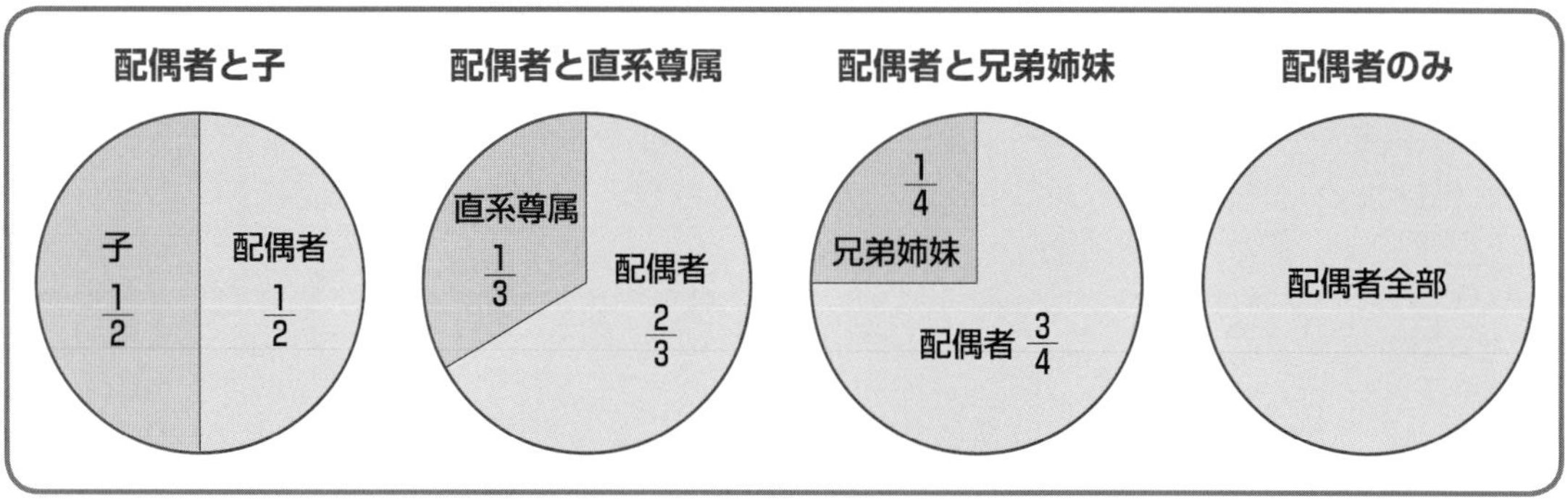

ケース別・法定相続分の計算例

相続人が配偶者と子の場合①〈一般的なケース〉

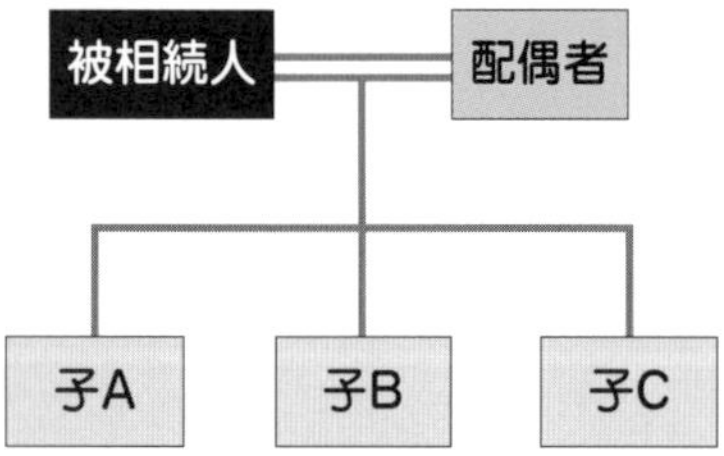

配偶者……………… $\frac{1}{2}$

子A・B・C それぞれ …… $\frac{1}{2} \times \frac{1}{3} = \frac{1}{6}$

非嫡出子については「嫡出子の相続分の2分の1とする」という民法の規定が撤廃され、平成25年9月5日以後開始の相続分より嫡出子と同じになった。また、平成13年7月1日以降に開始した相続についても、法的に未確定のものについては同様の扱いとする

相続人が配偶者と兄弟姉妹の場合

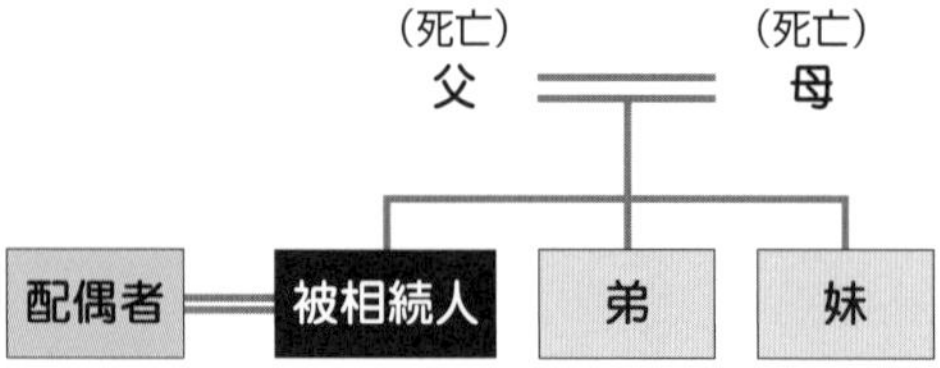

配偶者……………… $\frac{3}{4}$

弟・妹 それぞれ…………… $\frac{1}{4} \times \frac{1}{2} = \frac{1}{8}$

相続人が配偶者と子の場合②〈孫が代襲相続するケース〉

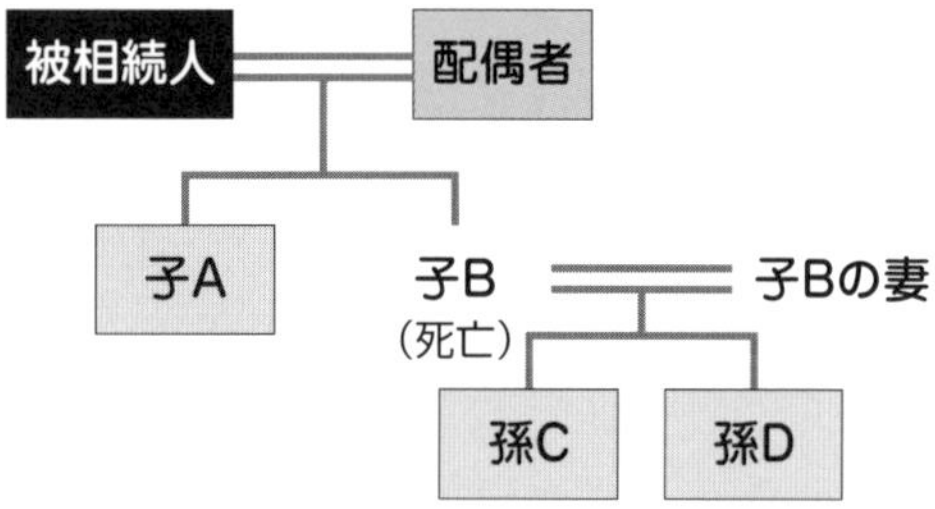

配偶者……………… $\frac{1}{2}$

子A………………… $\frac{1}{2} \times \frac{1}{2} = \frac{1}{4}$

孫C・D それぞれ ………… $\frac{1}{2} \times \frac{1}{2} \times \frac{1}{2} = \frac{1}{8}$

相続人が兄弟姉妹の場合（半血兄弟がいるケース）

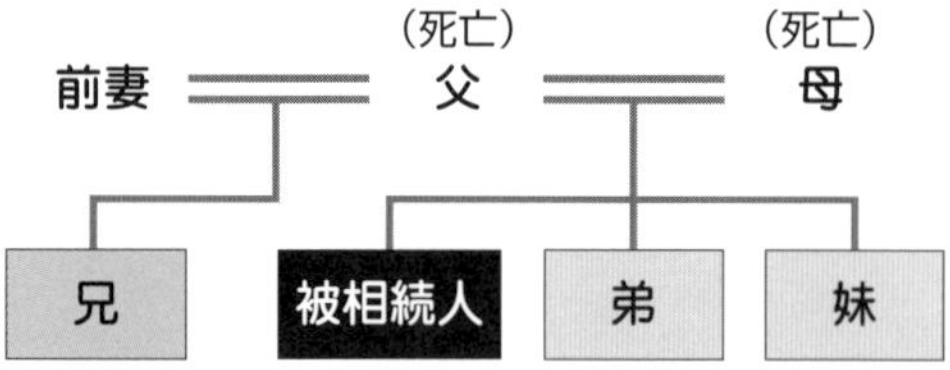

弟・妹 それぞれ…………… $\frac{2}{5}$

兄……………………… $\frac{2}{5} \times \frac{1}{2} = \frac{1}{5}$

法定相続分のココが知りたい！ Q&A

Q 半血兄弟の相続分

3人兄弟で、末の弟は母親が異なります。長兄が亡くなり、私たち兄弟が相続することになりましたが、相続分はどうなりますか？

A 血族相続人が複数いるときは頭数で均分しますが、きょうだいが相続するとき、異母・異父きょうだい（半血兄弟）の相続分は、同父母のきょうだい（全血兄弟）の2分の1になるという例外があります。

つまり、お兄さんの財産の3分の2は全血兄弟であるあなたが相続し、残り3分の1は半血兄弟である弟が相続することになります。

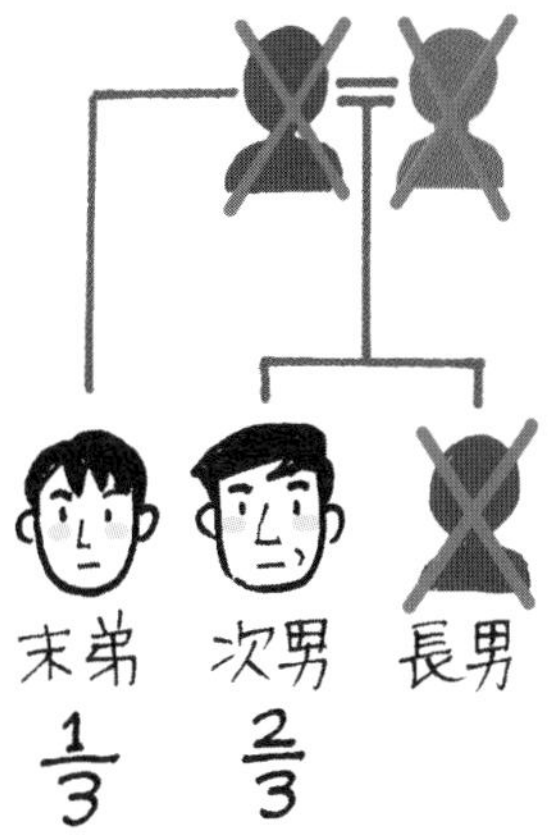

Q 被相続人が孫を養子にしていた場合

被相続人には2人の子がおり、ほかにも孫の1人を養子にしていました。子Aはすでに亡くなっています。この場合、養子となっていた孫の相続割合はどうなりますか？

A この場合、孫は養子として3分の1を相続するほか、実の親であるAが相続するはずだった分も、代襲相続として3分の1相続します。つまり、合わせて3分の2を相続することになります。

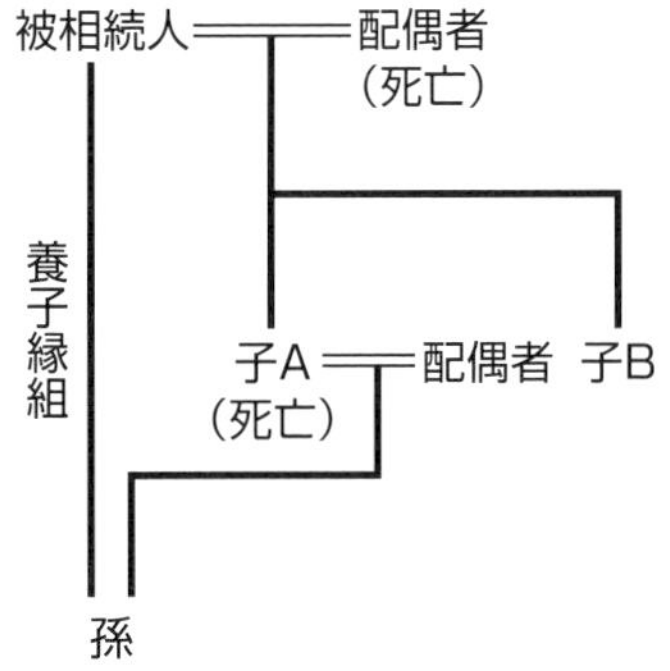

Q 非嫡出子の相続分

非嫡出子である自分は、ほかのきょうだいと同等に相続できますか？

A もちろんできます。これまで日本の民法では、「婚外子の相続分を法律婚の子の半分にする」という規定（900条4号ただし書き前段）があり、嫡出子と非嫡出子に明らかな差がありました。しかし、平成25年9月4日、最高裁はこの規定を違憲であるとして、無効の決定を下したのです。

この決定を受け、同年12月5日、民法の一部を改正する法案が成立し、非嫡出子と嫡出子の相続分が同等になりました。

新法は平成25年9月5日以降に開始した相続から適用されるほか、平成13年7月1日～25年9月4日までに開始した相続についても、遺産分割の審判が確定した場合や遺産分割協議が成立した場合を除いて適用されます。

被相続人が遺言で決められる相続分 ・指定相続分・

法定相続分より優先される

「親の面倒をよくみてくれる次女には、ほかの子どもより多くの遺産をあげたい」などと思うのは、ごく自然の感情です。

自分の財産をどう処分するかは基本的に本人の自由であり、相続に関しても被相続人の意思が最優先されます。その意思を伝えるための手段が「**遺言**」です。

被相続人は、遺言によって共同相続人の相続分を定めることができます。また、相続分の指定を第三者に委託することもできます。この相続分のことを**指定相続分**といいます。

指定相続分が法定相続分と異なっていても問題はありません。**指定相続分が、法定相続分に優先し**ます。

ただし、相続財産には各相続人の最低限の取り分として留保された「遺留分《いりゅうぶん》」があり、この部分だけは被相続人でも自由に処分することができません。遺留分を無視した相続分の指定をすると、希望どおりの相続とならないばかりか、家族に余計な負担を強いることになりかねませんので要注意です（116ページ参照）。

相続分の指定は、「財産の2分の1は妻に、2分の1は長男に相続させる」という具合に行います。すべての相続人について指定してもいいですし、一部の相続人だけでもかまいません。

一部の相続人だけ指定がなされた場合、ほかの相続人の分は、残りの財産を原則として法定相続分で配分することになります。

指定相続分は最優先

1 指定相続分
遺言による被相続人の意思

↑ 優先

2 遺産分割の結果の相続分
共同相続人の合意による相続分

↑ 優先

3 法定相続分
民法の規定による相続分

＊実際は、相続人全員の合意があれば指定相続分と異なる遺産分割が可能

相続人でない人に財産を与えたいとき

・遺贈・

第三者への遺産分与もできる

財産を相続できるのは相続人だけですが、遺言をすれば、相続人以外の人に財産を残すことも可能です。遺言によってある人に財産を与えることを**遺贈**といい、遺贈される人を**受遺者**といいます。

遺贈には、**包括遺贈**と**特定遺贈**の2種類があります。

包括遺贈は、たとえば「全財産の5分の1を与える」というように財産の割合を示して行う遺贈です。一方、特定遺贈は「○○の土地を与える」というように特定の財産を遺贈するものです。

包括遺贈は、相続人が相続分を指定されるのと同じ結果になります。このことから、民法でも「包括受遺者は、相続人と同一の権利義務を有する」と定めており、相続人と同様の扱いを受けます。したがって、財産の5分の1を包括遺贈された人は5分の1の債務も負担しなければなりません。債務を負担したくなければ、相続の場合と同様に遺贈を放棄（または限定承認）することになります（124ページ参照）。

特定受遺者は被相続人の債務を受け継ぐことはありませんが、遺贈を受けたくなければ、やはり放棄することができます。

なお、相続人の遺留分を侵すような遺贈はできません（116ページ参照）。

相続人への遺贈もできる

遺贈は、特定の相続人に対して行うこともできます。

たとえば、遺言に「長男に○○を遺贈する」とあれば、相続人である長男への遺贈になります。ただ、このような遺贈は実質的に「遺産分割の指定」にすぎず、わざわざ「遺贈」とすることにあまり意味はありません。被相続人が遺言などでとくに意思表示をしない限り、遺贈財産はその人の相続分から引かれますので（128ページ参照）、長男がほかの相続人より得するわけではありません。

遺贈には、**負担付遺贈**という方法もあります。

負担付遺贈とは、たとえば子どものひとりに妻の老後の面倒をみることを条件として自宅を遺贈するなどの、義務付きの遺贈のことです。この場合、遺贈を受けた子どもは遺贈財産の価額の範囲内で母親の生活の面倒をみる義務があり、約束を果たさない場合は遺贈を取り消されることがあります。

死因贈与という方法もある

相続人以外に遺産を残す手段に、ほかに「死因贈与」があります。死因贈与は「私が死んだら○○をあげます」という、生前に交わす贈与契約のことです。

遺贈との大きな違いは、死因贈与は双方の合意で成り立つ契約である点。遺贈は遺言者からの一方的な意思表示であり、受遺者が拒否すれば成立しません。「この財産はぜひあの人にもらってほしい」という場合は、死因贈与のほうが確実です。

死因贈与契約は口約束でも有効ですが、トラブルを避けるため書面にするのが賢明です。

相続人に保証された最低限の取り分

・遺留分・

配偶者や子などには遺留分がある

自分の財産をだれにどれだけ与えるかは、原則として自由です。しかし、「全財産を愛人に与える」などという遺言が出てきたら、残された家族はたまったものではありません。

このような不利益から相続人を守るため、民法では**遺留分**《いりゅうぶん》の制度を定めています。遺留分は一定の範囲の相続人に最低限保証された財産の取り分で、被相続人の遺言でもこれを侵害することはできません。

遺留分は、相続人全体で全財産の2分の1です（次ページ右図参照）。各相続人の遺留分は、この2分の1を法定相続分で配分したものとなります。

ただし、相続人が直系尊属のみの場合、遺留分は全財産の3分の1に減ります。また、**兄弟姉妹**には遺留分がありません。

生前に贈与した財産も遺留分の対象

遺留分の対象となる財産は被相続人の死亡時の相続財産だけでなく、生前に贈与した次のものも含まれます。

①相続開始前1年以内の贈与財産

②遺留分を侵すことを双方が承知のうえで贈与した財産

③相続人に対する一定の贈与財産（特別受益）

まず、被相続人の死亡日から逆算して1年以内の贈与は、だれに対する贈与であっても遺留分の対象財産に取り込まれます（①）。また、1年より前の贈与でも、②に該当する場合は遺留分の対象財産になります。

③は相続人に対する贈与で、特別受益と呼ばれるものです（128ページ参照）。たとえば被相続人が子どもに住宅取得資金を贈与していた場合などがこれにあたり、古いものも含まれます。

また、たとえ有償行為であっても不相当な対価で、被相続人も受贈者も遺留分を侵すことをわかって行った場合には贈与とみなされることにも注意が必要です。

遺留分を主張するには侵害額請求が必要

それでは、現実に遺留分が侵害されたときはどうすればよいのでしょうか。取得した財産が遺留分より少なかった相続人は、遺留分を侵害している受遺者や受贈者、あるいはほかの相続人に対して不

経営承継円滑化法と遺留分

中小企業の事業承継の切り札として、平成20年10月に施行された経営承継円滑化法では、後継者へ生前贈与された株式等について、民法の遺留分の規定に踏み込み、後継者が取得した株式を遺留分の対象から除外したり、株価をあらかじめその合意時の評価額で固定できるという特例を設けています。

この特例の適用を受けるには、遺留分のある相続権者全員が合意（特例合意）して、経済産業大臣の確認と家庭裁判所の許可を受けることが要件になっています。

遺留分侵害額請求の事例

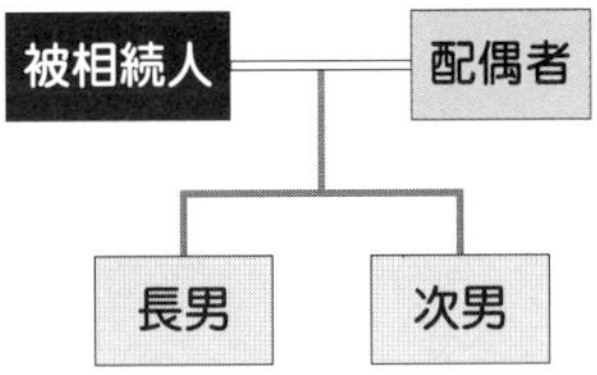

遺　言
妻と長男に財産の2分の1ずつを相続させる

- 相続財産は1億円
- 生前贈与はない

	指定相続分	法定相続分	遺留分	遺留分の侵害
配偶者	$\frac{1}{2}$	$\frac{1}{2}$	$\frac{1}{4}$	$\left(\frac{2}{40}\right)$
長男	$\frac{1}{2}$	$\frac{1}{4}$	$\frac{1}{8}$	$\left(\frac{3}{40}\right)$
次男	0	$\frac{1}{4}$	$\frac{1}{8}$	$\frac{1}{8}$

( )は侵害額対象分

次男は配偶者と長男に対し、遺産の8分の1（1250万円）の遺留分侵害額請求を行える

【配偶者と長男に対する侵害額請求の内訳】

a　配偶者の指定相続分のうち遺留分超過分
5000万円－2500万円＝2500万円

b　長男の指定相続分のうち遺留分超過分
5000万円－1250万円＝3750万円

a：b＝2：3
➡配偶者と長男に対し2対3の割合で侵害額請求

配偶者への侵害額請求　$\frac{1}{8}\times\frac{2}{5}=\frac{2}{40}$　……500万円

長男への侵害額請求　$\frac{1}{8}\times\frac{3}{5}=\frac{3}{40}$　……750万円

相続人の組み合わせによる遺留分

	①	②		③		④		⑤	⑥	⑦
相続人	配偶者	配偶者	子	配偶者	直系尊属	配偶者	兄弟姉妹	子のみ	直系尊属のみ	兄弟姉妹のみ
遺留分	$\frac{1}{2}$	$\frac{1}{4}$	$\frac{1}{4}$	$\frac{2}{6}$	$\frac{1}{6}$	$\frac{1}{2}$	なし	$\frac{1}{2}$	$\frac{1}{3}$	なし

足分を請求することができます。これを**遺留分《いりゅうぶん》侵害額《しんがいがく》請《せい》求《きゅう》**といいます。

具体的な事例をみてみましょう（左図）。Aさんには1億円の財産があり、その半分を妻に、残りの半分を同居していた長男に相続させる旨の遺言を残して亡くなりました。Aさんには次男もいますが、遺言によると次男の相続分はゼロになっています。

このケースでは、次男には8分の1の遺留分があります。遺留分をまるまる侵害された次男は、母親と長男に対し、財産の8分の1（1250万円相当）の遺留分侵害額請求を行うことができます。

母親と長男に対する請求の割合は、それぞれが自己の遺留分を超えて取得した財産の比率によります。このケースでは母親2に対し長男3となりますので、母親に500万円相当、長男に750万円相当の侵害額請求を行うことになります。

遺留分の侵害額請求は、遺留分を侵害されていることを知った日から**1年以内**に行わなければなりません。なにもしないまま1年を過ぎると、時効により権利が消滅します。侵害額請求の手続きについては170ページを参照してください。

なお、民法改正により、遺留分に満たない分について、遺留分を侵害している受遺者や受贈者、あるいはほかの相続人からは、現金（金銭債権）のみでの受け取りになりました。事業承継などのケースで、不動産を含めた事業用の財産が共有状態になることにより、会社経営上の自由が損なわれるのを防ぐのがねらいです。

相手方が現金を用意できない場合は、裁判所の判断で支払期限を延ばす仕組みも設けられています。

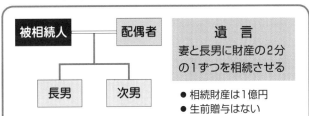

配偶者が自宅に住み続けるための制度
・配偶者居住権・

配偶者が自宅に住み続けることができなくなる可能性

相続する際に被相続人の預貯金などが十分でないケースでは、遺産分割にあたって、被相続人とその配偶者が住んでいた自宅を売却しなければならない事態に陥ることもあります。

例えば、被相続人である夫が遺産として3000万円の自宅と2000万円の現金の、合計5000万円分の遺産を残したとします。子が2人であったならば、法定相続分で考えると、子らは遺産の2分の1である合計2500万円を受け取る権利があることになります。

この場合、夫が残した現金は500万円足りません。残された妻がこの分の現金を持っていなければ、自宅を売って現金化することも考えられます。

配偶者居住権で配偶者の権利を守る

残された配偶者の権利を拡充するためのルールの一つが「**配偶者居住権**」です。これは、残された配偶者が、住み慣れた自宅を離れなければならなくなる状況を避けるために新設された制度であり、遺産となる自宅の権利を「所有権」と「居住権」に分けるというものです。

先のケースで見ると、配偶者居住権の価値が1500万円と評価されたのであれば、自宅の価値の残り1500万円は子二人の所有権となります。そして現金2000万円については、妻が法定相続分として2分の1の1000万円を相続し、残りを子2人で500万円ずつ相続することになります。このように、配偶者居住権を使うことで、従来であれば自宅に住み続けることすら危うかった配偶者が、自宅に生涯、無償で住み続けることができ、なおかつ生活費となる現金を手にすることもできるのです。

居住権は年齢が高くなるほど評価価値が低くなる

配偶者居住権については、配偶者の相続を受ける年齢などによって、取得できる評価価値は異なります。配偶者が相続時に65歳であれば、およそ居住権の評価額は時価の半分程度であり（土地）、年齢が高くなるほど低くなっていきます。

短期居住権も無償で住宅に住める権利

遺産分割が終わるまでの短期間について、住居に住める「**短期居住権**」もあります。住宅を所有する人が確定するか、相続開始から6か月かの、どちらかの遅い日まで配偶者が住み慣れた住宅に無償で住める制度です。

この制度も、配偶者が急に住まいを失うことを避けるのがねらいであり、被相続人と生前、その住宅で同居していたことが条件になります。

居住権を適用した場合、二次相続まで考えた時の相続税では、家族としてトータルで負担増になる可能性も高いので、事前にシミュレーションを行って判断するとよいでしょう。

配偶者居住権によるメリット

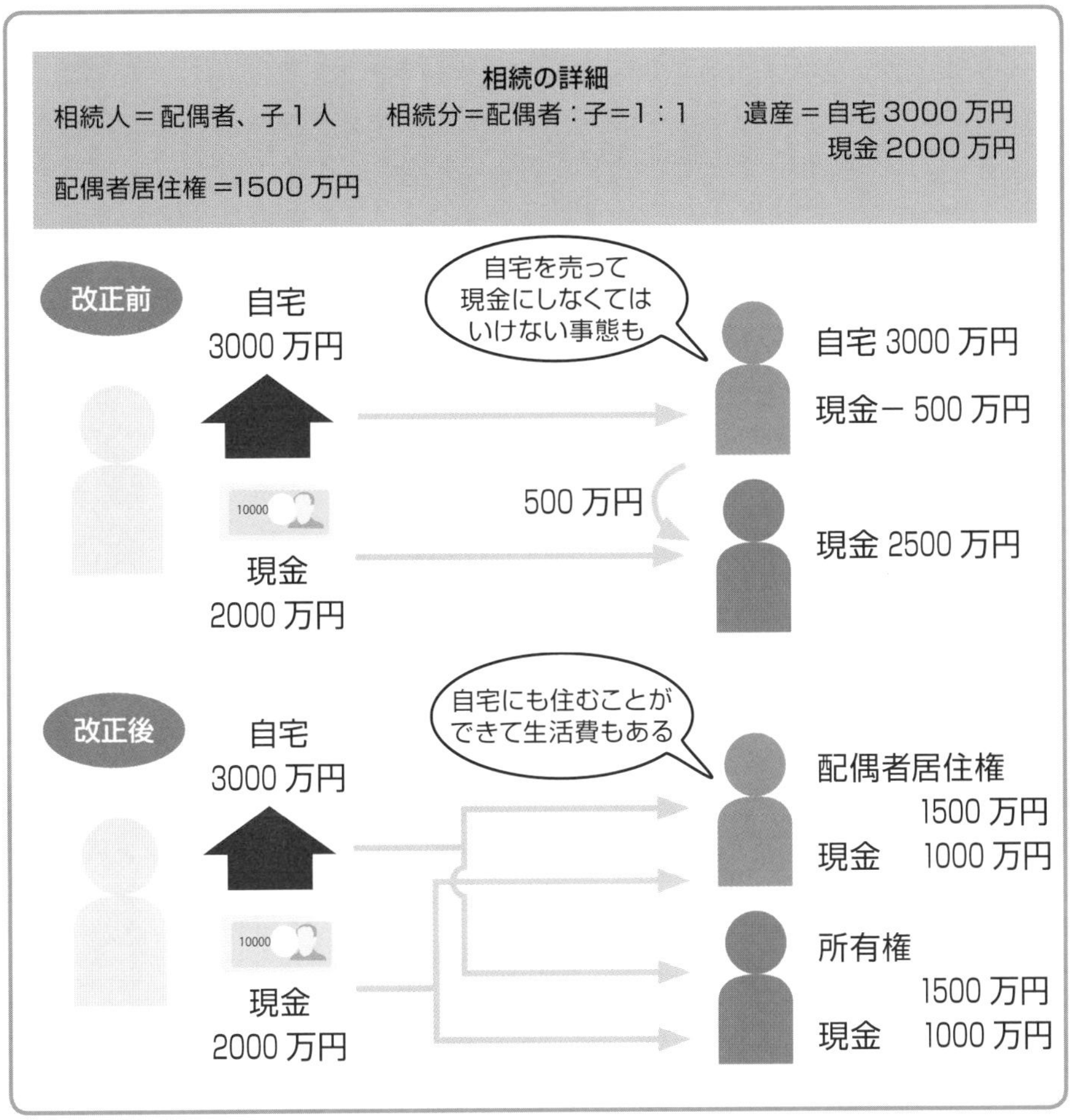

相続分＝配偶者：子＝1：1

自宅にも住むことができて生活費もある

■居住権の評価額を算出

建物の評価額

$$\text{建物の時価} - \text{建物の時価} \times \frac{\text{残存耐用年数} - \text{存続年数}}{\text{残存耐用年数}} \times \text{存続年数に応じた民法の法定利率による複利現価率}$$

土地の評価額

土地の時価－
土地の時価×存続年数に応じた民法の法定利率による複利現価率

※残存耐用年数：所得税法により定められている居住建物の耐用年数 × 1.5 － 築後経過年数
※存続年数は、配偶者の終身までを配偶者居住権の存続期間とする場合、配偶者の平均余命年数として計算（女性の平均余命年数の例：60 歳＝ 28.84 年、70 歳＝ 19.89 年　厚生労働省・令和 4 年簡易生命表）。それ以外は、配偶者の平均余命年数を上限として、遺産分割協議などで定められた配偶者居住権の存続期間年数とする。
※耐用年数（居住用）：木造＝22年、木骨モルタル造＝ 20 年、鉄骨鉄筋コンクリート造＝ 47 年
※複利現価率（法定利率3%の場合）：10 年＝ 0.744、15 年＝ 0.642、20 年＝ 0.554、25 年＝ 0.478

配偶者居住権の放棄などで発生する譲渡所得

なお、配偶者居住権は、配偶者の意思等により放棄することも可能です。例えば該当する自宅の所有権を持つ子（相続人）に委ねたいと思うようなケースで、子がその権利の放棄に対して対価を支払うケースや払わないケースが想定されます。もしも、配偶者が対価を得れば、それは譲渡所得となります。令和2年度の税制改正で、この譲渡所得等の課税について明確化されています。

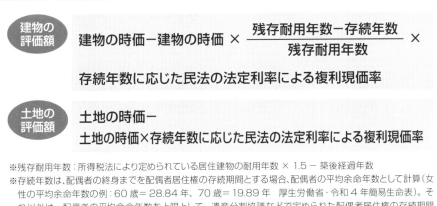

結婚20年以上の配偶者への住居の贈与

・住居贈与の優遇措置・

婚姻期間20年の場合、自宅は相続の対象外に

相続人が、被相続人から遺贈や生前贈与で財産を取得すると「特別受益」となります。すなわち、その分を相続財産と考えて、相続人の取り分を計算するのが原則になります。

贈与であれば遺産の先渡しを受けたものとして取り扱うため、相続人が最終的に取得する財産額は、結果的に贈与がなかった場合と同じになるわけです。

しかし、この考え方だと相続の際、残された配偶者が自宅を売って現金化しなければならないケースも出てきます。引き続き、自宅に住み続けることができるようにするために設けられたのが、婚姻期間が20年以上あり、配偶者が自宅の生前贈与や遺贈を受けた場合は、その自宅を相続の対象から除外する制度です。

この制度により、残された配偶者は自宅に住み続けることもできますし、相続で現金をより多く受け取ることができるため、配偶者亡き後の生活を安心して送ることができるというわけです。

二次相続では子の負担が大きくなる

この制度を活用する上で、注意しなければならない点が相続税です。相続財産から自宅を除外した場合、配偶者と子が相続を受ける一次相続での相続税は、従来の計算よりも下がります。

しかし、配偶者が亡くなった際の二次相続では、家族として納めるトータルの相続税が膨れ上がる可能性も高くなります。つまり、結果的に子どもたちの負担が増すということになります。この点も視野に入れて、制度の利用を検討すべきでしょう。

民法の改正前と改正後の違い

相続の詳細

相続人＝配偶者、子２人
遺　産＝自宅 3000 万円
　　　　現金 2000 万円
配偶者への生前贈与＝自宅 3000 万円

改正前

配偶者の取り分を計算するときには、生前贈与分についても、相続財産とみなされる

$$\frac{3000\text{万円}+2000\text{万円}}{2}-3000\text{万}\ (\text{贈与された自宅})$$

$$=-500\text{万円}\ (\text{現金不足分})$$

改正後

生前贈与分について相続財産とみなす必要がなくなる

$$\frac{2000\text{万円}}{2}=1000\text{万円}\ (\text{現金})$$

改正前の遺産分割
より多くの財産を
最終的に取得

介護で貢献した姻族が金銭を受ける ・特別の寄与・

介護に尽力した夫の嫁が金銭請求

相続で問題になる要素として、被相続人への貢献度というものがあります。被相続人にどれだけ生前、貢献してきたかということを意味し、法定相続人であるきょうだい間であっても、揉めごとの要因になりやすいものです。

関係性の良いきょうだい間であれば、話し合いで貢献度の高い人の相続割合を増やすことが一般的な対応です。民法でも、被相続人の財産の維持または増加について、寄与を行った相続人には、寄与分を認めています。

しかし、法定相続人以外だと、少し話しが違ってきます。被相続人と同居し、自宅介護をしている長男の場合などは、実質的には長男の嫁（妻）が主な世話をすることが多いものですが、被相続人の子の嫁には法的な相続の権利は認められていませんでした。

特に、長男が先に亡くなって、その後も長男の親である被相続人の世話をしていた場合などは、世帯として一切金品を受けられないという事態にもなりかねません。

被相続人への貢献に対する権利

そこで法改正により、相続人以外の親族が介護をした場合（特別寄与者）、相続する権利がなくても、貢献度に見合った金銭を遺産の相続人に請求できる制度が導入されました。これにより、被相続人への貢献に対する正当な権利がルール化されたことになります。

この制度で該当する親族は、6親等（いとこの孫等）内の血族と、3親等（甥や姪等）内の姻族（血族の配偶者等）で、主に先の例のような、義父を介護してきた息子の嫁などが想定されています。ただし、事実婚や内縁など戸籍上の親族でない人には適用されません。

特別寄与者が権利を主張して、金銭請求の協議がまとまらなければ、家庭裁判所に審判を申し立てることになります。この場合、相続開始時から1年以内という期間制限等があります。

特別の寄与の制度の仕組み

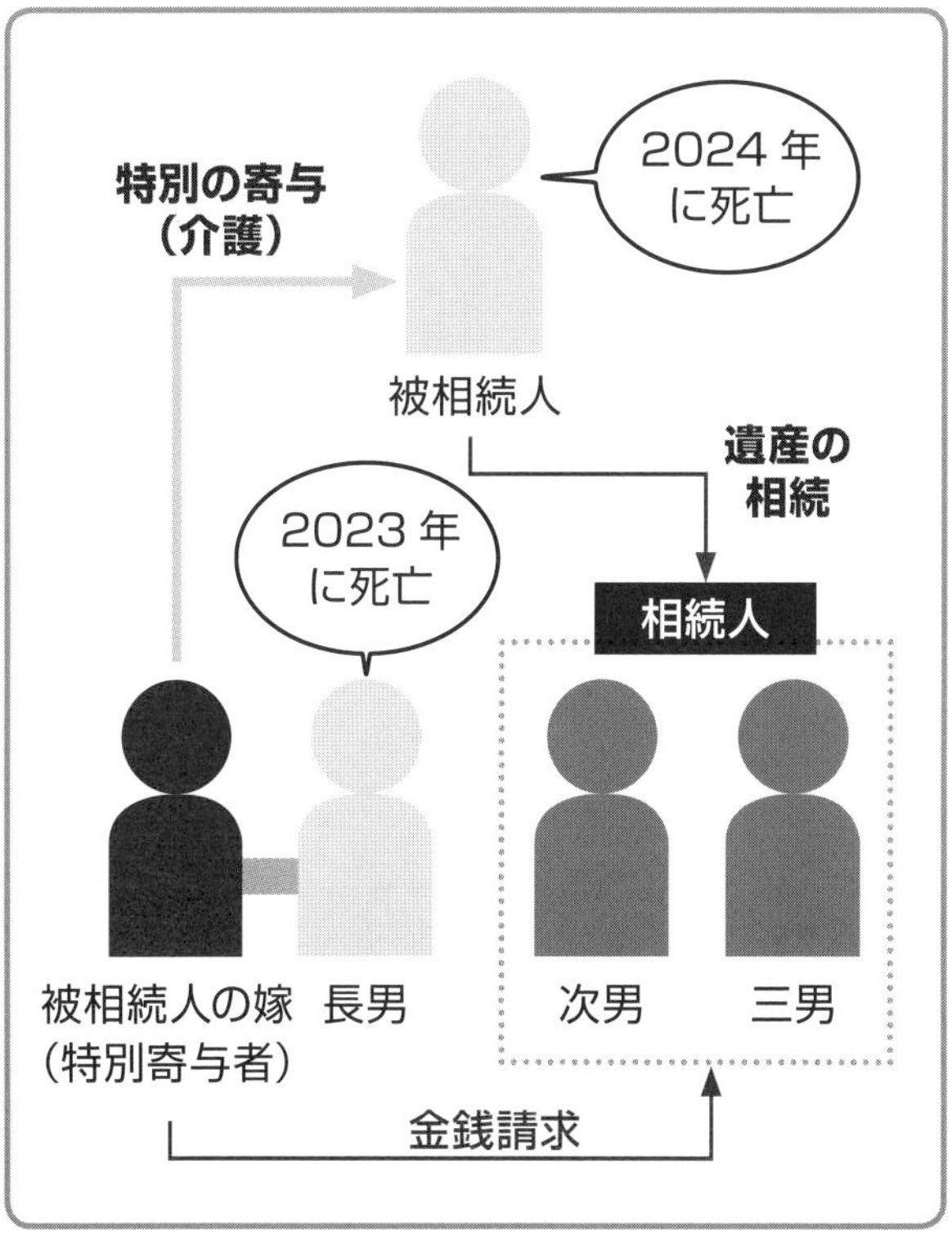

子どもがなく、妻に全財産を残したい

子どものいない夫婦こそ遺言を

子どもがいなければ、遺産はすべて配偶者のものになると思っていませんか？

相続というと「妻と子どもが半分ずつ」というイメージが強いせいか、こんなふうに思っている人が意外と多いのです。

でも、これは大きな勘違い。子どものいない夫婦の場合、父母（祖父母）が存命なら父母（祖父母）が、故人であれば兄弟姉妹が配偶者とともに相続人になります。

また、兄弟姉妹がすでに死亡していたとしても、子ども（甥や姪）がいればその子たちが代襲相続しますので、まるで親交のない甥や姪に遺産の一部が渡ることもあります。

いずれにせよ、血族相続人となる親族がひとりでもいる限り、配偶者が単独で相続人になることはありません。

妻にすべての遺産を残したいのなら、遺言書を作り、その旨を記載しておくことが必要です。共同相続人が兄弟姉妹である場合、兄弟姉妹には遺留分（116ページ参照）がありませんので、遺言があればすべての財産を妻に相続させることができます。

しかし、父母が共同相続人のときは、遺言で完全に妻の財産を保全することはできません。父母には財産全体の6分の1の遺留分がありますので、父母がこれを請求したら妻は応じざるを得ないのです。

たとえば、相続財産が6000万円なら父母の遺留分は1000万円。自宅が財産のほとんどを占めており、金銭での支払いができないときは、自宅を処分するという事態も考えられないではありません。

父母に遺留分を放棄してもらったり、配偶者居住権を使う手もありますが、被相続人がたとえば生命保険に加入するなどの対策を事前に講じておけば、なお安心です。少なくとも住み慣れた自宅は、残された妻の手元に残してあげたいものです。

家業を継ぐ長男に全財産を相続させたい

きょうだい間の遺産分割協議が焦点に

家業を継ぐ後継者に事業の財産を集中させたいケースでは、きょうだい間の遺産分割協議が焦点になります。

民法では、きょうだいは均等に相続することになっていますが、事業用財産を分割してしまうと経営が成り立たなくなるという問題があります。

そこで、後継者である長男に事業用財産をすべて相続させる意図の遺言書が必須となります。しかし、他のきょうだいには遺留分がありますので、これだけでは不十分です。遺留分相当の財産が事業用以外になければ、長男が他のきょうだいから遺留分を請求されれば、事業用財産を売却する、あるいは共有にしなければなりません。

こうした事態を避けるために、「遺留分の放棄」という手段を使うことが可能です。これに遺言があれば、事業用財産を確保することができるのです。

その他に、経営承継円滑化法により平成21年3月1日から施行された「遺留分の特例制度」を利用し、贈与した自社株を遺留分の対象から除外するという方法も検討するといいでしょう。

なお、子どもたちが相続放棄を約束したとしても、生前の相続放棄は法的効力がありませんので注意しましょう。

世話になった嫁に財産をあげたい

相続させるには養子縁組が必要

長年、献身的に世話をしてくれた嫁に遺産をあげたいと思っても、嫁には相続権がありません。相続人らに「特別の寄与料」として金銭を請求できる制度で、実質的に金銭を得ることは可能ですが、被相続人として生前になんらかの手を打っておくことも考えられます。

特に、嫁が未亡人で、息子が亡くなった後も同居を続けてきたという場合はなおさらです。嫁が住み続けてきた家を出ざるを得なくなることもありますので対策を立てておきましょう。

嫁に財産を与える方法としては、①養子縁組、②遺贈、③生前贈与の3つが考えられます。

養子縁組をすれば、嫁にも子としての相続権が生じます。また税金面でのメリットもあります（86ページ参照）。嫁を養子にしたうえで遺言を書いておくのがよいでしょう。

もちろん養子縁組をしなくても遺言で遺産分けをすることができます。ただ、相続税のかかる人の場合、嫁への遺贈は割高になる点に注意してください。

生前贈与は、贈与税の負担がネックになりますが、感謝のしるしとして比較的少額な財産を与えるにはよい方法です。嫁を養子にするなら、暦年課税制度や相続時精算課税制度も活用できます（60ページ参照）。

こんなときどうなる?

いろいろなケースでの法律の決まり

被相続人の資産状況や家庭事情はさまざまで、相続の様態もひとつではありません。特別な事情のある5つのケースについて、法律ではどのように定めているのか紹介します。

ケース1 多額の借金があるときは?

・相続放棄 限定承認・

借金が多ければ相続を放棄できる

「父親が亡くなり、ふたを開けてみたら借金だらけだった」などというのは、比較的よくある話です。相続する場合はプラスの財産・マイナスの財産の両方を受け継がなければならず、遺産を超える多額の借金を抱え込むことにもなりかねません。

しかし、相続するかしないかは相続人の自由。相続人には、

①無条件で相続する（単純承認）
②条件付きで相続する（限定承認）
③相続人とならない＝相続しない（相続放棄）

の3つの選択肢があります。

明らかに債務超過であるときは、**相続放棄が賢明でしょう**。相続放棄をすれば財産も負債も一切承継しません。

相続放棄をするには、**自己のために相続の開始があったことを知った日から3か月以内に手続きをする必要があります**。この期間を過ぎると、自動的に単純承認をしたことになってしまいます。

「自己のために相続の開始があったことを知ったとき」とは、「自分が相続人であることを知ったとき」という意味です。被相続人の死亡を知らなかったり、先順位の相続人が相続放棄をしたために自分が相続人となったことを知らなかった場合は、3か月のカウント

は始まりません。

手続きは、家庭裁判所に「相続放棄申述書」を提出して行います。

ところで、相続放棄をすると、その人は初めから相続人でなかったものとみなされます。このため、ほかに同順位の血族相続人がいるときは、その人の相続分が増えます。また、同順位の相続人がいなくなれば、次順位の者が繰り上がって相続人となります。

ケースによっては限定承認も

3か月という短い期間では、資産と債務のどちらが多いのかはっきりせず、相続放棄すべきかどうか判断がつかないこともあるでしょう。こんなときは家庭裁判所に申立てをし、3か月の熟慮期間を伸長してもらうことができます。あるいは、**限定承認**を検討してみるのもひとつの方法です。

限定承認とは、相続財産の範囲内で債務を弁済し、もし財産が残ったらそれを相続する、というものです。どんなに債務が大きくても、相続財産を超えて弁済する必要はありません。

ずいぶん都合のよい話ですが、実際のところ、限定承認の手続きは非常に煩雑です。残余財産にたどりつくまでには、一連の清算手続き（債権者などに対する催告や公告、財産の競売、弁済など）を済ませなくてはなりません。手続き上の不備で債権者に損害を与えたときは、賠償責任も生じます。債権者が多く権利関係が複雑な場合は、弁護士などの専門家の助けが必要でしょう。

さて、限定承認をする場合は、相続開始を知ったときから**3か月以内に**財産目録を作成し、家庭裁判所に申述しなければなりません（157ページ参照）。この期間を過ぎると単純承認したことになります。

また、限定承認は相続人が共同で行いますので、相続人全員の合意が必要です。ひとりでも反対者がいれば限定承認は行えません。

相続の承認と放棄のしくみ

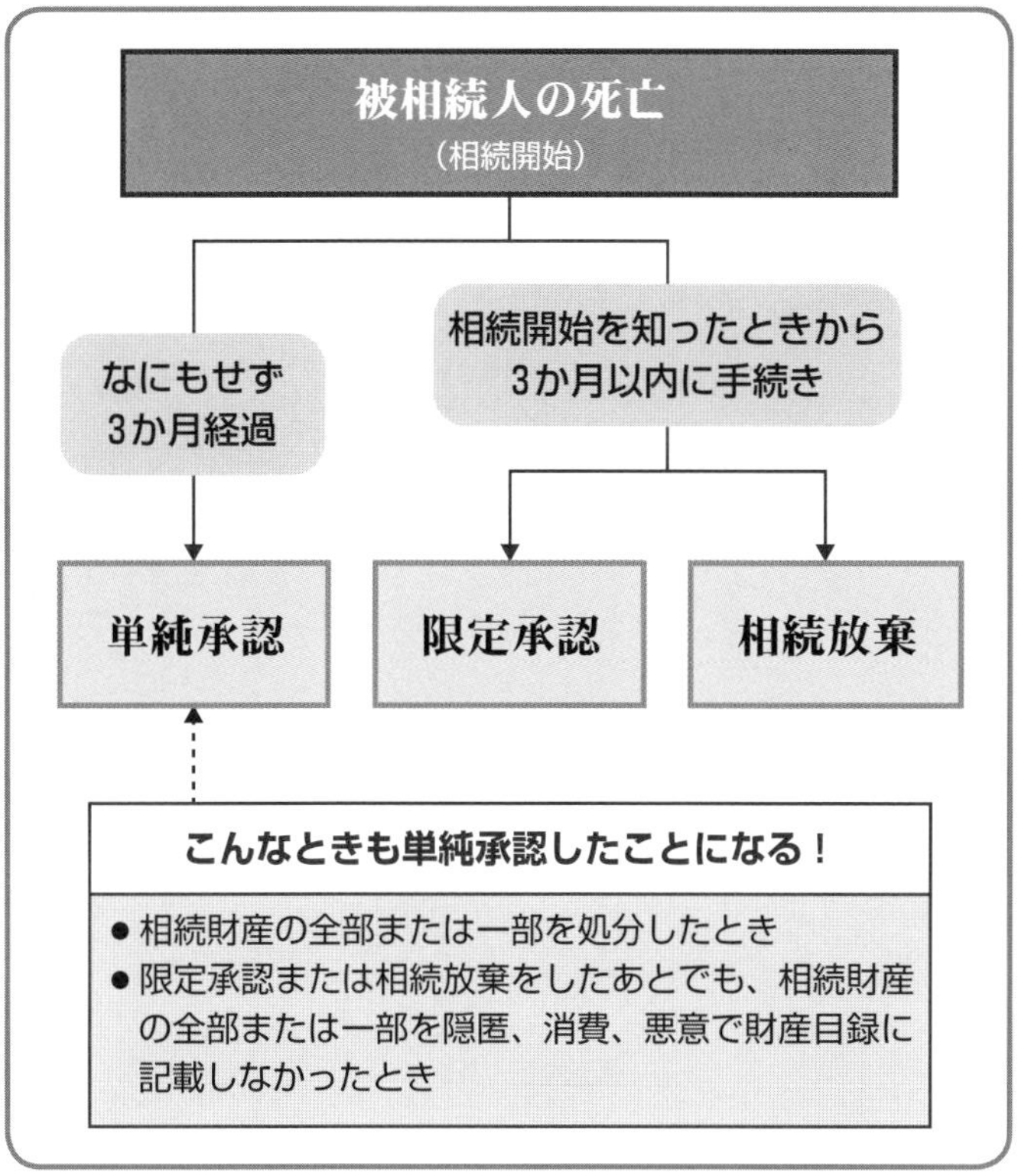
被相続人の死亡
（相続開始）
なにもせず
3か月経過
相続開始を知ったときから
3か月以内に手続き
単純承認
限定承認
相続放棄
こんなときも単純承認したことになる！
● 相続財産の全部または一部を処分したとき
● 限定承認または相続放棄をしたあとでも、相続財産の全部または一部を隠匿、消費、悪意で財産目録に記載しなかったとき

あとから借金が出てきたら？

まさか借金があるとは思わず相続したら、忘れたころに督促がきた……。こんなことが少なからずあるようです。

熟慮期間の3か月を過ぎると原則として相続放棄はできませんが、この3か月を「債務の存在を知ったときから」とし、相続放棄を認めた判例もあります。ただし、これは債務の存在を知り得なかった特別な事情がある場合など、極めて稀なケースと考えたほうがよいでしょう。

相続時には保証債務を含め、債務の有無や金額を細心の注意で確認することが大切です。

ケース2 相続させたくないときは？

・相続人の廃除・

一定の理由があれば相続権を剥奪できる

親にたびたび暴力をふるうような次男には、びた一文の遺産もやりたくない——。こんな場合、どうすればよいのでしょうか。

遺言で財産を渡さないことにしても、子どもには遺留分（116ページ参照）がありますので、相続分を完全になくすことはできません。

このようなときは、家庭裁判所に**相続人の廃除**の申立てをし、相続人の相続権を奪うことができます。また、遺言で廃除の意思表示をすることも可能です。この場合は、被相続人の死亡後に、遺言執行者（135ページ参照）が申立てを行うことになります。

廃除の対象となるのは、遺留分のある推定相続人で、左図の廃除事由にあてはまる場合です。

相続権を奪うという行為ですから、単に「ソリが合わない」などの理由では、相続人の廃除はできません。実際に廃除が認められるかどうかは、家庭裁判所の審判によります。

なお、推定相続人の廃除の審判を得たあと、被相続人はいつでも廃除を取り消すことができます（遺言でも可能）。この場合も家庭裁判所への申立てが必要です。

また、廃除を受けた者に多少の財産をあげたいと思ったら、遺贈をすることもできます。

相続廃除の理由

①被相続人に対する虐待

②被相続人に対する重大な侮辱

③その他の著しい非行

相続欠格者は相続できない

相続人の廃除は、被相続人の意思による相続権の剥奪です。しかし、自分に有利になるようにほかの相続人を殺したり、被相続人に無理やり遺言を書かせたような者は、廃除をするまでもなく自動的に相続権を失います。これを**相続欠格**といいます。

相続欠格となるのは、次の5つの場合です。

①被相続人や相続人の先順位者または同順位者を殺したり、殺そうとして刑を受けた者

②被相続人が殺されたことを知りながら、それを告発・告訴しなかった者

③詐欺や強迫によって、被相続人が遺言をしたり、取消し・変更するのを妨げた者

④詐欺や強迫によって被相続人に遺言をさせたり、取消しや変更をさせた者

⑤被相続人の遺言を偽造、変造、破棄、隠匿した者

これらに該当する者は、なんの手続きも必要なく、相続権を失います。また、遺贈を受けることもできません。

ケース3 故人の財産形成に貢献したときは？

・寄与分・

特別の寄与があれば相続分が増える

病気を患い、長い間自宅で療養していたある人が亡くなったとします。配偶者はすでになく、3人の子どものうち近所に住んでいた次女が足繁く通い、被相続人の看護に努めてきました。

こんな場合、故人の財産を機械的に法定相続分で分けて相続するのは、やはり不公平です。もし次女が看護をせず、専門の看護人を雇ったり療養施設に入っていたりしたら、故人の財産はもっと少なくなっていたはずです。

そこで、被相続人の財産の維持・増加に特別の寄与（貢献）があった相続人については、その寄与に値する分を相続分に加えることになっています。これを寄与分といいます。

寄与の方法は、①被相続人の事業に関する労務の提供または財産上の給付、②被相続人の療養看護、③その他、とされています。

「特別の寄与」ですので、妻として貢献したなどは対象外です。また、対価を得ているもの（報酬をもらい事業を手伝ったなど）は財産の維持・増加につながりませんので、寄与にはなりません。

なお、寄与分は従来、相続人だけに認められていましたが、相続人以外の親族が介護をした場合、相続人に「特別寄与料」を請求できる制度が民法改正により新設されました（121ページ参照）。

寄与の値段はいくら？

寄与分の価額は、共同相続人の協議によって決めることになっています。協議がととのわないときは、寄与者の請求にもとづき、家庭裁判所が定めることになります。

それでは、冒頭に紹介した3人の子どもの相続を例に、寄与分がある場合の計算をみてみましょう（下図）。

きょうだい3人の協議の結果、次女の療養看護についての寄与分を500万円としました。相続財産は5000万円です。

まず相続財産から寄与分を除き、残りの財産を3人で分けます。ここでは遺言による指定がないため法定相続分で分けるものとし、1人1500万円。長男と長女の相続分はそれぞれ1500万円です。次女はこれに寄与分の500万円を加え、トータルの相続分は2000万円になります。

寄与分があるときの相続分の計算例

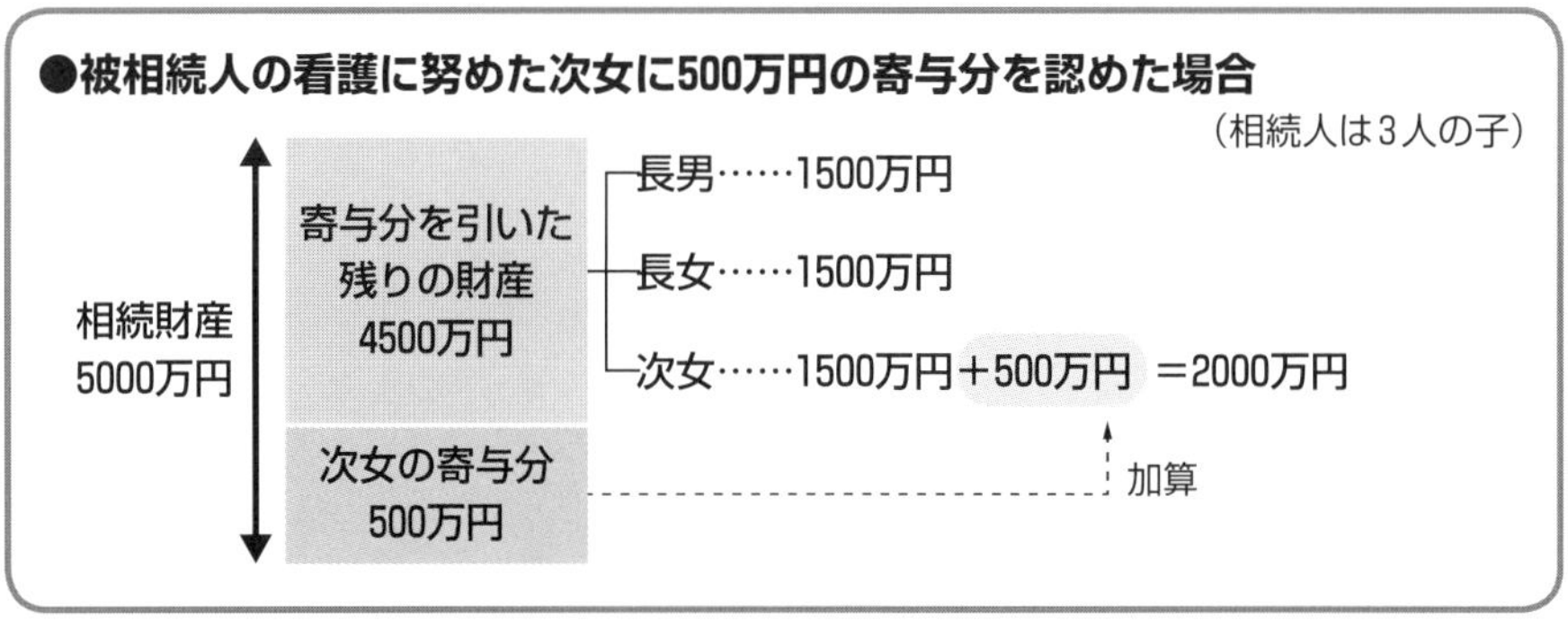

ケース4

生前贈与を受けていたときは？

・特別受益・

遺産の前渡しとして相続分が減らされる

相続人のなかには、親に住宅ローンの頭金を出してもらったり、開業資金を援助してもらうなど、被相続人からの贈与を受けている人もいるでしょう。このような生前の贈与を無視して相続時に残っている財産だけで遺産を分けると、贈与を受けていない相続人とのバランスがとれません。

そこで、相続人が受けた生前贈与を遺産の前渡しとみなし、相続時の財産に加えたうえで相続分を計算することになっています。

ただし、生前贈与のすべてが加算の対象になるのではなく、相続人の**特別受益**となる一定のものに限られます。特別受益とは、次に該当するものをいいます。

①婚姻のための贈与
②養子縁組のための贈与
③生計の資本としての贈与

①と②では、結婚や養子縁組の際の支度金などがあげられます。挙式費用は通常、特別受益になりませんが、被相続人の資産状況などから総合的に判断し、特別受益となる場合もあるようです。

③は、住宅取得資金や事業資金などがあたります。通常の学費や生活費などは含まれません。

これらの生前贈与のほかに、相続人が受ける**遺贈**も特別受益となります。

なお、民法の条文には記載されていませんが、特定の相続人が取得する生命保険金も被相続人から受ける特別な財産的利益であるとし、特別受益とする判例が多くあります。

こんなケースが特別受益になる

●遺贈を受けた
遺贈
●結婚や養子縁組の際に、持参金や支度金をもらった
●特定の子どもだけ私立大学の医学部に進学し、学費を出してもらった
●独立開業に際し、事業資金を出してもらった
会社
●特定の子どもだけ大学卒業後に留学し、学費を出してもらった
留学
住宅
●農家の子どもが田畑をもらった
●家を建ててもらったり、土地をもらった
●住宅取得資金を出してもらった

相続分の計算のしかた

相続人のなかに**特別受益者**（特別受益のある相続人）がいる場合の相続分は次の手順で計算します。

まず、相続開始時の財産に特別受益者の贈与財産を加えます。これを相続財産とみなし、法定相続分または指定相続分に応じて分けます。特別受益者については、ここから贈与または遺贈の分を差し引いたものを相続分とします。

贈与や遺贈のほうが大きくてマイナスになるときは、その特別受益者の相続分はありません。

具体的な計算例は左図のとおりです。特別受益者である長女と長男は生前の贈与分だけ相続分が少なくなり、トータルでみると、被相続人の財産を相続人が公平に受け継いだことになります。

なお、被相続人が遺言などで、生前の贈与を特別受益として扱わないこと（特別受益の持戻しの免除）や、相続分とは別に遺贈する旨の意思表示をしているときは、これに従います。「ほかの相続人より多くの財産をあげたい」という被相続人の意思を尊重するということです。

ただし、遺留分の侵害があるときは侵害額請求の対象になります。

特別受益があるときの相続分の計算例

- **相続人は配偶者と3人の子**
- **相続時の財産は7000万円**
- **長女は550万円の住宅取得資金を、長男は1000万円の事業資金の援助を受けている**

相続開始時の財産 7000万円
＋
長女への贈与財産 550万円
長男への贈与財産 1000万円
→ みなし相続財産 8550万円

各人の相続分	金額
配偶者……8550万円×1/2	＝4275万円
長女………8550万円×1/6 −550万円	＝ 875万円
長男………8550万円×1/6 −1000万円	＝ 425万円
次男………8550万円×1/6	＝1425万円

相続分を超える特別受益があるときは？

特別受益が大きく相続分がマイナスになる場合、このマイナス分（もらいすぎの分）は返さなくてもよいのでしょうか。

結論からいうと、その必要はありません。

たとえば、長男・次男の2人の相続人のうち、長男だけ父親から３０００万円の贈与を受けたとします。その後父親の事業が破綻し、残った遺産は１０００万円。長男の相続分はなく、次男がすべて相続します。とはいえ、親からもらったトータルの財産は、長男３０００万円、次男１０００万円。長男のもらい得になるのです。

ただし、もし長男への贈与がもう少し大きく、次男の遺留分が侵害されていたら、次男はその分を長男に請求できます。長男のもらい得に違いはありませんが、長男は過去の贈与から吐き出しをすることになります。

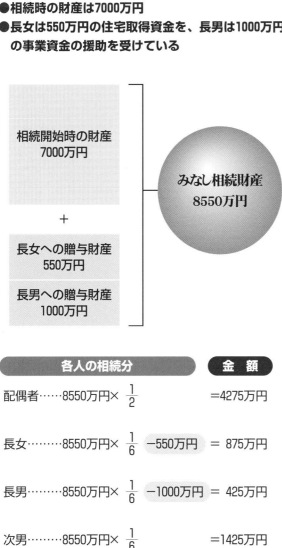

ケース5

相続人がいないときは?

相続人不存在
特別縁故者

相続人のいない財産はどうなる?

相続人となるべき親族がすでに死亡していたり相続放棄などで相続人がいなくなってしまうことがあります。このような状態を**相続人不存在**といいます。

この場合は、受遺者がいてもすぐには財産を取得できません。左図の一定の手続きのなかで清算が行われることになります。

まず、債権者や受遺者または検察官の請求により、家庭裁判所が相続財産清算人を選任します。清算人は財産の管理、債権者などへの公告、弁済、相続人の捜索を行います。

そして、最終公告期間内に相続人が現れなければ相続人不存在が確定し、相続人、清算人に知れなかった債権者と受遺者はその権利を失います。

このとき、まだ財産が残っていれば、特別縁故者（後述）への財産分与が行われることがあります。それでもなお財産が残れば、最終的に国庫に帰属します。

内縁の妻などに財産がいくことも……

相続人が現れず、清算後の相続財産が残っている場合、**特別縁故者は家庭裁判所に財産分与の請求**をすることができます。

特別縁故者とは、相続人ではないが被相続人と特別の縁故があった人のことをいいます。**内縁の妻や夫は特別縁故者の代表的な例**です。ほかには届出をしていない事実上の養子などがあげられます。

財産分与を請求できる期間は、相続人不存在の確定後3か月以内です。家庭裁判所の審判の結果、相当と認められる場合は財産の全部または一部が分与されます。

相続人不存在の手続き

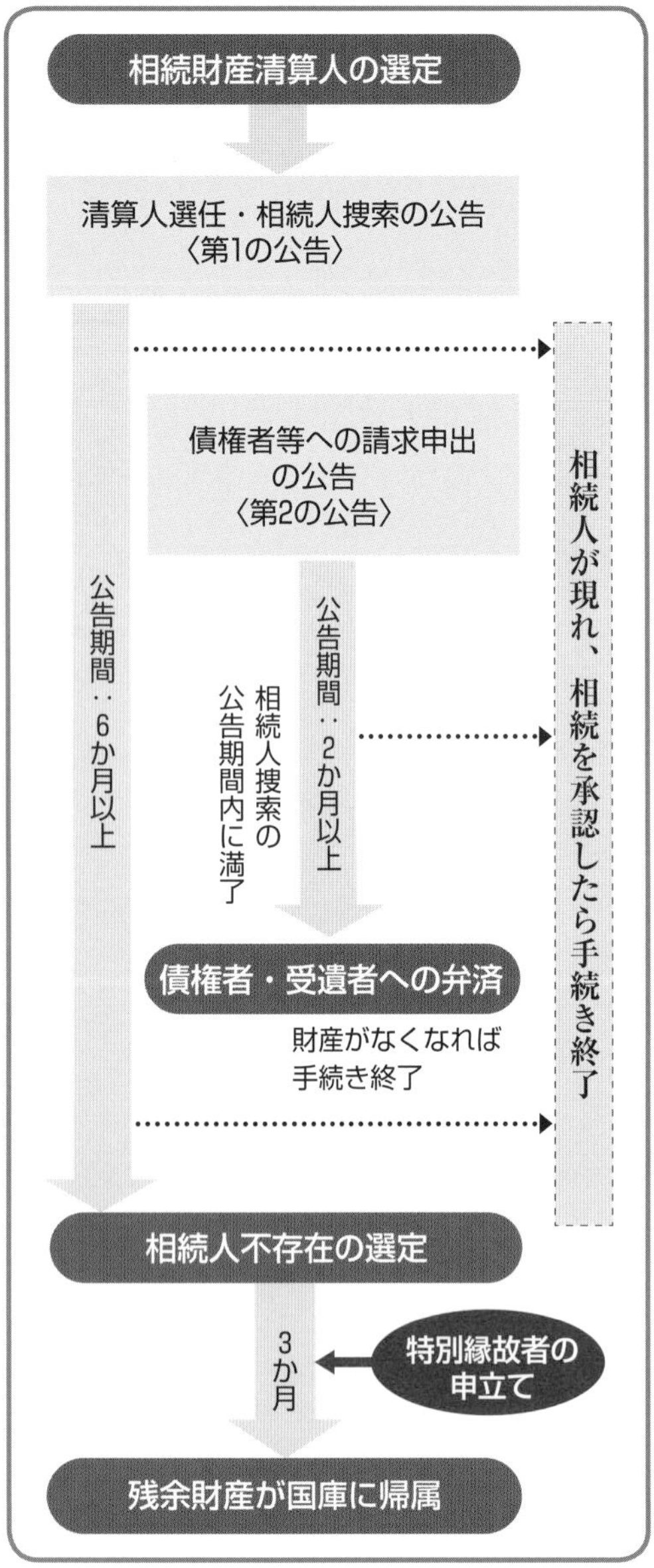

ケース6

相続後の登記はするべき？

・相続登記の義務化・

申請をしなかった場合には、10万円以下の過料

相続した不動産の登記が長期間されないことで、所有者がわからなくなってしまった土地や、所有者との連絡がつかない土地、いわゆる「所有者不明土地」が近年、大きな問題となっていました。全国の所有者不明土地はすでに九州本島の面積を超えるといわれており、今後の高齢化による多死社会の到来で、さらに所有者不明土地が増えることが予想されています。

所有者不明土地が増えることで、公共事業や復旧・復興事業が円滑に進まず、また民間取引や土地の利活用が阻害される結果を招き、社会にマイナスの影響を及ぼすことは必至です。

こういった事態を解決するための制度変更が、不動産の相続登記義務化です。不動産登記法の改正で、令和6年1月より、所有者不明土地の発生の予防と利用の円滑化の観点から、抜本的な見直しが図られました。

この改正により、不動産を相続した相続人は、相続により所有権を取得したことを知った日から3年以内に相続登記の申請をしなければならなくなりました。

遺産分割協議の成立により、不動産を取得した場合は、遺産分割協議が成立した日から3年以内に、登記をする必要があります。正当な理由がないにもかかわらず申請をしなかった場合には、10万円以下の過料が科されます。

令和6年4月以前に相続をし、登記していないケースも、3年間の猶予期間が与えられているものの登記は義務化されます。

早期の遺産分割協議が困難なら相続人申告登記を

相続を知ってから3年以内に遺産分割が完了しない場合は、令和6年1月より新たに設けられた「相続人申告登記」を行うという方法もあります。

相続人申告登記は、相続がすでに開始しており、その相続人であることを申し出る制度です。相続人全員の氏名・住所等が登記されますが、持分までは登記されず、相続人申告登記により簡易に相続登記の申請義務を履行することができるのもメリットです。

法定相続分による相続登記でも登記義務化に対応可能

遺産分割協議がまとまるまでは、すべての相続人が法定相続分の割合で共有している状態ですが、相続人の一人からの単独申請である「法定相続分による相続登記」をすることも可能です。ただし、協議が正式にまとまった後、再度登記しなおさなければならない可能性や、そのままだと不動産の売却が煩雑だったりとデメリットは残ります。

全国の法務局において、30年以上にわたって相続登記が行われていない土地について、その土地の所有者の法定相続人を調査し、この調査で判明した法定相続人に対して、相続登記を促進する通知書を送付する制度もスタートしており、相続登記の義務化とあいまって所有者不明土地の解消が一気に進むことが期待されています。

ケース7

いらない土地を相続したとき

・相続土地国庫帰属制度・

相続した財産の中から不要な土地だけを手放す

土地を相続したものの、実際には「遠くに住んでいて利用する予定がない」、「周囲に迷惑がかかるので管理しなければならないが負担が大きい」という理由から、土地を手放したいが、売るにも売れないというケースがあります。そのまま所有者不明土地になるのを防ぐため、一定の要件を満たした場合には、土地を手放して国庫に帰属させることができる「相続土地国庫帰属制度」が令和5年4月よりスタートしています。

使う予定がない土地を相続したとき、土地を手放して国に引き取ってもらう制度は従来もありました。ただし、これまでは相続を放棄することで、不要な土地以外に必要な土地や建物、その他の資産もすべて放棄する必要がありました。しかし新制度で、相続した財産の中から不要な土地だけを手放すことができるようになっています。

担保権や使用収益権が設定されている土地も対象外

制度を利用するには、更地であることが要件の一つになり、管理や維持に手間や費用がかかる土地は制度を利用できません。担保権や使用収益権が設定されている土地なども制度の対象外で、本制度の開始前に相続した土地であっても申請できます。

申請する土地の所有者が単独であれば問題ありませんが、土地が共有地である場合には、相続や遺贈によって持分を取得した相続人を含む共有者全員で申請する必要があります。

なお、この制度を利用する際には、申請者に負担金がかかります。具体的には、土地一筆当たり1万4000円の審査手数料と、土地が国庫へ帰属することが承認されたときの10年分の管理費用相当額として、原則一筆20万円の負担金がかかってきます。

国庫帰属までの流れ

1.事前相談

所在する土地を管轄する法務局における、対面または電話での相談。土地が遠方にある場合、近隣の法務局にも相談可能。

2.申請書の作成・提出

審査手数料分の収入印紙を貼り付けた申請書を作成、提出。郵送での申請も可能。

3.要件審査

法務局で、提出された書面を審査し、申請された土地に出向いて実地調査を実施。申請者に同行を依頼する場合もあり。

4　承認・負担金の納付

審査を踏まえ、帰属の承認・不承認の判断の結果について、申請者に通知が送付される。承認された場合、申請者は負担金額を期限内に納付。

5.国庫帰属

申請者が負担金を納付した時点で、土地の所有権が国に移転。所有権移転登記は国が実施。

第4章

相続をスムーズにする遺言書の作り方

◈

相続の“争族”を防ぐには遺言が決め手ですが、遺言さえあればすべて丸く収まる、というものでもありません。なかには、遺言がなかったほうが円満にコトが運んだのでは……などというケースも。そんなことにならないための、上手な遺言のしかたと作成のポイントを紹介します。

ただ書けばいいワケではない！

“争族”を防ぐ上手な遺言のしかた

“よい遺言書”を作っておけば、残された人たちの生活に余計な波風を立てずにすみます。遺言は、家族や世話になった人たちに自分の思いを伝える「人生最後のメッセージ」です。

相続をスムーズにするよい遺言とは？

遺言はどうして必要？

いままで円満に暮らしてきた親族同士が、遺産相続の問題に直面したとたん、これまでには考えられないほどに対立し、疑心暗鬼になり、骨肉の争いを繰り広げるようになるといった例はたくさんあります。

子どもたちの幸せのためにと苦労して残した財産が争いのもとになってしまうのは悲しいことですが、相続が“争族”といわれるのは、こういったことが頻繁に起こっているためです。

そこで、争うことなく遺産を相続させるために必要になってくるのがその分配基準、つまり「遺言」なのです。

もちろん、遺言がなくても法律の定める基準（法定相続分）がありますし、個々の事情を考慮した決まりごと（寄与分や特別受益の

こんなときは遺言を

相続人について	●夫婦の間に子どもがいない ●先妻の子どもと後妻の子どもがいる ●認知した子どもがいる ●内縁の妻に財産を残したい ●財産を与えたくない相続人がいる ●行方不明の相続人がいる
遺産分割などについて	●子どもに貢献度を考慮した相続をさせたい ●家業を継ぐ子どもに事業用の財産を相続させたい ●お世話になった人に財産を贈りたい ●相続人がいないので、財産を寄付したい

持戻しなど）もあります。しかし、基本はあくまで当事者たちの話し合い。皆がそれぞれに好き勝手なことをいいだして、収拾がつかなくなるといった事態に陥りがちです。

その点、遺言ならば、遺言者自身の意思で、だれにどのくらいの割合で遺産を与えるか（相続分の指定）、具体的にどの財産をだれにあげるか（遺産分割の指定）を決めることができます。

もともとの財産の持ち主である故人の意思とあらば、よほど理不尽な内容でない限り、ふつうは相続人たちも納得してくれるでしょう。

また、遺言書を作っておけば、世話になった友人、親類、息子の嫁など、相続人ではない人たちにも遺産を残すことができます。

トラブルを防ぐのはもちろんのこと、このような人たちへ感謝の気持ちを伝える役割も、遺言にはあるのです。

遺言を残しておきたいケースとは

先に触れたように相続は、円満な家庭であっても争いに発展してしまうほどやっかいなものです。特別な事情を抱えている場合はなおのこと、遺言によるトラブル防止が必要になってくるでしょう。

たとえば、先妻との間の子どもと、いまの妻との子どもがいる場合。どちらにも同じ相続分がありますが、遺産分割にあたってはもめそうな予感がします。

また、遺言は資産家がするもの、とは限りません。分割しにくい財産——たとえば自宅しかない場合、分割をめぐって争いの起こる可能性があります。

一概にはいえませんが、一般的に遺言が必要と思われるケースを右ページで紹介していますので、参考にしてください。

こんな遺言なら家族も納得

遺言書を作るなら、ぜひ〝よい遺言書〟としましょう。

では、よい遺言書とはなんでしょうか。３つのポイントをあげてみます。

①自分の意思を明確に伝え、家族に理解される遺言であること

どのような遺産の分け方が最良なのか、答えはひとつではないでしょう。周りの人の意見は参考にしても、振り回されるのはよくありません。自分がどうしたいのかをはっきりさせ、それを家族に伝えることが大切です。

しかし、ひとりよがりの押しつけは好ましくありません。家族のためにいちばんよいと思う方法を考えましょう。

法定相続分どおりに遺産を分けてほしいと思うなら、それを遺言で伝えるのもよい方法です。明確

遺言執行者とは？

遺産処理に関する遺言の場合、相続人の利害関係が交錯してスムーズに相続が進まないことがあります。また、遺言内容によっては専門的な知識や経験が必要となるケースもあります。そうした場合に、遺言内容を第三者の立場から忠実かつ公平に実行してくれる人が遺言執行者です。

遺言執行者には、相続財産の管理・処分をはじめとし、遺言の執行に必要な一切の行為を実行する義務と権利があります。すべての遺言が遺言執行者を必要とするわけではありませんが、「認知」と「推定相続人の廃除・廃除の取消し」は遺言執行者だけしか行えません。

遺言者は、遺言によって「遺言執行者の指定」または「遺言執行者を指定することを第三者に委託」することができます。

遺言執行者は破産者などを除き、基本的にだれでもなることができますが、できれば法律の専門家である弁護士などを指定するとよいでしょう。

な方針があると、家族もすっきりすると思います。

②トラブルを生じさせない遺言であること

トラブルを防ぐための遺言なのに、なんだか妙ないい方ですね。しかし実際のところ、遺言がかえって紛争の火種となってしまうケースが少なくありません。

たとえば、表現があいまいで、いくとおりもの解釈ができるもの。あるいは、特別な理由もなく（遺言者にはあっても、家族にはわからず）、特定の相続人に極端に有利な内容となっているようなものです。なにか裏工作があったのでは……などと、疑心暗鬼のタネになりかねません。

また、遺産の取り分にかかわる内容では、常に遺留分（116ページ参照）への配慮が必要です。

遺留分に反した遺言も有効ですが、侵害額請求の対象になります。自分の責任でないとはいえ、結果としてほかの人の遺留分を侵害してしまった相続人と、侵害された相続人との間がギクシャクしてしまってはつまりません。

遺留分を侵害せざるを得ない事情があるときは、生前に家族によく話し、理解を求める努力が必要でしょう。

③法的に有効な遺言であること

せっかくの遺言も、遺言として認められなければ意味がありません。遺言書は、法律で一定の方式や作成方法が定められていて、これに合致しないものは無効です。

といっても、特別に難しいことを要求されているわけではありませんので、必要以上に身構えることはありません。基本ルールをしっかりおさえ、あとはケアレスミスに注意することです。

法的効力のある遺言事項

相続に関すること	①相続分の指定、指定の委託 ②遺産分割方法の指定、指定の委託 ③遺産分割の一定期間の禁止 ④相続人相互の担保責任の指定 ⑤特別受益者の持戻しの免除 ⑥遺贈の遺留分侵害額請求方法の指定 ⑦推定相続人の廃除とその取消し
財産の処分に関すること	⑧遺贈 ⑨寄付行為 ⑩信託の設定 ⑪生命保険金受取人の指定
身分に関すること・その他	⑫子の認知 ⑬後見人、後見監督人の指定 ⑭遺言執行者の指定、指定の委託 ⑮祭祀承継者の指定

遺言できる内容は決められている

すべての事項が実行されるわけでない

形式的に有効な遺言であっても、そこに書かれているすべてのことが法的効力を持つわけではありません。

たとえば「葬儀は身内だけで」「家族全員が協力して家業をもりたてていくように」などは、本人の希望を伝えるものとしては意味のあることですが、法的な拘束力はありません。したがって、それを実行するか否かは家族の任意となります。

遺言に書いて法的効力を生じる事項は決められています。これを「遺言事項」といい、大きく分けると次の3つがあります。

①相続に関すること……相続分や遺産分割の方法など

②財産の処分に関すること……遺

贈や寄付、信託の設定など

③**身分に関すること**……認知、未成年者の後見人の指定など

それぞれの具体的な事項は、右ページの表のとおりです。

もちろん、これ以外のことを書いても遺言書自体が無効になることはありません。

自筆証書遺言と公正証書遺言の特徴

	自筆証書遺言	公正証書遺言
方法	遺言者自身が手書きで作成する （財産目録についてはパソコンで作成可能）	遺言者が口述したものを公証人が筆記する （通訳人による手話通訳も認められる）
長所	自分ひとりで簡単に作成できる ●作成する場所、時間を選ばない ●ほとんど費用がかからない ●証人がいらない 遺言の存在や内容を秘密にできる	安全で確実な遺言が作成できる ●形式不備が起こらない ●原本が公証役場に保管されるので、紛失や偽造、隠匿の心配がない 家庭裁判所の検認がいらない
短所	無効になる危険性がある ●日付や署名などの形式不備が起こりやすい ●財産が特定できなかったり、内容そのものが理解されないおそれがある ●偽造、変造、隠匿の危険がある 保管場所がわからず発見されないおそれがある 紛失のおそれがある 家庭裁判所の検認が必要（法務局に預けた場合は不要）	手続きが少々面倒 ●証人2人以上が必要 ●公証役場に出向く必要がある（出張してもらうこともできるが、手数料が必要） 遺言の存在や内容がもれてしまうおそれがある 費用がかかる

自筆証書遺言と公正証書遺言はどう違う？

手軽さを優先するか、安全・確実でいくか

前述のように、遺言は法律で一定の方式が定められています。普通方式では秘密証書遺言もありますが、もっとも一般的に利用されているのが**自筆証書遺言と公正証書遺言**の2つです。

自筆証書遺言は、自分で書いて作成する遺言書です。ひとりで手軽に作成でき、遺言内容を秘密にできるという長所があります。その反面、些細なミスで無効になったり、紛失や偽造・改ざんのおそれがあるのが短所です。

ただし、法改正により**自筆証書遺言を法務局に預けることができる**ようになりました。この場合、ミスがないかの点検が受けられ、自筆証書遺言の短所である紛失や偽造、改ざんのリスクが避けられる点等、メリットの多い制度です。

また、被相続人の死亡後に、相続人らは全国の法務局に設置される遺言書保管所に遺言書が保管されているか調べることができる上、遺言書を閲覧したり、写しの交付を請求することもできます（遺言書情報証明書の交付請求）。

一方の公正証書遺言は、遺言したい内容を公証人に伝え、それを公証人が書面にしてくれるという遺言です（148ページ参照）。不備による無効の心配がなく、作成後は原本が公証役場に保管されるので、紛失や偽造などの危険もありません。しかし証人が必要で、ある程度の手間と費用がかかるのが難点です。証人から遺言内容がもれてしまう危険もあります。

あなたも遺言書が書ける！

遺言書作成のルールとポイント

作成上の基本ルールを知らなかったために、せっかくの遺言が無効になってしまうケースは少なくありません。効果的な遺言書の作成に必要なポイントをおさえておきましょう。

自筆証書遺言はこうして作る

自筆証書遺言は手軽に作れる点が魅力ですが、一定の決まりを守り、必ず自分で書くことが必要です。

有効な遺言書を書くために

「遺言」を広い意味でとらえれば、死の床にある人の口から直接語られた言葉もメモ書きも、そのうちのひとつといえます。しかし、法的に有効であると認められる遺言は、民法で定められた方式によって作成されたものでなければなりません。

また、遺言は書面にすることを前提としているため、DVDやICレコーダー、パソコンなどに残されたものは、遺言とは認められません。

自筆証書遺言の基本ルール

自筆証書遺言は、形式不備があると遺言書全体が無効になってしまいますので、法律のルールに従って作成することがなにより重要です。形式上のルールとポイントは次のとおりです。

1 自分の手で書く

自筆証書遺言は、基本的に遺言者自身が手書きで書かなければなりません。プリントアウトされたものや点字、代筆などは一切認められません。ただし、財産目録については、パソコンからプリントされたものも認められます。

病気で自分で書けないときは、公正証書遺言を利用しましょう。

こんな遺言書は無効！（自筆証書遺言）

映像や音声による遺言

遺言は必ず書面で

代筆してもらったもの

必ず本人が手書きする

日付がスタンプで押されたもの

遺言書は原則、手書きで

署名・押印のないもの

本人の特定ができない遺言は無効

訂正印のないもの

遺言書自体は有効だが、訂正の効力は生じない

夫婦の連名で書いたもの

共同遺言は認められていない

2 用紙や筆記用具は自由

用紙や筆記用具については法律上、とくに決まりはありません。しかし、鉛筆書きは容易に改ざんされる危険がありますので、避けるべきでしょう。ボールペンや万年筆などが適当です。

紙は、事務用の普通紙や和紙など、耐久性に優れたものを選ぶとよいでしょう。

3 日付は年月日まで正確に

日付も必ず自分で書き、年月日を正確に記載します。「○年○月吉日」などのように、日付の特定できない遺言は無効です。

遺言書の日付は、当時の遺言者の遺言能力や複数の遺言書が出てきた場合の先後の判定をするうえで、非常に重要なものです。

4 署名押印する

遺言書の最後に必ず署名をし、押印します。

氏名は、通称や姓だけでも本人が特定できれば有効とされていますが、戸籍どおりフルネームで書くのが好ましいでしょう。

押印は、認め印や拇印でもかまいませんが、実印がベストといえます。

財産目録を別紙として添付する場合は、財産目録の各ページにも署名押印が必要です。

5 書式は自由

書式についてはとくに決まりがなく、縦書きでも横書きでもＯＫです。「遺言書」などの表題はなくても有効ですが、遺言書であることが明確にわかるように、記したほうがよいでしょう。

１４１ページに遺言書の一般的なフォームを紹介していますので参考にしてください。

6 訂正は一定の方法で

書き終わって読み返してみたら間違いがあった、または書き加えたいことが出てきたというときは、遺言書の一部を訂正・変更す

訂正のしかた

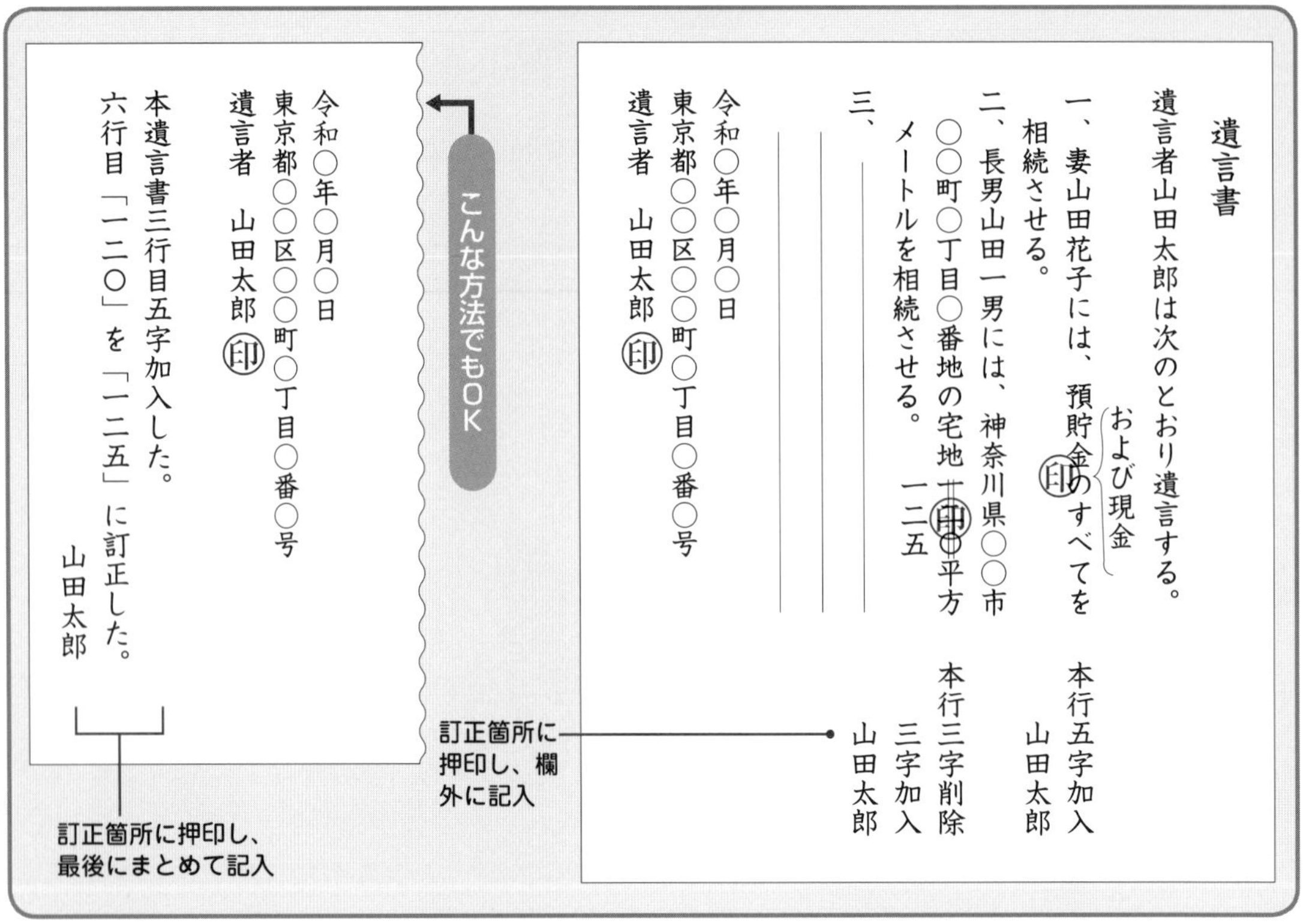

遺言書
遺言者山田太郎は次のとおり遺言する。
一、妻山田花子には、預貯金のすべてを相続させる。
および現金
本行五字加入
山田太郎
二、長男山田一男には、神奈川県○○市○○町○丁目○番地の宅地一一〇平方メートルを相続させる。
一二五
本行三字削除
三字加入
山田太郎
三、
令和○年○月○日
東京都○○区○○町○丁目○番○号
遺言者　山田太郎　㊞

令和○年○月○日
東京都○○区○○町○丁目○番○号
遺言者　山田太郎　㊞
本遺言書三行目五字加入した。
六行目「一一〇」を「一二五」に訂正した。
山田太郎

ることができます。ただし、訂正の方法は民法で厳密に決められていますので、注意しましょう。

訂正・変更は次の手順で行います。

①訂正・変更箇所を訂正・変更。加入なら加入の記号を、削除・訂正なら、原文が読めるように訂正箇所を二重線で消す
②訂正箇所に正しい文字を記入する（縦書きの場合は脇、横書きの場合は上部）
③訂正箇所に押印する（署名押印に用いた印鑑を使用）
④訂正箇所の欄外に「本行○字削除」「本行○字加入」のように付記する。または遺言書の末尾に「○行目の○○を削除し○○と訂正」などと付記する
⑤付記した箇所に署名する

なお、訂正箇所が多数にわたる場合は、新たに作成し直したほうがよいでしょう。

7 封筒に入れ、封印する

完成した遺言書は封筒に入れ、封じ目に押印します。これは法律の決まりではなく、変造などを防止するためです。

発見されたときに遺言書であることがわかるよう、「遺言書」などの表書きをしておきましょう。

書き方のポイントと注意

形式的なルールをおさえたうえで、ここからは具体的な書き方のポイントを紹介しましょう。

1 財産を特定できる書き方

無用なトラブルを生じさせないためには、だれにどの財産を与えるのか、また財産については特定できるような書き方をすることが大切です。

たとえば、相続物件を単に「自宅」と書いたとします。複数の居宅があった場合、どれが自宅でどれが別宅か、人によってとらえ方が違うかもしれません。

不動産は、登記事項証明書の記載どおり具体的に記すのが基本です。

自筆証書遺言の基本フォーム

遺言書

遺言者山田太郎は次のとおり遺言する。

一、

二、

三、

右遺言のため、遺言者自らこの証書の全文を書き、日付および氏名を自書し、自ら押印した。

令和○年○月○日

東京都○○区○○町○丁目○番○号

遺言者　山田太郎　㊞

- 表題をつける
- 箇条書きにするとわかりやすい
- 遺言を書いた日付を年月日まで正確に記入する
- フルネームで署名する
- 必ず押印する。認め印でもよいが、実印がベスト

封筒の書き方

表

遺言書

- 遺言書ということがわかればよい

裏

㊞

開封せず家庭裁判所の検認を受けること

令和○年○月○日

遺言者　山田太郎

- 偽造防止のため封印したほうがよい。遺言書に用いたのと同じ印鑑を使用
- このような一文はなくてもよいが、あると親切
- 日付と署名。日付は遺言書と同じにする

契印のしかた

遺言書が複数枚にわたるときは契印を。必ずするというわけではないが、無用なトラブルを避けるため、したほうがよい

●綴じるとき

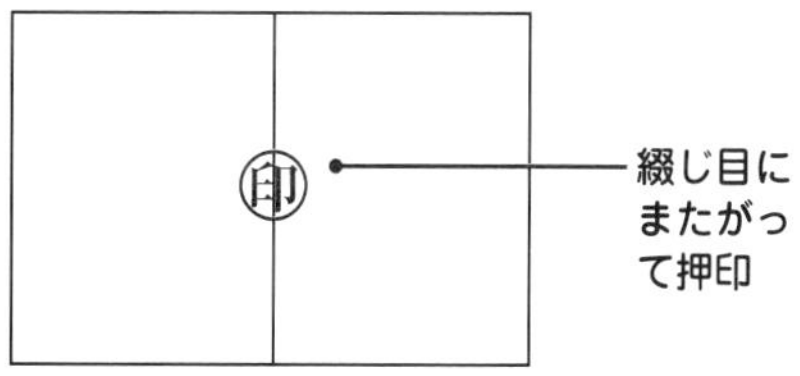

●綴じないとき（割印）

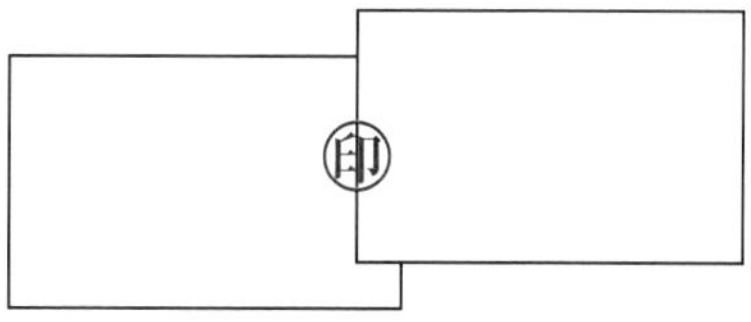

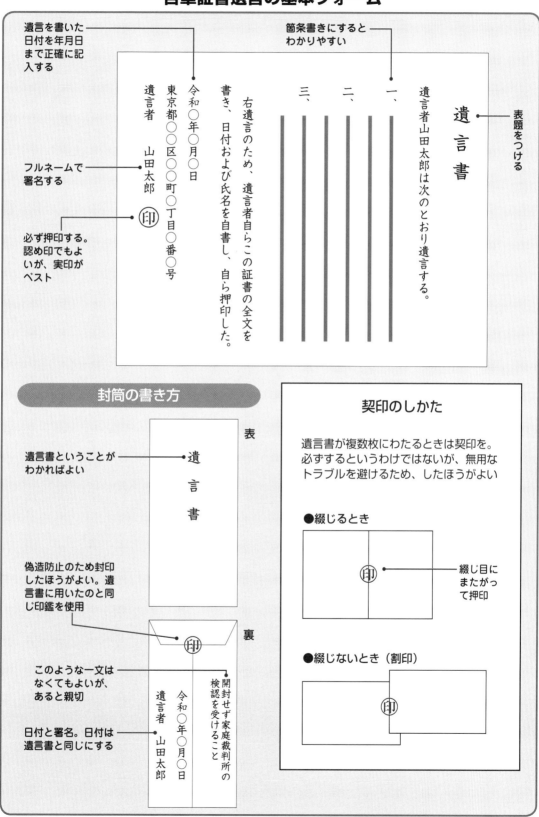

よい遺言書、悪い遺言書の作成例

こんな遺言書はNG!

遺言書

遺言者山田太郎は、次のとおり遺言する。

一、妻山田花子には、次の財産を与える。❶
　(1) 自宅❷
　(2) ○○銀行○○支店の定期預金
　　口座番号12345　残高三五二万円❸

二、長男山田一男には、次の財産を与える。
　株式とゴルフ会員権❹

三、その他のだいたいの財産は、❺次男山田健二のものとする。

右遺言のため、遺言者自らこの証書の全文を書き、日付および氏名を自書し、自ら押印した。

令和○年八月吉日❻
東京都○○区○○町○丁目○番○号
遺言者　山田太郎❼

ここが問題！

❶遺贈なのか相続なのかあいまい。目的物が不動産のときは「相続させる」に
❷不動産は登記事項証明書どおり正確に記載する
❸残高は変動するので書かないほうがよい
❹複数ある場合に特定できない。次男とトラブルのおそれあり
❺あいまいな表現はトラブルのもと
❻日にちが特定できない。これだけで遺言書自体が無効
❼押印もれ。これだけで遺言書自体が無効

同様に、株式や預貯金なども具体的に記載する必要があります。株式については会社名と株数、また預金口座は銀行および支店名、口座の種類、口座番号を明記して特定できるようにします。

ただし、たとえば所有している預貯金のすべてをひとりの相続人にあげるのなら、一つひとつ書き出す必要はありません。「遺言者名義の預貯金の全部」といった書き方で十分です。この場合は、家族の知らない口座があるかもしれませんので、生前に知らせておくなど別の配慮が必要です。

2 記載事項は正確に

記載事項に誤りのないよう、確認しながら書きます。

たとえば、人名は戸籍謄本や住民票、不動産は登記事項証明書、預貯金は通帳・証書をみながら正確に書くようにしましょう。

3 不動産は「相続させる」と書く

相続人に対して財産を与える場合は、一般に「相続させる」「遺贈する」などの表現を使いますが、不動産については「相続させる」

> **遺言書はどこに保管する？**
>
> 自筆証書遺言は、保管方法が悪いと、内容に不満のある関係者などの手によって変造されたりするおそれがあります。かといって、だれにもわからない場所にしまいこんで、肝心なときに発見されなければ意味がありません。
>
> 安全に保管でき、しかも相続時にはその存在が明らかになる場所を考え、信頼できる人に保管場所は伝えておきます。たとえば次のような方法です。
>
> - 自宅の金庫
> - 銀行の貸金庫
> - 信託銀行に預ける
> - 信頼できる家族や友人などに預ける
> - 法務局設置の遺言書保管所

これならOK!（よい遺言書の作成例）

遺言書

遺言者山田太郎は、次のとおり遺言する。
一、妻山田花子には、次の財産を相続させる。
(1)東京都○○区○○町○丁目○番
　宅地　二五〇・四三平方メートル
(2)同所同番地所在
　家屋番号○番
　木造瓦葺二階建居宅
　床面積　一階七五平方メートル
　　　　　二階六〇平方メートル
(3)右家屋内にある家具動産一式
(4)○○銀行○○支店の遺言者名義の定期預金
　口座番号12345
二、長男山田一男には、次の財産を相続させる。
(1)○○株式会社と○○株式会社の株式全部
(2)○○カントリークラブのゴルフ会員権
三、次男山田健二には、○○銀行○○支店の遺言者名義の定期預金（口座番号4321）を相続させる。
右遺言のため、遺言者自らこの証書の全文を書き、日付および氏名を自書し、自ら押印した。
令和○年八月五日
東京都○○区○○町○丁目○番○号
遺言者　山田太郎 ㊞

と書きましょう。

どちらにしても、その相続人が財産を取得できることに違いはありませんが、「相続」と明記されていることで、相続人には次のメリットがあります。

①**単独で不動産の移転登記ができる**……「遺贈」だとほかの相続人との共同申請になり、手続きが面倒だったり、なんらかのトラブルが生じるおそれがある

②**移転登記の際の登録免許税が安くすむ**……「相続」なら不動産評価額の0・4%に軽減される

4 遺言執行者を指定する

遺言執行者（135ページ参照）を指定する場合は、必ずその人の住所と氏名を記載しておきます。指定の文例は144ページを参照してください。

5 言葉を添える

特定の相続人の取り分を極端に多くしたりする場合は、その理由がわかるよう、具体的な内容・経過を記しておくとよいでしょう。こうした配慮が、トラブル防止に役立つことがあります。

しかし、あまりに長くなるときは、別紙にまとめたほうがよいでしょう。

なお、財産の一部または全部の分割を相続人の協議に任せる場合、生前の贈与を加味しないことを望むなら（特別受益の持戻しの免除。129ページ参照）、その旨を遺言書に記載しておきます。

ケース別 ひとりで書ける遺言文例集

いろいろなケースに対応する遺言文例を紹介します。うまくアレンジして、あなたに合った遺言書を作ってください。

相続分を指定するとき

特定の相続人の相続分を多くしたり、反対に少なくしたいときは相続分の指定ができます（114ページ参照）。この場合は遺留分についての注意が必要です。

なお、具体的な財産を示して相続させること（遺産分割の指定）でも同様の効果を得られます。遺産分割を指定する場合の文例は143ページを参照してください。

遺言者山田太郎は、次のとおり遺言する。
一、各相続人の相続分を次のようにする。
　妻　　山田花子に十分の三
　長男　山田一男に十分の五
　次男　山田健二に十分の一
　長女　山田春子に十分の一

右は、長男一男が家業を継ぎ、また妻花子と同居していることを考慮した。

遺言執行者を指定するとき

遺言執行者の指定は遺言でしかできません。たとえ生前、親しい友人との間に約束ができていたとしても、遺言書にしておかなければ効力はありません。また、この指定を遺言で第三者に委託することもできます。

なお、18歳未満の未成年者、破産者を遺言執行者に指定することはできません。

遺言者山田太郎は、次のとおり遺言する。
一、令和○年○月○日に作成した自筆証書遺言の執行者として、次の者を指定する。
　住所　○○県○○市○○町○丁目○番○号
　氏名　弁護士　佐藤三郎
二、右遺言執行者の指定については、すでに同氏の承諾を得ているので、遺言の効力発生と同時に、同氏に連絡をすること。
三、右遺言執行者の報酬は、金弐百万円とする。

嫁に財産を譲りたいとき

息子の妻には相続権がありませんので、献身的に尽くしてくれた嫁に財産を残したいというときは遺言が必要です（ほかに嫁を養子にする方法などもある。123ページ参照）。

左の文例は、特定の財産を指定して遺贈する場合です。このほか「全財産の○分の○を遺贈する」というように割合で指定することもできます。

ただし、割合で指定した場合は、嫁が相続人たちの遺産分割協議に参加して取得財産を決めることになります。嫁の立場や状況などを考慮して、どちらか適切な方法を選ぶようにしましょう。

また、遺贈する財産がほかの相続人の遺留分を侵害しないように配慮する必要もあります。

遺言者山田太郎は、次のとおり遺言する。
一、遺言者の長男故山田一男の妻山田裕子は、一男の死後も長年にわたって病身の妻花子の介護をしながら、遺言者の世話をしてくれた。その献身的な労働に報いるために、遺言者名義の定期預金すべて（○○銀行○○支店口座番号○○○○）を山田裕子に遺贈する。
二、この遺言の遺言執行者として次の者を指定する。
○○県○○市○○町○丁目○番○号
弁護士　佐藤三郎

貢献度を考慮した相続をさせたいとき

被相続人の世話をよくしてくれた子と、なにもしていない子がいる場合、法定相続分どおりに遺産を分割するのは、被相続人の心情や特定の相続人の労苦を考えると不公平だといえるでしょう。そこで、被相続人の財産の維持・増加に貢献した者（寄与者）のために認められているのが「寄与分」です（127ページ参照）。

寄与分の額は、原則として被相続人の意思に関係なく、相続人の協議によって決められます。そして、寄与者は相続分に寄与分を加えた価額を取得できます。

遺言で寄与分を指定することはできませんが、寄与者に配慮した遺言をすることで、寄与分を指定したのと同等の結果を得ることが可能です。

遺言者山田太郎は、次のとおり遺言する。
一、長男山田一男は、遺言者の長期闘病の際、遺言者の個人経営である○○商店を、遺言者のたっての願いを汲んで継いでくれただけでなく、看護にも心から尽力してくれた。本来なら入院すべきところを、遺言者の希望により自宅療養としたため、長男がどれほど経済的、精神的に、また肉体的にも苦労したかは、想像するにあまりある。
よって、当然の報酬として、次の財産を相続させる。

（略）

子を認知するとき

認知していない子に遺言で財産を与えたいときは、①遺贈する、②認知して相続させる、のいずれかの方法になります。

認知によりその子は非嫡出子として相続権を得、相続分は嫡出子と同等です。ただ、後日、被相続人の家族との遺産分割協議で紛争の生じるおそれがあります。できれば左例のように財産を特定したほうがよいでしょう。

また、遺言で認知する場合は遺言執行者の指定が必要です。認知対象が胎児の場合は母親、成人の場合は本人の承諾が必要ですので、これらの手続きを適切に実行してくれる人物に依頼します。

遺言者山田太郎は、次のとおり遺言する。
一、次の者は遺言者山田太郎と斉藤恵子との間の子であるので、これを認知する。
　本籍　○○県○○市○○町○丁目○番地
　住所　○○県○○市○○町○丁目○番○号
斉藤恵子の子「斉藤健太」
　昭和○年○月○日生
二、遺言者山田太郎が認知した斉藤健太に次の財産を相続させる。
　○○銀行○○支店　口座番号○○○○の遺言者名義の定期預金のすべて
三、この遺言の遺言執行者として、次の者を指定する。
○○県○○市○○町○丁目○番○号
弁護士　佐藤三郎

廃除したい相続人がいるとき

遺産を与えたくない相続人がいる場合の対処法に「相続人の廃除」があります（126ページ参照）。相続人の廃除は生前にもできますが、遺言で行う場合は、遺言執行者が家庭裁判所に廃除の請求をすることになります。そのため遺言者は、遺言書に廃除の意思を明確に記載するとともに、遺言執行者を指定しておく必要があります。

単に「長男○○には財産を一切与えない」と記述しただけでは廃除の意思を示したことになりませんので注意しましょう。

また、相続廃除には然るべき事由が必要です。遺言には廃除の理由もあわせて記載します。

なお、遺言でした廃除を取り消すには、遺言書を破棄するか、新たに作成し直せばＯＫです。

遺言者山田太郎は、次のとおり遺言する。
一、長男山田一男を次の事由により推定相続人から廃除する。
　同人は、賭博により多額の借金をし、遺言者がそれを返済してきたにもかかわらず、繰り返し非行を重ねている。素行を注意すると、遺言者に暴行を加えるなどし、遺言者は再三にわたり怪我を負わせられている。
　遺言者に対する長年の暴言、暴力などの虐待、侮辱、非行は相続人廃除の正当な理由にあたる。
二、この遺言の遺言執行者として次の者を指定する。
　○○県○○市○○町○丁目○番○号
　弁護士　佐藤三郎

後見人を指定するとき

未成年者の教育・監護、財産管理を行い、親権者の代わりを務める人のことを後見人といいます。

遺言で後見人を指定できるのは、最後に親権を持つ人で、その人が亡くなると親権者がいなくなってしまう場合です。

両親が共同で親権を行使している場合は、一方が亡くなってももう一方が親権者として残るので、後見人を指定することはできません。死亡・離婚などで片方が親権を行使している場合は、後見人を指定できます。

もちろん、後見人に対しては事前にお願いし、了承を得ておくことが大切です。

なお、場合によって後見人を監督する「後見監督人」を指定することもできます。

遺言者山田太郎は、次のとおり遺言する。
一、遺言者の長男山田一男（昭和○年○月○日生）の後見人として、次の者を指定する。
本籍　○○県○○市○○町○丁目○番地
住所　○○県○○市○○町○丁目○番○号
氏名　高橋誠（昭和○年○月○日生）
二、遺言者の長男山田一男の後見監督人として、次の者を指定する。
本籍　○○県○○市○○町○丁目○番地
住所　○○県○○市○○町○丁目○番○号
氏名　岩田宏行（昭和○年○月○日生）

行方不明の相続人がいるとき

被相続人が遺言を残さずに死亡した場合、残された相続人全員で遺産分割協議をすることになります。しかし、相続人のなかに行方不明者がいると、「相続財産清算人」の選任や「失踪宣告」などの面倒な手続きが必要なだけでなく、相続人が遺産を取得するまでに長い時間がかかってしまうことがあります。

そこで、こういうときは遺言で、すべての財産について行方不明者以外の相続人に分配しておくのが得策です。行方不明者に子どもがいる場合は、その子に遺贈するのもひとつの方法です。

行方不明者に財産を残したい場合は、所在が判明したときに備えて、その旨と取得分を具体的に明記しておきましょう。

遺言者山田太郎は、次のとおり遺言する。
一、妻山田花子には、次の財産を相続させる。
○○県○○市○○町○丁目○番
宅地　○・○平方メートル
二、その他の財産は、すべて長男山田一男に相続させる。
三、遺言者の次男山田健二が生きており、所在が明らかになったときは、長男一男は、次男健二に対し、現金○○○万円を相続分として引き渡すものとする。

公正証書遺言を作るには？

証人と一緒に公証役場へ出向き、遺言したい内容を口述。法律のプロである公証人が書面にしてくれます。

書面の作成は専門家にお任せ

公正証書遺言は、公証人によって作成され、公文書として保管することのできる、もっとも安全で確実な遺言書です。

公証人とは、法務大臣により任命される実質上の国家公務員で、元裁判官や検察官といった法律の専門家から選ばれます。彼らは公文書作成のプロなので、自筆証書遺言にありがちな形式不備などのミスが起こる心配がありません。

また、遺言書の開封時に家庭裁判所の検認（155ページ参照）を受ける必要がないなどのメリットもあり、年々、利用する人が増えています。

公正証書遺言の作成では、自分で選んだ証人2人以上と一緒に公証役場に出向き、証人と公証人の前で遺言内容を口述します。病気などの事情で公証役場に出向くことができないときは、公証人に自宅や病院まで出張してもらうことも可能です。

遺言者が口述した遺言内容は、公証人が法に定められた方式で文章化します。それを遺言者と証人の前で読み上げ、内容に間違いがないかを確認したのち、遺言者、証人、公証人がそれぞれ署名押印すれば完成です。遺言者が署名できない場合は、公証人がその理由を付記し、遺言者の署名の代わりとすることもできます。

公正証書遺言の作成に必要な証人については、秘密にされるべき内容を知られるわけですから、信頼のおける人物に依頼することが大切です。また、証人には客観性

公正証書遺言の作成にはいくらかかる？

項目	区分	料金
証書の作成	目的の価額が	
	100万円まで	5000円
	200万円まで	7000円
	500万円まで	1万1000円
	1000万円まで	1万7000円
	3000万円まで	2万3000円
	5000万円まで	2万9000円
	1億円まで	4万3000円
	3億円まで	5000万円ごとに1万3000円加算
	10億円まで	〃 1万1000円加算
	10億円超	〃 8000円加算
遺言手数料	目的の価額が1億円以下のとき	1万1000円を加算
役場外執務（出張）	日当	2万円（4時間以内は1万円）
	旅費	実費
	病床執務手数料	証書作成料金の2分の1を加算

〈例〉

相続・遺贈額の合計が1億円。公証役場に出向く場合

証書の作成 4万3000円

＋

遺言手数料 1万1000円

5万4000円

＊ほかに正本または謄本1枚につき250円

公正証書遺言作成の手順

事前準備	1 遺言書の原案を考える	どういう遺言にするか、内容をメモに整理しておく
事前準備	2 証人を決める 	信頼できる人（2人以上）に依頼する
事前準備	3 公証人に依頼・打合せ	公証役場に出向き、遺言書の原案を伝える（遺言内容により電話やFAXでも可能）。作成日の日時などを決める
事前準備	4 必要書類をそろえる	公証人に指示された書類をそろえ、事前に届けるかFAXする
当日	5 証人とともに公証役場へ行き、遺言書を作成 	遺言者が公証人の前で遺言したい内容を口述 ↓ 公証人がそれを筆記する ↓ 公証人が遺言者と証人の前で筆記した内容を読み上げる ↓ 内容を確認後、遺言者・証人・公証人が署名押印する
当日	6 遺言書の完成  	原本は公証役場に保管され、遺言者には正本が交付される。請求すれば、謄本も交付される

遺言内容により3の打合せが数回必要なこともある

などが求められるため、次の人は証人になることができません。

①未成年者（令和4年4月1日より18歳未満に引き下げ）

②推定相続人、受遺者およびその配偶者ならびに直系血族（祖父母・父母・子・孫）

③公正証書遺言を作成する公証人の配偶者、4親等内の親族、公証役場の関係者

遺言書の作成を弁護士や信託銀行（194ページ参照）などに依頼した場合は基本的に公正証書遺言が用いられ、希望により証人になってもらうこともできます。

なお、公正証書遺言の作成にかかる手数料は、遺言する財産の価額に応じ、右ページの表のように決められています。弁護士などに作成を依頼する場合は、別途に手数料が必要です。

作成に必要なもの

- 遺言者の実印および印鑑証明書
- 戸籍謄本または戸籍抄本、住民票
- 財産目録
- 不動産登記事項証明書
- 固定資産税評価証明書

その他、遺言内容により公証人から指示されたもの

遺言のココが知りたい！
Q&A

Q 遺言を取り消したいときは?

以前に書いた遺言の内容を取り消すにはどうしたらよいですか。

A いちど作った遺言でも、生きている間なら、いつでも取り消したり変更したりすることができます。

質問のケースのように遺言内容を取り消したいときは、改めて遺言書を作成し、「令和○年○月○日に行った遺言のうち、○○○とした部分を取り消す」と書けばOKです。複数の遺言が存在する場合は、日付の新しいほうが優先します（次の質問項目を参照）。

もっと簡単なのは、前の遺言の取り消したい部分を、マジックなどで読めないように塗りつぶしてしまう方法です。判読できない部分は無効になります（もちろん正規の訂正のルールに従って、二重線で消し、○字削除というように付記してもよい）。

また、遺言の全部を取り消したいときは、破り捨ててしまえばOKです。ただし、公正証書遺言の場合、原本は公証役場にありますので、自分が持っている遺言書を破ったり塗りつぶしても取り消したことにはなりませんので注意してください。

Q 複数の遺言が出てきたら?

父の遺産を整理していたら、新たに別の遺言書が出てきました。どちらに従えばよいのですか。

A 基本的には、日付のいちばん新しいものが有効となります。しかし、残りがすべて無効というわけではありません。

たとえば、1通目が不動産の処分についてのみの遺言で、2通目は株式について、3通目はそれ以外の財産についてというように、内容が異なっている場合はすべての遺言が有効になります。しかし、同一財産について異なる受遺者が記載されているなどの矛盾がある場合は、いちばん新しい日付のものが有効です。

内容に矛盾がなくても、作成日の新しい遺言書によって、それ以前の遺言内容のすべて、または一部が撤回か取り消されている場合も同様です。

Q 負担の付いた遺贈を断りたいときは?

兄がなくなり、兄の老妻の生活支援を条件に土地を遺贈するとの遺言がありました。正直いって重荷なのですが、断ることはできますか?

A 遺言者の死後、一定期間内なら自由に遺贈を放棄することができます。それは現金や不動産などの単純な遺贈であろうと、「老後の面倒をみること」などの負担付遺贈であろうと同じです。

財産を具体的に特定した「特定遺贈」の場合は、遺言者の死後、相続人や遺言執行者に通知書を送るなどの意思表示をすればいつでも放棄できます。

遺産の全部、または一定割合を遺贈する「包括遺贈」の場合は、遺言者の死後、遺贈のあることを知った日から3か月以内に家庭裁判所（相続開始地か遺言者の住所地）で放棄の申立てをする必要があります。

第5章

相続のための手続きと遺産分割のしかた

◈

**相続手続きって、なにするの？
遺産はどうやって分ける？
相続はそう何度も経験するものではありませんから、戸惑ってしまうのも当然です。
イザというときに役に立つ、相続手続きの流れと具体的な方法を紹介します。**

イザというとき困らない

相続開始から申告までの手続きガイド

一連の相続手続きの最終目標は、10か月後の相続税の申告・納付です。それまでに、たくさんのことを手際よくこなしていかなければなりません。全体の流れを整理しておきましょう。

相続手続きスケジュール

7日以内

主要な手続き

- 被相続人の死亡（相続開始）
- 死亡届の提出

関連事項

- 通夜・葬儀・初七日
- ◆葬式費用の領収書の整理・保管

3か月以内

主要な手続き

- 遺言書の有無の確認
  - 遺言書があるとき → 検認＊
- 相続人の確定

関連事項

- ◆公共料金の名義変更
- ◆保険会社への連絡
- ＊公正証書遺言は不要。自筆証書遺言は法務局に預けてあれば不要
- 四十九日の法要
- ◆戸籍・除籍謄本の取寄せ

全体の流れをつかんで一つひとつ着実に

人が亡くなるというのは、実際、大変なことです。葬儀社との打合せに始まり、葬儀・法要の手配、納骨、香典返しなど、悲しんでいる暇もないというのが、多くの経験者の実感でしょう。

それらのことと並行し、相続の手続きを進めていかなければなりません。全体の流れを頭に入れ、一つひとつ着実にこなしていくことが肝要です。

相続に関する一連の手続きは、上のスケジュール表の手順で行っていきます。一般的に、相続税の

◆相続開始から申告までの手続きガイド

かからないケースでは承継した財産の名義変更が、相続税のかかるケースでは相続税の申告・納付が最終地点となります。相続税の申告期限は相続開始後10か月以内となっていますので、一連の相続手続きに要する期間は、おおむね10か月程度とみればよいでしょう。

もちろん、手続きがスムーズに進めばもっと早くに終了します。反対に、遺産分割の話し合いがもめたり、相続税を一括で納めることができない場合などは、すべてが終了するまでに数年の年月がかかることもあります。

長期にわたることなので進行管理が難しいと思いますが、手続きのなかには法律で期限の定められたものがあります（スケジュールの赤枠で示したもの）。それをひとつの区切りとし、そのために必要な準備を着々と進めることが手続きをスムーズにするコツです。

相続の手続きは一つひとつに予想以上の時間がかかります。余裕をもって行いたいものです。

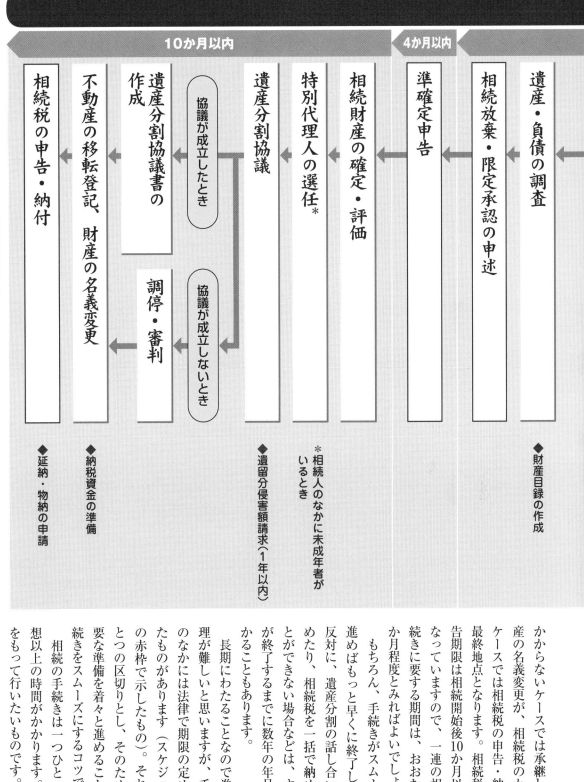

1 相続開始直後の手続き

相続開始
↓
死亡届の提出
↓
葬儀費用の記録
↓
遺言書の有無の確認

すみやかに市区町村へ死亡届を

家族が死亡したときに、まず行わなければならない手続きが**死亡届の提出**です。届出先は故人の本籍地、死亡地、または届出人の住所地のいずれかの市区町村役場で、医師の作成する死亡診断書（または死体検案書）を添付して提出します。

届出の期限は死亡後7日以内となっていますが、死亡届の提出を行わないと火葬や埋葬の許可証をもらえませんので、すみやかに行ってください。

市区町村によっては、同時に国民健康保険証などの返還を求められることもあります。あらかじめ確認するとよいでしょう。

また、死亡診断書は生命保険金を請求する際にも必要になりますので、複数枚もらっておくとよいでしょう。

葬儀にかかった費用を記録しておく

葬儀にかかった費用は一部を除き相続税の計算上、相続財産から控除することができます。申告の際には明細書に内訳を記入して添付しなければなりませんので、記録しておくことが大切です。

親族のなかから出納責任者を決め、通夜・葬儀・告別式を通じての金銭の出入りを管理してもらいます。領収書の保管はもちろん、僧侶へのお布施やお車代、手伝いをしてくれた人への謝礼など、領収書のない支出も忘れずに記録するようにしてください。

相続税の申告の必要がない場合でも、香典の記録・管理がありますので出納責任者は必要です。

香典はその日のうちに開封して金額を確認し、香典リストを作成するようにします。

故人の預金を払い出すには

故人の預金口座が凍結された場合、相続人が生活費などのためにお金を引き出したいときはどうすればよいのでしょうか。

平成28年12月に、判例を変更して、銀行預金を遺産分割の対象とすることを最高裁が示しました。これにともない、相続人全員の合意がない限り、銀行は払戻しに応じないことになってしまい、配偶者など差し当たって必要な生活費の確保などが困難なケースも問題視されていました。

このような現状を考慮し、一定限度の金額までは、遺産分割が済む前であっても故人である被相続人の預貯金を金融機関から引き出しやすくする「払戻し制度」が新設されました。

1つの金融機関ごとに1人が引き出すことができる具体的な上限額は、150万円もしくは、相続開始時の預金残高÷3×法定相続分の低い方の額となります。

仮払いを受けた場合は、その金額分が遺産分割の際に相続額から差し引かれます。

金融機関への連絡も忘れずに

葬儀がすんだら、故人が取引していた銀行などの金融機関へ死亡届を提出します。

死亡届が出されると、また届出がなくても死亡の事実を金融機関が知ったときには、故人の口座は凍結されるため、通常の払出しはできなくなります。電気、ガス、水道などの公共料金の自動引き落としもストップしますので、**公共料金の名義変更**や支払方法の変更手続きをすみやかに済ませておきましょう。

遺言書の有無を確認する

初七日の法要が終わり、一段落ついたら、遺言書がないかどうかを確認します。遺産分割が終わったあとに遺言書が出てくると、手続きをやり直さなければなりません。仏壇の中や銀行の貸金庫など、故人が保管しそうなところを十分に調べましょう。

遺言書が発見され、封がしてあったときは、**勝手に開けてはいけません**。封印のある遺言書は、相続人またはその代理人の立ち会いのもと、**家庭裁判所で開封・検認**を受けることが法律で定められています。

検認は偽造・変造を防ぐために家庭裁判所が遺言書の現況を確認する手続きです。検認を受けるには被相続人の住所地を管轄する家庭裁判所に遺言書を持参し、申立てを行います。勝手に開封した場合、遺言書が無効になることはありませんが過料の処分を受けます。

ただし、公正証書遺言もしくは自筆証書遺言を法務局に預けているケースについては、家庭裁判所を介在させずに遺言書を開封しても法的には問題ありません。

ところで、遺言書に書かれた内容を実現させることを、**遺言の執行**といいます。遺言書に**遺言執行者**（135ページ参照）が指定されている場合は、その者が遺言の執行に必要な一切の権限を持ち、相続財産も遺言執行者が相続人などへ交付する形になります。

遺言に指定がない場合は相続人が協力して遺言を執行することになりますが、必要があれば家庭裁判所に申し立て、遺言執行者を選任してもらうこともできます。

たとえば、相続人のなかに協議を妨害するような人がいるときは、遺言執行者の選任を検討してみるのもひとつの方法です。

遺言執行までの流れ

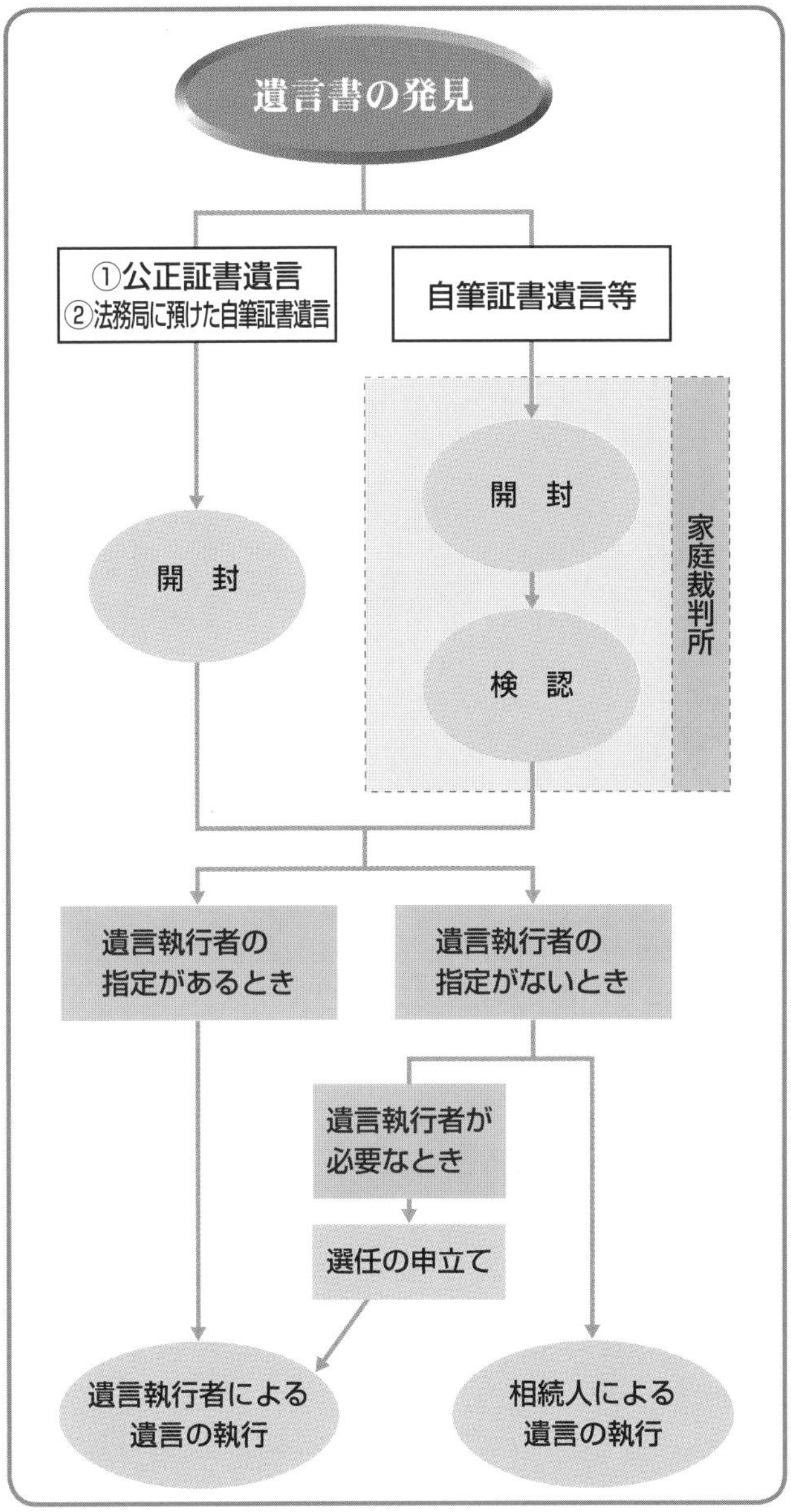

2 相続開始後4か月以内の手続き

相続人の確定
↓
遺産・負債の調査
↓
相続放棄または限定承認
↓
準確定申告

遺産内容を把握し、場合により相続放棄も

四十九日の法要が済むまでは気持ちも落ちつかないかもしれませんが、故人の**遺産の調査**については、なるべく早くに着手するようにしましょう。資産を超える負債があるときは「相続放棄」や「限定承認」をすることによって債務の承継を免れることができます（124ページ参照）。

しかし、手続きのタイムリミットは相続放棄・限定承認とも相続開始後3か月。あまり時間はありません。

●財産目録の作成

遺産の調査にあたっては、故人の資産と負債のすべてを洗い出し、**財産目録**を作成します。

財産目録は、その後の遺産分割協議や相続税の計算の基本資料ともなります。とくに決まった書式はありませんが、下の例のように資産と負債とに分けた一覧にするとよいでしょう。

資産の洗い出しでは、19ページの財産一覧の区分に従って作業を進めると効率的です。さらに土地や建物については、自用地、貸宅地、借地権といった利用の区分ごとに書き出します。これらは、土地や建物の登記識別情報（または権利証）や登記事項証明書、借地・借家契約書などによって確認することが必要です。

なお、名義人が所有している不動産と相続する不動産をすべて把握できる「所有不動産記録証明制度」が新設され、令和8年2月2日に開始されます。

負債は、銀行などからの借入金については残高証明書を取り寄せれば簡単に確認できますが、ほかにも借入金がないか、契約書や借用書などの存在を念入りに調査します。また、営業上の未払金や買掛金、クレジットカードの未払金

財産目録の作成例

	種類	細目	利用区分・数量等	概算評価額	摘要
資産の部	土地	宅地	自用地　330.45㎡ 貸宅地　280.20㎡	56,000,000 16,000,000	○市○町○○ ○市○町○○
	建物	家屋	自用家屋　120.60㎡	3,250,000	○市○町○○
	有価証券	株式	○○電力㈱　2,000株 ○○商事㈱　1,000株	4,800,000 1,500,000	
	預貯金	定期預金	○○銀行○○支店	2,460,000	口座123456
		家財一式		800,000	
			資産合計	89,250,000	
負債の部	借入金	自動車ローン		1,450,000	
	未払金	○○病院未払金		120,000	
			負債合計	1,570,000	
			正味財産額	87,680,000	

など、くれぐれももれのないように調べましょう。

●相続放棄・限定承認の手続き

以上のように相続財産の明細を調べたところ、明らかに資産より負債が多い場合には相続放棄をするとよいでしょう。相続財産が債務超過かどうかわからないときは、限定承認を検討します。限定承認は相続人全員の同意が必要ですので、早急に話し合いを行う必要があります。ひとりでも反対する者がいる場合、債務承継のリスクを避けるためには、個々に相続放棄をするしかありません。

相続放棄または限定承認をする場合は、**自己のための相続開始を知った日から3か月以内に**、被相続人の住所地を管轄する家庭裁判所に申立てを行います。

期限を逸すると、一切の資産と負債を引き継ぐことになりますので注意してください。

法定相続情報証明制度を新設

平成29年より「法定相続情報証明制度」がスタートしています。

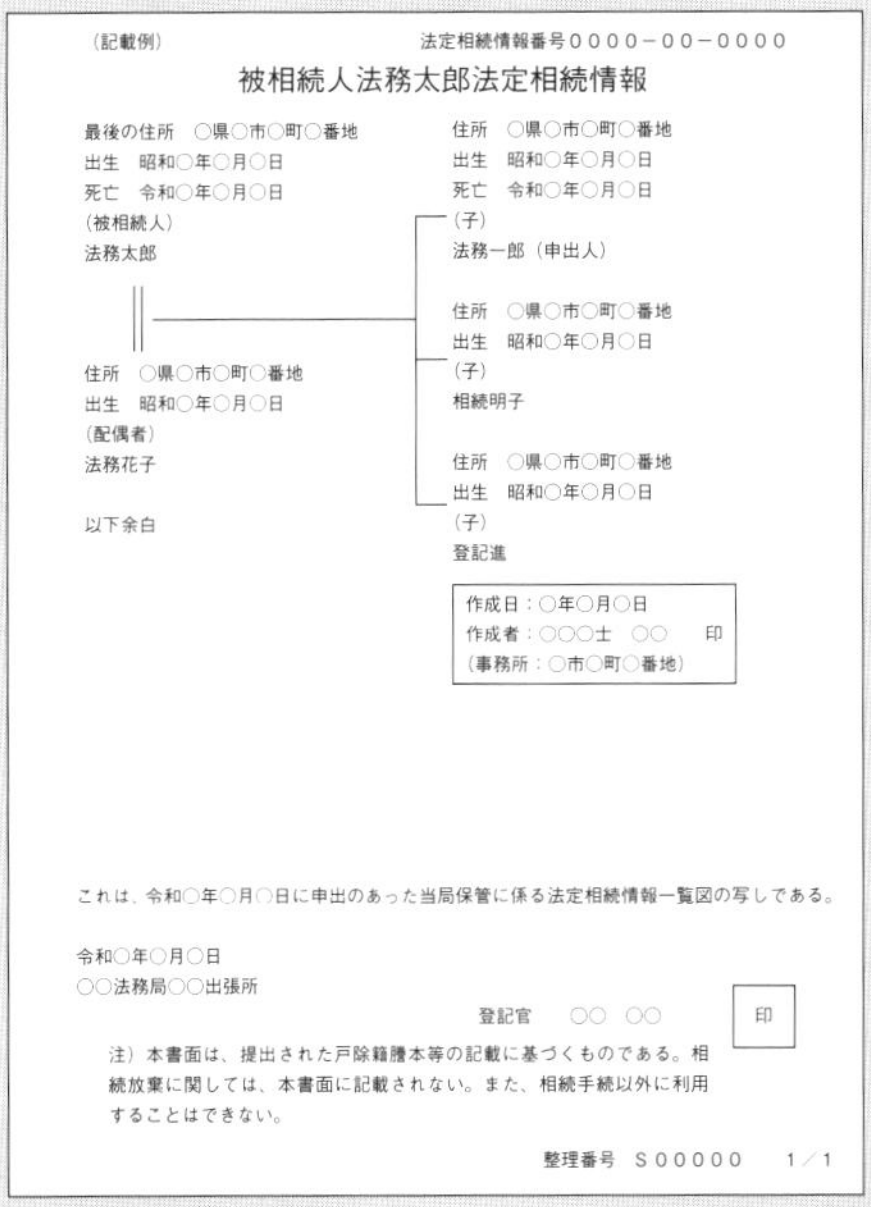
（記載例）　法定相続情報番号0000−00−0000

被相続人法務太郎法定相続情報

最後の住所　〇県〇市〇町〇番地
出生　昭和〇年〇月〇日
死亡　令和〇年〇月〇日
（被相続人）
法務太郎

住所　〇県〇市〇町〇番地
出生　昭和〇年〇月〇日
（配偶者）
法務花子

以下余白

住所　〇県〇市〇町〇番地
出生　昭和〇年〇月〇日
死亡　令和〇年〇月〇日
（子）
法務一郎（申出人）

住所　〇県〇市〇町〇番地
出生　昭和〇年〇月〇日
（子）
相続明子

住所　〇県〇市〇町〇番地
出生　昭和〇年〇月〇日
（子）
登記進

作成日：〇年〇月〇日
作成者：〇〇〇士　〇〇　印
（事務所：〇市〇町〇番地）

これは、令和〇年〇月〇日に申出のあった当局保管に係る法定相続情報一覧図の写しである。

令和〇年〇月〇日
〇〇法務局〇〇出張所

登記官　〇〇　〇〇　印

注）本書面は、提出された戸除籍謄本等の記載に基づくものである。相続放棄に関しては、本書面に記載されない。また、相続手続以外に利用することはできない。

整理番号　S00000　1／1

▲法定相続情報一覧図の写し

法務局に戸除籍謄本等と、相続関係を表した一覧図（法定相続情報一覧図）を提出することで、その一覧図に認証文を付した写しを交付してくれるというものです。相続手続にこの一覧図の写しを使うことで、戸除籍謄本等の束を何度も出し直す必要がなくなるメリットがあります。

相続人を確定するための調査

遺産の調査と並行して、**相続人を確定するための戸籍調査**を行うことも必要です。

たとえば、夫婦と子ども2人という家族で、父親が亡くなったとします。この場合、相続人は当然に「配偶者と2人の子ども」と思いがちですが、そうとはいいきれないのです。父親には前の結婚があって、ほかに子どもがいるかもしれませんし、認知した隠し子がいないとも限りません。しかも、これらのことは相続時の本籍地の戸籍謄本をみてもわからないことがあります。

結論からいうと、相続人を確定するためには、**被相続人が生まれたときから亡くなるまでの連続した戸籍謄本、除籍謄本、改製原戸籍謄本**を取り寄せることが、多くのケースで必要です。これらは相続税の申告時などにも使用しますが、法定相続情報証明制度で謄本提出の煩雑さを軽減させることもできます。

ここで、戸籍のしくみと調査のポイントを整理してみましょう。

●戸籍

戸籍は夫婦と子どもを単位として作られており、本籍地の市区町村に原本が保管されています。

戸籍に記載されている人が死亡したり、婚姻、養子縁組などによってその戸籍から抜け出ると、斜線でその記載が抹消されます。これを除籍といいます。

●除籍簿

戸籍に記載された全員が除籍によって抹消された場合、その戸籍は「除籍」と呼ばれ、除籍簿として別保管されます。したがって、被相続人が最後の除籍者であった場合は「除籍謄本」を取って調べることになります。

●改製原戸籍

戸籍簿はこれまでに何度か改製（作り替え）が行われていますが、改製の際には、すでに除籍されている人の記載事項は転記されません。つまり、改製後の戸籍には婚姻などで除籍されていた子どもの記載がありませんので、古い戸籍（改製原戸籍）も調べる必要があります。近年では昭和32年と平成6年に改製が行われています。

戸籍謄本などの交付手数料

種　類	手数料	備　考
戸籍謄本	1通450円	戸籍の原本の全部の写し
除籍謄本	1通750円	除籍の原本の全部の写し
改製原戸籍謄本	1通750円	改製原戸籍の原本の全部の写し
戸籍附票	1通300円（市区町村により異なる）	その戸籍に載っている人の住所の移動を表したもの

＊戸籍などの原本の一部の写しを「抄本」といいます。相続人確認の際には「抄本」ではなく「謄本」を請求してください

●転籍前の除籍簿の調査

本籍地はいつでも好きな場所に移すことができます。これを転籍といいますが、転籍後の戸籍には、すでに除籍されている人の記載事項は転記されません。したがって、被相続人が本籍を移したことがある場合は、前の本籍地の除籍簿を調べる必要があります。

以上をまとめると、

①被相続人の最後の本籍地の戸籍謄本（または除籍謄本、改製原戸籍謄本）を取る
②その謄本に転籍の記録があれば、前の本籍地で除籍謄本（改製原戸籍謄本）を取る
③さらに転籍の記録があれば②を繰り返す

という手順で、被相続人の子どものころまでさかのぼって追跡すればよいわけです。

戸籍・除籍謄本は、本籍地（または以前の本籍地）の市区町村の戸籍担当窓口で請求するほか、郵送による請求もできます。請求できるのは、原則としてその戸籍に記載されている人や直系親族などで、代理人が請求する場合は本人の委任状が必要です。そのほかに必要な書類などはそれぞれの市区町村役場で確認してください。

所得税の申告も忘れずに

故人に事業収入や不動産収入などの申告すべき所得がある場合は、相続人が代わって所得税の申告をしなければなりません。

通常、所得税の確定申告の期限は毎年3月15日ですが、年の中途で死亡した人については、**相続の開始があったことを知った日の翌日から4か月以内**に申告することが決められています。これを**準確定申告**といいます。

また、被相続人が1月1日から3月15日までの間に前年分の確定申告をしないで死亡した場合は、その分の申告もあわせて行います。たとえば、令和5年の2月10日に死亡したなら、令和4年分と令和5年分の申告を6月10日までに行うということです。

準確定申告は、申告書とその付表に各相続人が連署して、被相続人の住所地の税務署に提出します。もし一緒に申告できない相続人がいる場合は、別々に申告書を提出することになります。

納める税額は、各相続人が相続分に応じて負担しますが、実務的には代表者がまとめて納付してもかまいません。納付した所得税は被相続人の債務として、**相続財産から控除**できます。

反対に、所得税が還付された場合は相続財産に加えます。

なお、一般的なサラリーマン（年収2000万円以下で給与の支払元が1か所）は勤務先が一種の年末調整を行ってくれますので、準確定申告は不要です。ただし、医療費控除などを受けられる場合には、還付のための申告を行うことができます。

3 相続開始後10か月以内の手続き

相続財産の確定と評価
↓
遺産分割協議
↓
財産の名義変更
↓
相続税の申告・納付

遺産分割から相続税申告までの流れ

遺産内容や相続人の調査には相当の労力を費やしますが、これらは相続のメイン手続きともいえる「遺産分割協議」のための下準備にすぎません。

遺産分割協議とは、だれがどの財産を取得するかを決める相続人の話し合いのことです。遺言で遺産分割の方法が指定されている場合は不要ですが、多くのケースで協議が必要になります。

遺産の分割は、いつまでにしなければならないという期限はありません（令和5年4月1日より、相続開始時から10年を経過した後の遺産分割では、一部例外を除いて特別受益と寄与分の主張はできないことになりました）。しかし、相続税の配偶者の税額軽減の適用は遺産の分割が前提となっていますし、小規模宅地等の特例を受けるためには、少なくとも適用を受ける宅地等についての分割が済んでいなければなりません。

相続税の申告期限は相続開始後10か月以内ですので、必然的にそれまでには遺産の分割を済ませておくことになります。

遺産分割協議が無事に終了すれば、あとは財産の名義変更を行い、相続税のかかる人については最終地点である相続税の申告・納付へと進むことになります。

遺産分割協議については162ページ以降、相続税の申告については第6章で詳しく紹介しています。

財産を確定し、評価額を割り出す

遺産分割協議あるいは相続税の申告をするためには、まず相続財産を確定し、評価額を決定することが必要です。

財産の価額は、遺産分割協議においては相続人の話し合いにより適正な価額を決めます（166ページ参照）。ただし、相続税の計算のもとになる財産の価額は、相続税法や国税庁の通達により具体的な評価方法が決められています（20ページ参照）。

遺産調査の際に作成した財産目録をもとに評価に必要な資料を集め、あらためて財産目録を整理するとよいでしょう。

なお、相続税申告用の財産リストは、税務署で所定のものが用意されています。

すみやかに財産の名義変更を

遺産分割協議がととのったら**遺産分割協議書**（１６４ページ参照）を作成し、協議書に従ってそれぞれの財産を取得者の名義に変更します。

名義変更の手続きが必要なおもな財産は下表のとおりです。手続きの期限などはとくに決まっていませんが、いつまでも故人名義のままにしておくのは好ましくありませんし、トラブルのもとにもなります。早いうちに、一気に片づけてしまいましょう。

とくに土地、建物などの不動産については、**所有権移転の登記（相続登記）**が必要です。

悪意を持った第三者（犯罪のプロ、あるいは身内の場合もあります）に勝手に名義を書き換えられるなどの事件も実際に起きています。無用なトラブルを避けるためにも、不動産を取得したらまず登

おもな名義変更手続き一覧

財産の種類	手続内容	手続窓口	必要書類	
			相続人を証明する書類＊	左記以外
不動産	所有権移転登記	不動産の所在地を管轄する登記所（法務局）	○	□登記申請書 □被相続人の戸籍附票など（登記事項証明書の住所と本籍地が異なる場合） □相続人の住民票 □遺産分割協議書（印鑑証明書付き） □固定資産税評価証明書
自動車	移転登録	運輸支局または検査登録事務所	○	□移転登録申請書 □遺産分割協議書（所定のもの） □相続人全員の印鑑証明書 □自動車検査証 □使用の本拠が変わる場合は車庫証明
預貯金	名義変更	預入金融機関	○	□依頼書（各金融機関所定のもの） □通帳、証書 □遺産分割協議書（印鑑証明書付き）
株式	名義書換え	発行会社または証券会社など	○	□株式名義書換請求書 □（株券） □遺産分割協議書（印鑑証明書付き）
電話加入権	名義変更	各ＮＴＴ	——	□加入等承継届出書 □譲渡承認請求書 □被相続人の死亡と承継者が確認できる書類（戸籍謄本など） □遺言による承継の場合は家庭裁判所の検認を受けた遺言書写し
ゴルフ会員権	名義書換え	所属ゴルフ場	○	□相続同意書または遺産分割協議書など（印鑑証明書付き）
借地権、借家権	名義変更	地主、家主	——	契約書の借主名義のみ変更

＊原則として被相続人の出生から死亡までの戸籍・除籍謄本等および相続人全員の戸籍謄本、もしくは「法定相続情報一覧図の写し」（157ページ参照）

記、が鉄則です。

なお、遺産分割協議がととのわず、長く承継者が決まらないこともあります。このような場合は不動産の権利保全のために、とりあえず相続人全員の共有で登記し、遺産分割が済んだらあらためて登記し直すという方法がとられています。

不動産の移転登記のしかた

不動産の登記手続きは、その不動産が所在する地域を管轄する法務局（登記所）で行います。

登記の申請にあたっては、自分で**登記申請書**を作成します（下サンプル参照）。登記申請書は同じものを2部作り、1部を法務局提出用、1部を申請書副本（申請人還付用）とします。

また、登記をするには**登録免許税**がかかります。税額は、相続による移転登記の場合は、不動産の固定資産税評価額の1000分の4、相続人以外の者への遺贈による場合は1000分の20です。必要な金額の収入印紙を台紙に貼り、そのほかの必要書類とともに申請書に添付して提出します。収入印紙は法務局でも販売しています。

登記の審査には数日かかりますので、指定の日に再び法務局に出向いて結果を確認します。とくに問題がなければ、登記完了。登記が完了すると、登記所から「**登記識別情報通知書**」が交付されますので、大切に保管してください。

なお、平成30年度の税制改正により、相続で土地の所有権を取得した者が移転登記を受けないで死亡したケースで、相続人がその死亡した者を登記名義人とするために行う移転登記の登録免許税は免税となります（平成30年4月1日から令和7年3月31日までの間に登記した場合）。

登記申請書の例

登記申請書

登記の目的　所有権移転
原　　因　令和○年３月４日相続
相 続 人　（被相続人　山口太郎）
○○市○○町一丁目２番３号
山　口　花　子 ㊞
ＴＥＬ××-××××-××××
添付書類　登記原因証明情報　申請書副本　住所証明書
登記識別情報通知書の交付を希望します

令和○年×月×日申請

東京法務局○○出張所　御中

課税価格　金28,354,000円
登録免許税　金○○○○円

不動産の表示
所　　在　○○市○○町一丁目
地　　番　23番
地　　目　宅地
地　　積　123.45平方メートル
価格　金25,665,000円
所　　在　○○市○○町一丁目23番地
家屋番号　３番
種　　類　居宅
構　　造　木造瓦葺２階建て
床 面 積　１階　83.40平方メートル
２階　55.35平方メートル
価格　2,689,000円

＊A4の用紙を使用
＊文字は横書き
＊押印は認め印でよい　＊不動産の表示は登記事項証明書どおりに記載する

遺産の分割と遺産分割協議の進め方

遺産の分割とは、共同相続人が承継した財産を、一定の相続分に応じて各相続人に分配することをいいます。一連の相続手続きのなかで、もっとも重要な手続きです。

遺産分割は相続最大のテーマ

もし相続人がひとりなら、遺産の全部を引き継げばよいので話は簡単です。しかし、現実には複数の相続人が存在するケースが大多数。そこで問題になるのが、遺産をどう分けるか、すなわち**遺産分割の方法**です。

だれがどの財産をどのように引き継ぐかは、相続人全員の話し合いで決めることになっています。これが**遺産分割協議**です。

相続人の全員が良識をもって、仲良く話し合いができればいちばんなんです。でも、「泣く泣くもよいほうをとる形見分け」などという川柳があるように、人間、悲しいときにも欲は出てくるもの。多額の遺産となればなおさらです。

こんなときに、手順を無視して強引に財産の分け方を決めてしまったり、遺産の一部を隠したりする不心得な人がいると、たちまち険悪ムードになって、話し合いどころではなくなります。

遺産分割は、相続でもっとも重要で、かつ難しい問題なのです。

遺言はあるけれど……

遺言があり、そこに遺産の分割方法が指定されている場合には、遺産分割協議は不要です。

しかし、遺言にすべての財産についての分割方法が指定されているケースは、むしろ稀でしょう。

「○○の土地と家は妻に」「店舗と○○の株式は長男に」など、おもだった財産の指定はあっても、そのほかの財産をどうするかが問題になります。「自分の取り分がいちばん少ないようだから、残りはもらっておこう」などと、勝手に決めることはできません。分割方法の指定のない財産については、やはり相続人全員の協議によって分け方を決めなければなりません。

また、遺言があっても、「長男の相続分は○分の○、次男の相続分は○分の○」というように相続分の指定しかない場合は、具体的な財産の分け方について、やはり遺産分割協議が必要になります。

遺産分割協議はこうして行う

遺産分割協議を有効に成立させるためには、相続人全員の参加と合意が必要です。

協議には相続人全員が参加する

遺産分割協議を行うにあたっては、まず相続人を確定すること、そして財産を確定することが必要です。

遺産分割協議は、**相続人全員の参加**が大原則です。また、遺言による包括受遺者がいるときは、その者も協議に参加します（以下、相続人というときは包括受遺者を含む）。相続人のひとりでも欠いた遺産分割協議は無効です。

さらに相続人のなかに18歳未満の未成年者がいる場合は、**特別代理人**を選任しておく必要があります。通常、未成年者については親権者が法定代理人として財産管理を行いますが、遺産分割に関しては例外です。たとえば故人の妻と未成年の子どもが相続人の場合、妻と子どもは利益が相反する関係にあるため、妻が子どもの代理人となることはできません。

特別代理人の選任は、親族のなかから適切な人を候補者に立て、子どもの住所地の家庭裁判所に申立てを行います。未成年の子どもが2人いるなら、2人の特別代理人の選任が必要です。

協議の成立には全員の合意が必要

遺産分割の協議は相続人全員で行いますが、必ずしも全員が集まって話し合う必要はありません。とくに支障がなければ、電話やメール、Ｚｏｏｍ等のオンラインツールなどで連絡し合い、協議を進めることも可能です。ただし、協議の成立には全員の合意が必要です。

反対に、全員の合意のもとにいったん協議がととのえば、原則としてやり直しはききません。あとで分割内容に不満が出てきたり、遺留分より少なかったことに気づいたとしても、やり直しを主張することはできませんので注意が必要です。

全員の合意により協議が成立したときは、それを証する「**遺産分割協議書**」を作成します。

遺産分割協議書は、後日不動産の登記や銀行預金などの名義変更をする際に必要です。また相続税の配偶者の税額軽減を受ける場合の添付書類となりますので、必ず作成しましょう。

遺産分割協議書の作成のしかた

遺産分割協議書には、とくに決まった書式はありません。パソコンでも手書きでもよく、縦書き・

遺産分割協議の進め方

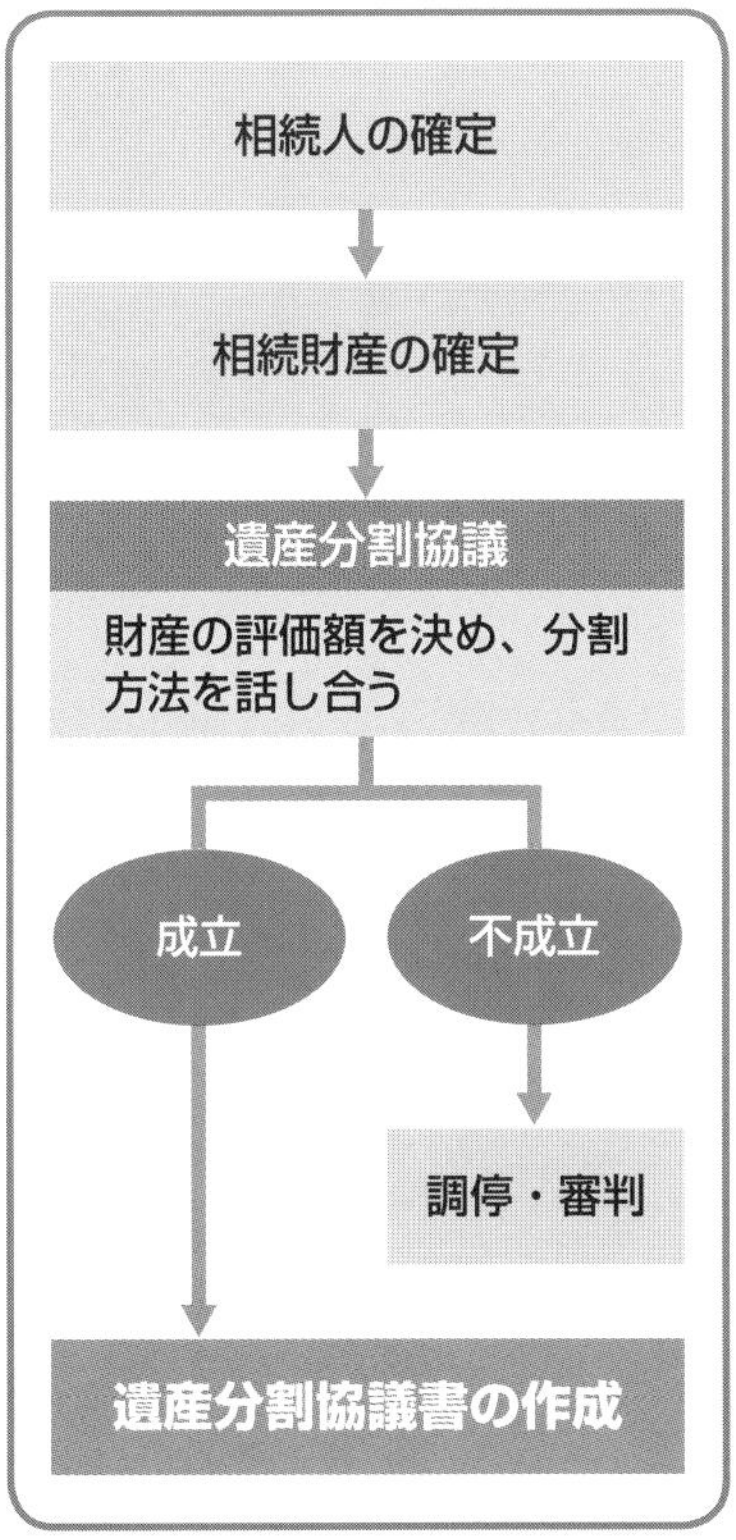

遺産分割協議書の作成例

遺産分割協議書

被相続人山口太郎（令和○年3月4日死亡）の遺産について相続人全員が分割協議を行った結果、各相続人は次のとおり遺産を分割取得することに決定した。

1．相続人山口花子が取得する財産
(1)神奈川県○○市○○町1丁目2番
宅地　123.45平方メートル
(2)同所同番地　家屋番号3番
木造瓦葺2階建て居宅1棟
床面積　1階83.45平方メートル　2階55.35平方メートル
(3)家財一式
(4)預金　○○銀行○○支店　定期預金　口座番号1234567
××銀行××支店　普通預金　口座番号7654321
2．相続人山口一郎が取得する財産
(1)有価証券　山口電機株式会社株式　350株
××証券××支店取扱　○○電力株式　2,000株
(2)預金　○○銀行○○支店　定期預金　口座番号556677
(3)ゴルフ会員権　○○カントリークラブ　M3-123
3．相続人西田友子が取得する財産
金銭　12,000,000円
4．相続人山口一郎が承継する債務
○○銀行○○支店借入金　2,000,000円
5．相続人山口花子は1に掲げる財産を取得する代償として、相続人西田友子に対して3に掲げる金銭12,000,000円を支払うものとする。

以上のとおり、相続人全員による遺産分割協議が成立したので、これを証するため、本書3通を作成し、記名押印のうえ、各自が1通ずつ所持する。

令和○年8月1日

神奈川県○○市○○町1丁目2番3号
相続人　山 口 花 子　㊞
神奈川県○○市○○町1丁目2番3号
相続人　山 口 一 郎　㊞
東京都○○区○○2丁目3番4号
相続人　西 田 友 子　㊞

財産を特定できるように記す

債務の承継者を記載しておく

代償分割（左ページ参照）があったときは内容を明記する

住民票や印鑑証明の記載と一致

印鑑は実印を使用

横書きを問いません。

重要なのは書式でなく、中身です。協議書を作成する目的は、端的にいってしまえば名義変更などの手続きの際に相手方に示す証明とすること。したがって、作成にあたって注意すべきポイントは、次の2点に集約されます。

①だれがどの財産を取得したのかが明確にわかること

②その分割協議が相続人全員の合意により適正に成立したことが証明されること

①については、不動産なら所在地や面積など、預貯金なら銀行支店名や口座番号などを正確に記入して、財産が特定できるようにします。

②については、相続人の住所・氏名を住民票どおりに正確に記載し、全員が署名（または記名）押印すること。印鑑は必ず市区町村役場に届け出た**実印**を使用してください。遺産分割協議書は、常に**印鑑証明書**とセットで使用することになります。

上手な遺産分割のポイントとは?

スムーズに遺産を分けるために必要なのは、分割のテクニックと、相手を思いやる気持ちです。

遺産分割には4つの方法がある

遺産がすべて現金や預貯金なら、頭を悩ませずとも相続分どおり簡単に分割することができます。しかし、現実には遺産の多くは宅地であったり、農地であったり、家であったりして、一筋縄ではいきません。そこで、相続人全員が納得できるよう、できるだけ公平に遺産を分けるテクニックが必要になってきます。

遺産の具体的な分割方法には、おもに次の4つがあります。これらの方法をうまく使い分けて遺産を分割することになります。

①現物分割

財産をそのままの形で分割する方法です。たとえば、自宅の土地と建物は長男に、株式と預金は次男に、という具合です。

遺産分割の原則的な方法ですが、財産の価額には格差がありますので、この方法だけでは相続分どおりに分割するのは難しいといえます。

②換価分割

財産を売却し、金銭にして分割する方法です。公平な分割が可能ですが、事業用資産など処分できない財産には使えません。また、売却益に対して譲渡所得税がかかります。

③代償分割

相続人のひとりが財産の全部あるいは価額の高い財産を取得する代わりに、ほかの相続人に対して相続分を超える部分の対価を支払うという方法です。

たとえば、1億円の住宅店舗と2000万円の預金があり、長男

4つの分割方法の特徴

	現物分割	換価分割	代償分割	共有とする分割
内容	財産の一つひとつをそのまま各相続人に分配する方法	財産を売却し、金銭にして分割する方法	相続人のひとりが財産を取得し、ほかの相続人に対価を支払う方法	各相続人の持ち分を定めて共有にする方法
長所	●わかりやすい ●売却などの手間がかからない	●公平な遺産分割が可能 ●現物分割の補充方法として有効	●農地や商店など分割しにくい財産に有効 ●現物分割の補充方法として有効	●公平な遺産分割が可能
短所	●相続分どおりに分配するのは困難	●現物が残らない ●売却の手間とコストがかかる	●代償できる資力のある相続人でないと難しい	●財産利用の自由度が著しく低下 ●共有者に相続が起こると、ますます共有者が増えて複雑に
課税*	課税されない	譲渡益に対して所得税と住民税が課税される	金銭払い以外は譲渡益に対して所得税と住民税が課税される	課税されない

＊相続税以外の課税関係

と次男の2人が相続人とします。兄弟の相続分はそれぞれ6000万円です。この場合、長男が住宅店舗、次男が預金を相続し、長男が次男に対して4000万円を支払えば帳尻が合います。

　このように、代償分割は事業用資産などの分割しにくい財産の対処法としてよく用いられますが、支払者に相応の資力があることが前提となります。

　対価の支払いは金銭で支払う方法のほかに、その相続人がもともと保有していた不動産や株などの現物を交付する形もあります。ただし、この場合は譲渡所得税がかかるので注意が必要です。

④共有とする分割

　各相続人の持ち分を定めて、共有で所有する方法です。不動産などを公平に分割するには手軽な方法ですが、共有者全員の合意がなければ売却できないなどの制約があり、のちにトラブルを生む可能性があります。

　なお、令和5年4月1日より、遺産共有と通常共有とが併存する場合、相続開始時から10年を経過したときは、相続人から異議等がなければ、共有持分の分割が裁判所の共有物分割訴訟だけでできるようになりました。

遺産分割ではこんな点に注意しよう

　遺産分割の協議をするうえで、とくに問題になりやすい財産や注意点などをあげてみます。

●財産をどう評価する?

　遺産を相続分に従って分けるためには、すべての財産の評価額を決めなければなりません。

　遺産分割の際の財産の評価は、原則として分割協議をする時点での時価（実勢価格）とします。価額は相続人の話し合いで決めればよく、税務上の評価方法のような法律の決まりはありません。

　ただ、相続税を申告するケースでは、財産の価額が二重にあるといろいろとやりにくい面も出てきます。とくに異論が出なければ、相続税評価額をベースにして分割協議をしてもかまいません。

●不動産の価額はいくら?

　通常、遺産の大部分を占めるのが不動産ですので、この価額をどう評価するかがいちばんの問題になります。

　正確な価額を割り出したい場合は不動産鑑定士に依頼しますが、相応の費用がかかります。そこまでする必要がなければ、各人が資料などを持ち寄って、納得できる価額を決めます。地元の不動産業者に相場を尋ねてみるのもよい方法です。

　また、最近は地価の下落により相続税評価額（路線価など）と実勢価格の格差が小さくなっていますので、これを評価額とするケースも多いようです。

●生命保険金は相続財産?

　特定の相続人（または相続人以外の人）が受取人になっている生命保険金の請求権は、その受取人固有の権利です。したがって、遺産分割の対象にはなりません。

住宅ローンは保険で返済される

銀行や住宅金融支援機構で住宅ローンを組む際には、通常、団体信用生命保険に加入します。この場合、被保険者（住宅ローンの債務者）が死亡すると残りのローンは保険金で返済されますので、遺族に債務が残されることはありません。

　ただし、相続人が受け取る保険金は、特別受益（128ページ参照）にあたるとするのが多くの判例です。つまり、受け取った保険金の分だけ相続分から差し引かれるということです。

　なお、被相続人が受取人である保険金は相続財産ですので、遺産分割の対象になります。

●債務はだれが負担する?

　債務は相続人全員が相続分に応じて負担します。法的には分割協議の必要もありません。

　しかし実務上は、たとえば事業

のための借入金なら事業を承継した人が引き継ぐのが現実的です。また、車のローンが残っていれば、車の取得者がローンの返済をするというのが一般的でしょう。だれが実際に債務を履行するのか明確にしておくことが大切です。

形見分けは慎重に……

四十九日が過ぎたころに行われる形見分け。故人が身につけていた衣服などを思い出の品として分けるのですが、こんなごくふつうの光景が〝争族〟の引き金になることがあります。きょうだいのうちひとりだけフライングで時計をもらったりすると、ほかのきょうだいは面白くありません。そればかりか「もらったのは時計だけ？」などという疑念も生じてきます。

形見分けは、家族みんながそろったところで公明正大に行うのが原則。たかが形見分けとあなどることはできません。

ただし、相続人の間でこのような取決めをしても、債権者に対抗することはできません。たとえば、債務を引き受けた相続人の返済が滞った場合、債権者はほかの相続人に対して相続分に応じた返済を請求することができます。

借金を一部の相続人に押しつけてあとは知らんぷり、というわけにはいかないのです。

円満に遺産を分ける秘訣とは？

遺産分けで争いたくないのはだれもが同じはず。それでも現実に〝争族〟は起こっています。

それぞれの相続人がどんな姿勢で臨んだらよいのか、スムーズに協議を進めるための4つのポイントをあげてみます。

1 法定相続分を尊重する

全員の合意があれば法定相続分（または指定相続分）と異なった分割でもかまいませんが、それは法定相続分をはなから無視してよいということではありません。

法定相続分は公平に遺産を分割するための基準です。相続人それぞれの思惑が暴走しないよう、これをひとつの「たが」とし、良識をもって協議を進めましょう。

2 相続分にこだわりすぎない

前述の1と矛盾するようですが、相続分きっちりの分割にこだわりすぎると、なかなか話は進みません。多少のデコボコは大目にみるくらいの寛容さがあったほうが、協議はスムーズに進みます（もちろん強制はいけません）。

取得財産の格差が大きいときは、代償分割の方法を利用して適宜調整するとよいでしょう。

3 各人の事情を考慮する

たとえば、農地をバラバラに分割してしまったり、唯一の財産である商店を売却してしまっては、後継者の生活は成り立ちません。代償分割で解決できればよいのですが、それに見合う金銭を一度に支払えない場合もあります。

こんなときは、たとえば代償金を分割払いにしたり、ほかの相続人がそれぞれの相続分を多少譲歩するなど、みんなで知恵を出し合って解決の糸口をみつけましょう。

相手の立場を思いやることが、円満な遺産分割とするためにいちばん大切なことです。

4 相続税を考慮する

遺産分割では、相続税とのからみを無視することはできません。全体として税負担が軽くなる分割方法（たとえば配偶者の税額軽減の活用）や、各人が納税資金を確保できるような財産の分配、さらには二次相続までを考慮した分割が必要です。これらのことは、やはり税理士などの専門家に相談するのがよいでしょう。

納税のために取得財産を売却しなければならない相続人が出るときは、その売却費用や譲渡所得税などの負担分を考慮することも必要です。

遺産分割協議がまとまらないときは？

協議がまとまらないときは、家庭裁判所の調停・審判で分割方法を決めることになります。

家庭裁判所の調停・審判で解決へ

相続人同士の話し合いで遺産を分割できれば理想的です。しかし、意見が割れてどうしても協議がまとまらなかったり、つむじを曲げた相続人が話し合いに参加しようとせず、協議自体ができないこともあります。

このようなときは家庭裁判所の力を借りて、**調停**や**審判**で遺産を分割することになります。調停による遺産の分割を「**調停分割**」、審判による場合を「**審判分割**」といいます。

全体の流れとしては、まず調停の申立てを行い、話し合いによる解決を目指します。この段階で共同相続人の合意が得られれば、無事、調停の成立です。合意が得られず調停が不調に終わったときは、自動的に審判に移行することになります。

法律の建て前では調停を経ずに審判の申立てを行うことも可能ですが、通常は調停が先行することになります。

調停はこんなふうに行われる

調停の申立てはひとりでも数人でもでき、相手方の住所地を管轄する家庭裁判所で行います。家庭裁判所には無料の家事相談室（195ページ参照）が設けられていますので、そこで詳しい手続方法や必要書類などを教えてもらうとよいでしょう。

調停は、審判官と2人以上の調停委員からなる調停委員会の立ち会いのもとに行われます。

調停委員会では、まず各相続人の主張を聞き、必要に応じて事実調査をしたうえで、妥当な線で話し合いがまとまるよう方向性を示したり、アドバイスを行います。調停はあくまでも当事者同士の話し合いが基本ですので、調停委員が分割方法を強制することはありません。

話し合いが成立すると、その合意内容を記した「**調停調書**」が作成されます。調停調書には確定判決と同じ効力があり、これにもとづいて遺産の分割を行うことになります。

調停が不調のときは裁判所が決定する

調停で話し合いがまとまらないときは、審判に移されます。

審判官は当事者の主張を受け、証拠調べをし、財産の種類や性質、各相続人の職業その他の一切の事情を考慮したうえで分割方法を決め、審判を下します。審判には法的強制力があり、その内容に従って遺産を分割することになります。

この審判の内容に不服があるときは2週間以内に「即時抗告」の申立てを行い、高等裁判所で争うことになります。

泥沼化する前に調停を活用しよう

「裁判所」と名がつくと、ドラマの法廷シーンなどが思い浮かんで二の足を踏んでしまうかもしれませんが、調停はあくまでも話し合い。調停委員も民間から選ばれた人で、「人生経験の豊かなアドバイザー」といったところです。

身内での話し合いがいったんも

遺産分割に関する紛争解決の流れ

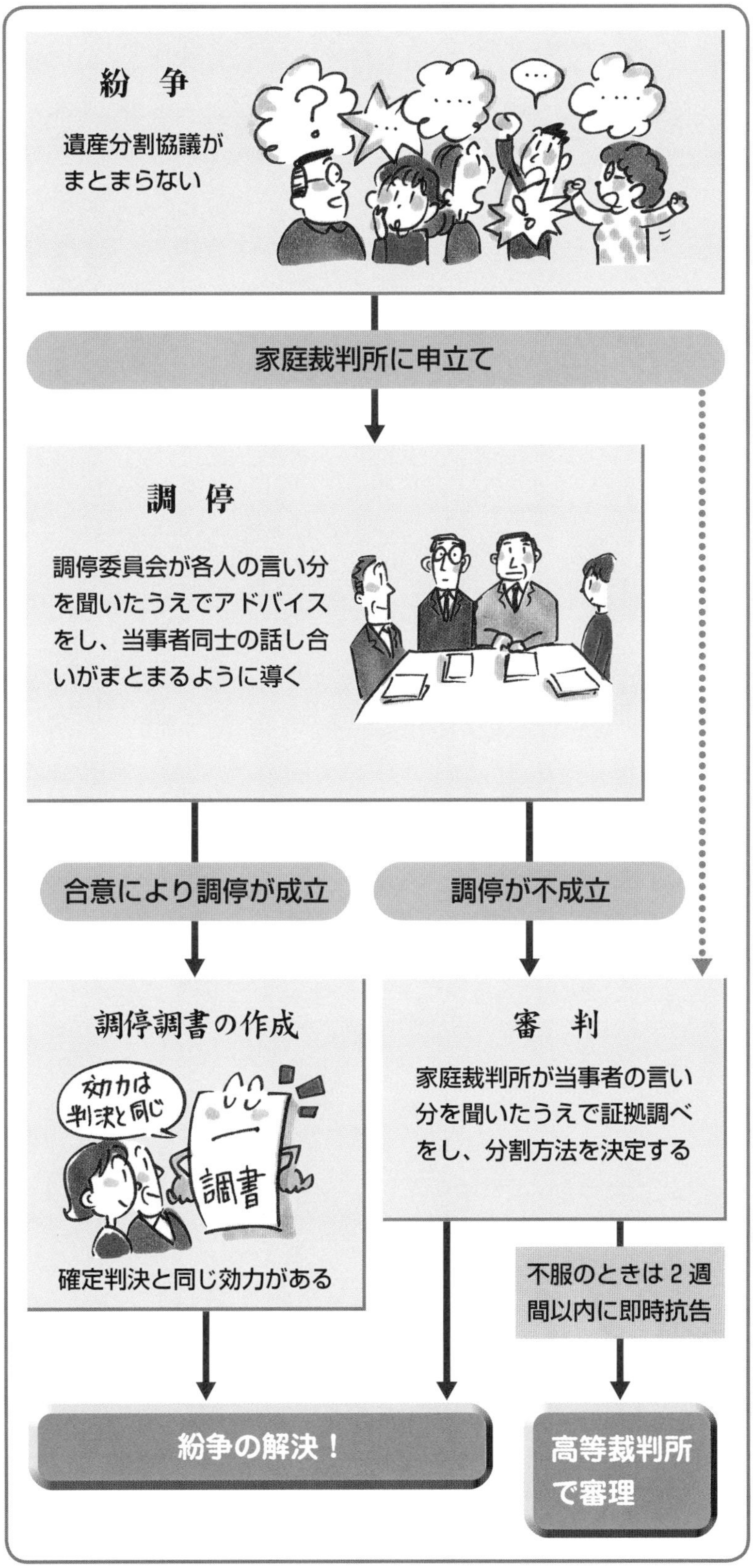

紛　争
遺産分割協議がまとまらない
家庭裁判所に申立て
調　停
調停委員会が各人の言い分を聞いたうえでアドバイスをし、当事者同士の話し合いがまとまるように導く
合意により調停が成立
調停が不成立
調停調書の作成
効力は判決と同じ
調書
確定判決と同じ効力がある
審　判
家庭裁判所が当事者の言い分を聞いたうえで証拠調べをし、分割方法を決定する
不服のときは２週間以内に即時抗告
紛争の解決！
高等裁判所で審理

めると、感情的な口論に発展し、どうにも収拾がつかなくなるものです。状況が決定的にこじれる前に、積極的に調停を活用するのがよいでしょう。第三者が間に入ったことで冷静さを取り戻し、意外とスムーズに紛争解決の糸口がみつかることがあります。

世間体を気にする人もいますが、調停・審判とも非公開で行われますので、紛争内容が外にもれることはありません。

また、弁護士を立てる必要はありませんので、費用もそれほどかかりません。必ずかかる費用は、調停の申立書に貼る収入印紙代1200円と、連絡用の切手代2000円程度。ケースにより、ほかに鑑定などの費用負担が必要になることもあります。

なお、遺産分割協議には期限がありませんが、民法改正で相続開始後10年が経つと、特別受益や寄与分の主張ができなくなりました(令和5年4月1日施行)。よって、正当な協議を行うのであれば10年以内に手続きを済ますのが望ましいことになります。

遺産分割のココが知りたい！ Q&A

Q あとから相続人が現れたら？

父の相続があり、遺産の分割も無事に終わりました。しかし、その後に父の子どもだと名のる人物が現れ、古い戸籍を調べたら確かに父が認知した子でした。こんなときどうすればよいのでしょうか。

A 認知された子の存在を知らなかったとしても、相続人全員の参加しない遺産分割協議は無効です。したがって、この場合は分割協議をやり直さなければなりません。

なお、分割協議の時点で認知されていない子が、その後、本人の請求によって認知が認められる場合があります。このようなときは協議のやり直しはせず、相続分に応じた価額の支払いをすればよいことになっています。

Q 遺言どおりに分けなくてもよい？

父が亡くなり、財産の大半を私に相続させるとの遺言書がありました。相続人は私のほか2人の妹で、私としては3人平等に遺産を分けたいと思っています。遺言どおりにしないといけないのでしょうか。

A 故人の意思は尊重されるべきですが、相続人全員の合意があれば、遺言と異なった分割をすることは可能です。罰則などもありません。

しかし、もし妹さんのうちひとりでも遺言どおりの分割を希望したときは、遺言に従って遺産分けをすることになります。

Q 遺留分を侵害されたときは？

父の葬儀のあとに遺言書が出てきて、すべての財産を長男である兄に相続させるとありました。相続人は兄と私と弟の3人です。私と弟には遺留分があるはずですが、どのような手続きをすればよいのですか。

A あなたと弟さんには、それぞれ6分の1の遺留分がありますので、それぞれがお兄さんに対して遺留分侵害額請求を行うことができます。

請求の方式にとくに決まりはなく、意思表示をすればよいことになっています。お兄さんに遺産の6分の1の金額を渡して欲しい旨を伝え、あとは話し合って、相当額の金銭を支払ってもらいます。

しかし、もしお兄さんがノラリクラリとはぐらかすようなら、内容証明郵便を出したほうがよいでしょう。侵害額請求は、相続発生後、遺留分の侵害を知ってから1年以内に行わないと権利が消滅してしまいます。あいまいなまま1年が過ぎ、言った言わないの水掛け論にならないよう、請求の証拠を残しておきます。

それでもお兄さんが応じないときは、家庭裁判所へ調停の申立てを行うことになります。

なお、侵害額請求権を行使するかしないかは自由ですので、弟さんが請求しないというなら、足並みをそろえる必要はありません。

Q あとから遺産が出てきたら？

父親の遺産分けが終わったあとに、ほかに温泉付きの土地があることがわかりました。できれば取得した財産の代わりにこの土地が欲しいのですが、協

議をやり直すことはできますか。

A いちど有効に成立した遺産分割協議は、原則としてやり直すことはできません。新たに財産が発見された場合には、その財産について別に協議をすることになります。

ただし、その財産が重要なものであるときは、当初の遺産分割協議に重大な瑕疵《かし》（欠陥）があったとし、無効を主張できる場合があります。質問のケースでは、錯誤による分割協議として無効を主張し、やり直しができるものと思われます。あなたがその土地を取得できるかどうかは、話し合いによります。

Q お墓はだれが引き継ぐ？

長男夫婦が実家の両親と同居していましたが、嫁姑の折合いが悪く、結局、兄夫婦は家を出てしまいました。父は自分が死んだら家も墓も次男の私に相続させるといっています。家はともかく、お墓はやはり本家筋の長男が受け継ぐべきものではないでしょうか。

A お墓や祭具、家系図などは祭祀財産と呼ばれ、一般の相続財産とは別に承継されます。民法によると「慣習に従って祖先の祭祀を主宰すべき者」が承継することになっており、また、現承継者が次の承継者を指定できることになっています。

したがって、父親があなたを承継者に指定している以上、あなたがお墓を引き継ぐことに問題はありません。

もっとも、あなたはこれを拒否することもできます。その場合は話し合いになりますが、話し合いで決まらないときは、最終的には家庭裁判所が決定することになります。

Q 遺産分けは済んでいるといわれたが……

以前の父親の相続のとき、他家に嫁いでいる私と妹はわずかな現金をもらい、遺産のほとんどは母と、同居の弟が相続しました。今回、母親が亡くなったのですが、弟は父親のときに遺産分けは済んでいるので、今回は分けるつもりはないといいます。なんだか納得できません。

A 父親の相続と今回の母親の相続は、基本的には別の話です。また、弟さんがお母さんと同居していたとはいえ、お母さんの財産の処分を勝手に決めることはできません。遺言がなければ、あなたと弟、妹の3人で均等に分けるのが原則ですので、よく話し合ってください。

もし、弟さんが話し合いに応じなければ、関係が悪化する前に家庭裁判所の調停を活用されるのがよいと思います。

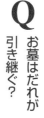

ほかにもこんな手続きが必要です！

生命保険金の請求

故人が被保険者となっていた生命保険があるときは、保険会社に連絡して保険金請求の手続きをしましょう。

なお、生命保険金は相続放棄をした人でも受け取ることができます（被保険者が受取人の場合を除く）。

【手続窓口】

生命保険会社（電話で連絡）

【必要書類】

●所定の請求書
●死亡診断書
●保険証券　など

葬祭費（国民健康保険）の請求

国民健康保険に加入していた人が亡くなると「葬祭費」が支給されます。金額は市区町村により異なり、数万～7万円程度となっています。

【手続窓口】

市区町村の保険年金課

【必要書類】

●国民健康保険証
●葬儀の領収書
●銀行の口座番号控え　など

埋葬料（健康保険）の請求

健康保険の被保険者（退職後3か月以内の人を含む）が亡くなると、埋葬を行った家族に「埋葬料」が支給されます。また、被保険者の扶養家族が亡くなったときは「家族埋葬料」が支給されます。

支給額は一律5万円です。

【手続窓口】

▼在職中の死亡の場合……会社で手続きしてもらう
▼退職後の死亡の場合……住所地の全国健康保険協会（組合健保の被保険者は健康保険組合）

【必要書類】

●埋葬料領収書
●健康保険証
●死亡診断書　など

遺族年金の裁定請求

国民年金や厚生年金の被保険者で保険料納付要件を満たしている人や、老齢年金の受給資格を満たしている人などが亡くなったときは、遺族年金が支給されます。

【保険料納付要件】

死亡月の前々月までに被保険者期間の3分の2以上保険料を納めていること。

【受給できる遺族の範囲】

故人に生計を維持されていた次の人です。

●遺族基礎年金（国民年金）……子のいる妻または子

●遺族厚生年金……妻、55歳以上の夫、子、その他の遺族（子のいる妻または子は遺族基礎年金＋遺族厚生年金を受給できる）

※子とは、18歳になり最初の3月31日を迎えていない子（子が一定の障害者の場合は20歳未満）を指します。

【手続窓口】

▼国民年金のみ受ける場合……市区町村の年金保険課
▼厚生年金の加入者が死亡の場合……会社の所在地の年金事務所
▼厚生年金の受給者が死亡の場合……住所地の年金事務所

【必要書類】

●裁定請求書（備付け）
●死亡した人の年金手帳または基礎年金番号通知書
●身分関係を明らかにできる戸籍謄本
●死亡診断書　など

第6章

贈与税・相続税の申告と納付

◆

相続に関する一連の手続きのツメともいえるのが、相続税の申告と納付です。申告書作成などの実務は税理士に依頼するとしても、申告の方法や必要書類の準備など、最低限おさえておきたいことがあります。

また、納税対策を考えるうえで物納や延納の知識も不可欠です。

贈与税

一定の贈与を受けた人は申告を

年間の贈与額が110万円を超える人や、相続時精算課税を選択する人は、申告が必要です。

暦年課税の贈与税の申告方法は？

相続税対策のひとつとして生前贈与が広く行われていますが、贈与税の申告が必要な人は忘れずに手続きをしましょう。

贈与税については、暦年課税と相続時精算課税の2通りの課税方式があります。制度の内容をよく理解して、間違いのないようにしましょう（相続時精算課税制度についての詳細は60ページ参照）。

相続時精算課税を選択しない人は、暦年課税になります。この場合、1月1日から12月31日までの1年間に贈与された財産の合計額が**基礎控除の110万円を超えるときは申告**しなければなりません。贈与額が110万円以下なら申告不要です。

また、次の特例を受ける人は、納付税額がない場合でも申告が必要です。必ず期限内に申告書を提出しましょう。

●**贈与税の配偶者控除**……夫婦間で居住用財産などを贈与したときの2000万円の控除（58ページ参照）

●**住宅取得等資金の贈与に係る非課税措置**……一定の家屋の新築や取得、または増改築工事のため、直系尊属から資金の贈与を受けた場合、一定額（令和6年1月1日から令和8年12月31日までは、最大1000万円）を非課税とする（詳しくは68ページ参照）

申告は贈与を受けた人が行います。申告期間は、贈与を受けた年の**翌年2月1日から3月15日まで**。贈与を受けた人の住所地を管轄す

暦年課税の贈与税の計算方法

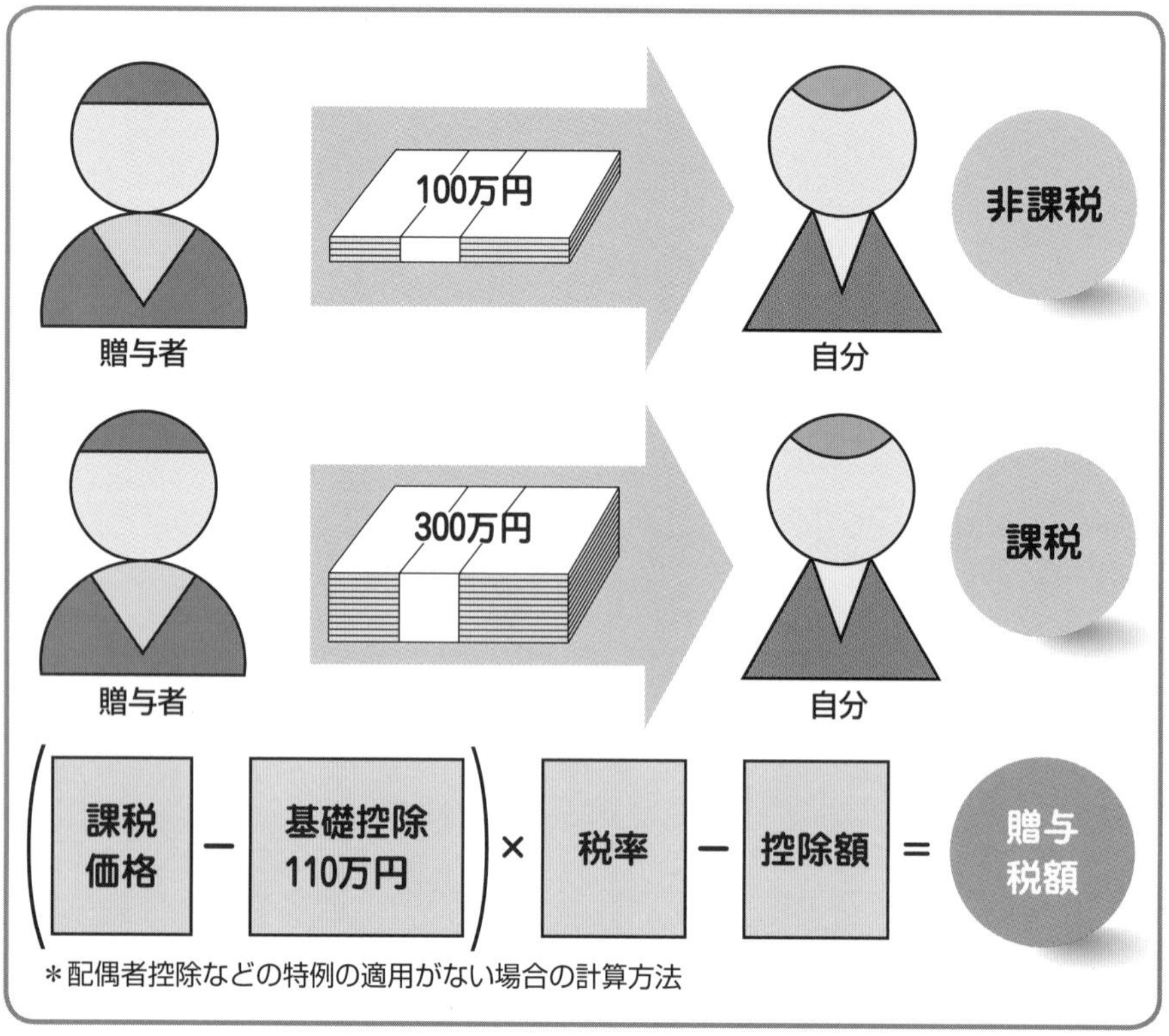

＊配偶者控除などの特例の適用がない場合の計算方法

る税務署に申告書を提出します。

相続時精算課税制度を選択する人は？

「相続時精算課税制度」の対象となる贈与を受け、この制度を選択することにした人は、**選択する旨の「届出書」を贈与税の申告書とともに税務署に提出します。**

届出の期間は、対象となる贈与を受けた年の**翌年2月1日から3月15日まで**。届出書は贈与者（父母または祖父母）ごとに提出する必要があります。

いったん相続時精算課税制度を選択すると、届出書に記載された贈与者からの贈与については、その贈与者が死亡するまで当制度の適用が継続されます（選択は撤回できない）。したがって、届出をした年分以降は、**その贈与者から贈与された、基礎控除110万円超のすべての財産についての申告が必要になります。**

申告期間は贈与を受けた年の翌年2月1日から3月15日まで。もし期限内に申告しなかった場合は特別控除を受けることができませんので注意してください。

なお、相続時精算課税を選択した人でも、届出をした贈与者（父母または祖父母）以外の人からの贈与については、暦年課税の贈与税がかかります。基礎控除（110万円）を超えるときは申告を忘れないようにしましょう。

納税の方法と延納制度

税金の納付期限は、暦年課税・相続時精算課税のいずれの場合も申告期限と同じ翌年の3月15日です。税務署のほか、金融機関や郵便局の窓口で納付します。

一度に多額の贈与税を納めることが難しいときには、**延納**という制度が設けられています。これは次の3つの要件を満たせば、最長5年間までの延納期間が認められるというものです。

①贈与税額が10万円を超えている
②金銭で一度に納めるのが難しい理由がある
③担保（公社債、株式、不動産など）を提供すること。ただし延納税額が100万円未満かつ延納期間が3年以下の場合は不要

延納を受けたい人は、納付期限までに延納申請書を税務署に提出します。なお、延納期間中には、延納する税額に対して利子税がかかります。

こんな財産が課税対象になる

贈与税は、現金をはじめ、土地、建物、有価証券、事業用資金、預貯金など、金銭に見積もることができるすべての財産の贈与にかかります。

また、実際に財産を贈られていなくても、同等の経済的利益を受けたときは贈与があったものとみなされ、贈与税の課税対象となります（みなし贈与財産）。たとえば、次のような場合です。

①保険料の負担者以外の人が保険金を受け取った場合
②掛金の負担者以外の人が定期金（年金）の給付を受けた場合
③借金を免除してもらったり肩代わりしてもらった場合
④著しく低い価額で財産を譲り受けた場合
⑤その他の経済的利益

反対に、以下のような財産については、財産の性質や贈与の目的などから、原則として課税されないことになっています。

①法人から贈与された財産
②夫婦や親子、兄弟姉妹など扶養義務者から生活費や教育費にあてるため取得した財産
③公益を目的とする事業を行う人が取得した財産で、その公益事業に使われるもの
④年末年始の贈答、香典、お見舞いなど、社会通念として相当と認められるもの

相続税

相続税の申告のしかた

申告期間は相続が開始した日の翌日から10か月。共同相続人の連名で申告書を提出します。

だれが、いつ、どこに申告するのか？

相続や遺贈によって財産を取得した人で、遺産の総額（課税価格の合計額）が基礎控除額を超えている場合は、相続税の申告を行う必要があります。

また、配偶者に対する税額軽減の特例を受ける場合にも、相続税の申告が必要です。特例の適用によって相続税額がゼロになる場合でも、その配偶者は申告書を提出しなければなりません。

相続税の申告は、相続の開始を知った日（通常は被相続人の死亡日）の翌日から10か月以内に行うことになっています。たとえば、被相続人の死亡日が1月8日であれば、その年の11月8日が申告期限となります。

もし、期限内に申告をしなかったり、実際にもらった財産の額よりも少なく申告していた場合には、あとで加算税などが課せられますので、注意が必要です。

申告は、相続によって財産を取得した人が行わなければなりませんが、相続人が2人以上いる場合などは、それぞれが別々に申告書を提出する必要はありません。1通の申告書に財産を取得した人全員が署名・捺印し、その下に各自の納税額を計算して記載すればよいのです。

申告書の提出先は、被相続人が死亡したときに住んでいた住所地を管轄する税務署です。財産を相続した人の住所地ではありません。たとえば、相続人がそれぞれ大阪と名古屋に住んでいたとしても、被相続人の住所地が東京にあった場合には、全員が東京で申告することになります。

納付の期限は申告期限と同じ

相続税の納付期限は、申告の期限と同じです。つまり、被相続人の死亡日の翌日から10か月以内に納めなければなりません。納付は相続人全員がまとめて行う必要はなく、それぞれが申告にもとづいて、個別に行えばよいことになっています。

なお、納付先は税務署のほか、最寄りの銀行や郵便局などの窓口でも納めることができます。

申告書の書き方には順序がある

相続税の申告書は、第1表から第15表続まで多くの様式がありま

遺産分割が済んでいないときの申告は？

遺産の分割が済んでいないからといって、相続税の申告期限が延長されることはありません。相続財産の分割協議が成立していない場合には、それぞれの相続人が民法で定められた相続分に従って、財産をもらったものとして相続税の計算を行い、申告することになります。

ただしその際には、小規模宅地等の特例や配偶者の税額軽減の特例は適用されないので、注意が必要です。また、この申告のあとで相続財産の分割が行われ、申告との差額が発生した場合は、実際の額にもとづいて修正申告または更正の請求を行うことになります。

す。このうち申告書は第1表だけで、あとはこれに付随する計算書や明細書などです。

申告書を作成する際には、記入する書類の順番が定められており、それに従って必要事項を記載していくことになります。ただし、これらの書類は、必ずしもすべて作成する必要はなく、不要なものは省いてもかまいません。たとえば、農業相続人がいない場合は、第3表と第12表への記入は必要なし。同じように外国税額の控除がなければ、第8表は不要です。

申告書の用紙は、各税務署に用意されており、いつでも必要に応じてもらうことができます。また、申告書の記載方法などが示された手引書（パンフレット）も無料で配布されています。

しかし、相続税の申告書の作成は、所得税の確定申告書などに比べて、かなり複雑でやっかいなものです。自分で作成するのは難しいと思ったら、税理士などに依頼したほうがよいでしょう。

マイナンバーへの対応も

相続税と贈与税の申告書にマイナンバーを記す欄が設けられました。郵送で提出するケースでは、個人番号カードもしくは通知カードのコピーも添付する必要があります（直接、税務署に提出する際は提示）。なお、被相続人のマイナンバーの記載は不要です（平成28年10月以後）。

申告書のおもな様式と記入順序

順序	様　式	内　容
1	第9表	生命保険金などの明細書
2	第10表	退職手当金などの明細書
3	第11・11の2表の付表	小規模宅地等、特定計画山林又は特定事業用資産についての課税価格の計算明細書
	第11の2表	相続時精算課税適用財産の明細書 相続時精算課税分の贈与税額控除額の計算書
4	第11表	相続税がかかる財産の明細書
5	第12表	納税猶予の適用を受ける特例農地等の明細書
6	第13表	債務及び葬式費用の明細書
7	第14表	純資産価額に加算される暦年課税分の贈与財産価額及び特定贈与財産価額・出資持分の定めのない法人などに遺贈した財産・特定の公益法人などに寄附した相続財産・特定公益信託のために支出した相続財産の明細書
8	第15表・第15表続	相続財産の種類別価額表
9	第4表・第4表の2	相続税額の加算金額の計算書・暦年課税分の贈与税額控除額の計算書
10	第5表	配偶者の税額軽減額の計算書
11	第6表	未成年者控除額・障害者控除額の計算書
12	第7表	相次相続控除額の計算書
13	第8表	外国税額控除額・農地等納税猶予税額の計算書
14	第1表・第1表続	相続税の申告書
15	第2表	相続税の総額の計算書
16	第3表	財産を取得した人のうちに農業相続人がいる場合の各人の算出税額の計算書

＊様式の種類と記入の順序は変更される場合があります

相続税

財産の評価と申告に必要な書類

申告書にはさまざまな書類の添付が必要です。余裕をもって申告できるよう早めの準備が大切です。

申告書以外にも必要な添付書類がある

相続税の申告期間である10か月間は、かなり余裕があると思われがちです。しかし、実際に相続が開始されると、数多くの手続きを次々にこなしていかなければならず、期限はあっという間にきてしまいます。

そのうえ、相続税の申告では、所定の申告書だけを税務署に提出すればよいというわけではありません。そのほかにも、相続財産を評価するために必ず申告書に添付しなければならない書類や、一緒に提出したほうがよい証書などがたくさんあるのです。

したがって、期限内に申告と納税を済ませるためにも、相続が始まったらなるべく早く、書類の準備を始めたほうがよいでしょう。

相続財産の評価に必要な書類とは？

相続する財産の総額を割り出すために必要な書類には、大きく分けて「財産に関するもの」と「債務に関するもの」があります。

●財産に関するもの

相続や遺贈によって取得した財産の価額、数量、所在地などを調べるための書類です。

土地や家屋などの不動産では、登記事項証明書や固定資産税の評価証明書、実測図など。とくに広大で、境界線があいまいな土地がある場合には、なるべく早く境界を明確にし、全体の面積を算出しなければなりません。

株式や証券、その他すべての金品についての明細や証明書、またはそのコピーなども必要です。

●債務に関するもの

被相続人の債務の種類や金額を調べるための書類です。金融機関からの借入金の残高証明書や借用証書、債務明細などがこれにあたります。

こうしたいわゆる「マイナスの財産」は、相続開始から3か月以内にきちんと把握しておかないと、相続の放棄や限定承認の手続きに間に合わなくなります。その場合、あとで思いがけない借金を背負うことになる可能性もあるので、十分な注意が必要です。

スムーズな申告のためにふだんから書類の準備を

相続税の申告時には、ここに示した書類すべてを添付しなければならない、というわけではありません。しかし、必要な添付書類がそろっていなければ、特例や控除の適用が受けられないこともあるので、注意が必要です。

また、これらの添付書類は、税理士などの専門家に申告書の作成を依頼するときにも必要になります。申告と納税をスムーズに進めるためにも、どのような内容の財産が、どのぐらいの額があるのか、大まかな財産評価ができる書類などを、被相続人本人がふだんから用意しておくと安心です。

申告書に添付するおもな書類① 財産関係

種 別	財産の種類		必要な書類
財産	不動産	土地	□登記事項証明書 □土地の明細書 □固定資産税の評価証明書 □地積測量図または公図のコピー □実測図 □土地賃貸借契約書（貸宅地の場合）
		家屋	□登記事項証明書 □家屋の明細書 □固定資産税の評価証明書 □家屋賃貸借契約書（貸家の場合）
		借地権	□土地賃貸借契約書
	有価証券	上場株式	□銘柄別一覧表 □売買報告書 □証券会社の年間取引報告書 □銘柄および株数が確認できる資料
		非上場株式	□相続直前2期の決算書・申告書 □株主名簿
		公社債	□銘柄別一覧表 □残高証明書 □証書
	預貯金		□残高証明書 □預金証書 □預貯金通帳
	生命保険金		□保険証券 □保険会社の支払明細書・保険金通知書
	退職金		□支払調書
	貸金・売掛金		□金銭消費貸借契約書 □明細
	美術品・骨董		□作品名・作者名の資料
	ゴルフ会員権		□預託金証書
	贈与財産		□贈与税申告書の控（相続時精算課税・相続前7年以内*の贈与）
債務	借入金		□金銭消費貸借契約書 □借入金残高証明書
	未払金		□請求書および領収書
	公租公課		□課税通知書 □納付書 □準確定申告書の控
	葬式費用		□葬式費用出納帳 □領収書

*令和8年12月31日までは実質3年以内（3ページ参照）

申告書に添付するおもな書類② 身分関係

□遺言書のコピー	□相続人の戸籍謄本および住民票	□特別代理人の選任申立書（相続人が未成年者の場合）
□遺産分割協議書のコピー	□相続人の印鑑証明書	□相続放棄申述の証明書（相続放棄のある場合）
□被相続人の戸籍・除籍謄本等	□被相続人および相続人の略歴書	□相続人の個人番号カードまたは通知カードと運転免許証など写真付身分証明書の写し
□被相続人の住民票の除票	□親族関係図	

＊戸籍・除籍謄本等は法定相続情報一覧図の写しで代用可能

相続税

延納するための要件と手続き

相続税を一括で納めることができない場合は、5年を限度に延納できる制度があります。

延納するには4つの要件がある

相続税は、申告期限内に全額を金銭で納付するのが原則です。しかし、相続した財産が金銭ではなく、土地などの不動産がほとんどといった場合には、それらを売却して現金化するのに時間がかかるなど、どうしても現金で一括して納めるのが難しいというケースもあります。

このため相続税では、ローンのように税額を分割して、年賦の方法によって納める「延納」という制度が設けられています。

相続財産のなかに預貯金など金銭がある場合には、まずそれらで支払い、不足分についてのみ延納申請することも可能です。

ただし、延納が認められるためには、次の4つの要件をすべて満たしていなければなりません。

［延納の要件］

①相続税の納期限までに、延納申請書を提出すること

②相続税額が10万円を超えること

③金銭で一度に納めることが困難な理由があること

④延納税額に見合う担保を提供すること

ただし、延納税額が100万円以下で、かつ延納期間が3年以下の場合は担保は不要です。

担保として認められるものは、国債、地方債、社債その他の有価証券、土地、建物、立木、自動車、船舶、機械、財団など。また、不動産がすでにほかの債務の担保となっており、これ以外に適当な財産がない場合などに限り、非上場株式も延納の担保として設定することができる場合があります。

延納期間中には利子税が加算される

延納できる期間は、原則として5年以内です。ただし、左ページの表のように、相続財産のうちに占める不動産の価額の割合によって変わってきます。

たとえば、不動産の価額が50%以上の場合で、不動産の価額に対応する税額や、特定の森林地の税額については、最長20年（一部は40年）までの延納期間が認められています。

延納の適用を受けると、その期間中は原則として「利子税」が加算されます。これはローンの利息にあたるもので、その税率は相続した財産の内容によって異なります。

利子税は、毎回の延納税額に対してかかるため、毎年の支払いで相続税の残額が減っていくにしたがって、その分、利子税の額も減少していきます。

たとえば、延納税額が2000万円で、毎年200万円ずつ分納する場合では、1回目は240万円（利子税2・0%で試算）、2回目は236万円、3回目は232万円……といった具合に、納付額も少しずつ減っていくわけです。

当初の予定よりも早く繰り上げ返済ができれば、その年数分の利子税は支払わなくてもよいので、節税にもなります。

なお、近年の超低金利によって、延納利子税には特例が設けられており、国内銀行の貸出約定平均金利に0・5%を加算した割合（特例基準割合）が年7・3%以下と

なった場合には、通常より低い税率が適用されます。

延納申請書の提出と税務署の審査

延納の申請をする人は、相続税の納期限までに、所轄の税務署に「延納申請書」を提出しなければなりません。この申請書には、延納しようとする税額や納期などを記載します。

同時に、担保を提供する必要があるときには、その担保の内容に関する書類の添付も必要です。

税務署では、この申請にもとづいて内容を審査し、すべての条件を満たしていれば延納が認められます。反対に、要件にあてはまらない部分があれば却下されたり、延納の期間や担保の変更などが求められることもあります。

もちろん、一時に納税できるほどの金融資産がありながら、それらは資産運用に回して、相続税は延納する、というようなケースは認められません。

延納期間と利子税率

区　分		延納期間（最高）	延納利子税割合（年割合）	特例割合 ＊2
不動産等の割合が 75%以上の場合 ＊1	①動産等に係る延納相続税額	10年	5.4%	0.6%
	②不動産等に係る延納相続税額（③を除く）	20年	3.6%	0.4%
	③森林計画立木の割合が20%以上の森林計画立木に係る延納相続税額	20年	1.2%	0.1%
不動産等の割合が 50%以上75%未満の場合	④動産等に係る延納相続税額	10年	5.4%	0.6%
	⑤不動産等に係る延納相続税額（⑥を除く）	15年	3.6%	0.4%
	⑥森林計画立木の割合が20%以上の森林計画立木に係る延納相続税額	20年	1.2%	0.1%
不動産等の割合が 50%未満の場合	⑦一般の延納相続税額（⑧、⑨及び⑩を除く）	5年	6.0%	0.7%
	⑧立木の割合が30%を超える場合の立木に係る延納相続税額（⑩を除く）	5年	4.8%	0.5%
	⑨特別緑地保全地区内の土地に係る延納相続税額	5年	4.2%	0.5%
	⑩森林計画立木の割合が20%以上の森林計画立木に係る延納相続税額	5年	1.2%	0.1%

＊1 不動産等とは不動産や不動産の上に存する権利、立木、事業用の減価償却資産、特定同族会社の株式や出資をいう
＊2 特例適用後の割合は、令和5年1月1日現在の延納特例基準割合が0.9%の場合で計算

相続税

物納するための要件と手続き

金銭での納税が困難なときは物納ができます。物納できるのは①公債、②不動産等、③社債・株式等、④動産です。

物納は金銭納付が困難な場合のみ

相続した財産が多額にのぼる場合など、延納しても相続税を支払うのが難しいときには、現金の代わりに不動産や有価証券などの物で税金を納める「物納」という制度が設けられています。

これは、あくまでも現金で納税するのが困難な場合にのみ認められるもので、所得税や法人税、贈与税など、ほかの税金にはみられない特別な措置です。

物納をするためには、次の2つの要件を満たしていなければなりません。

①相続税の納期限までに、物納申請書を提出すること

②延納によっても、相続税を金銭で納めることに困難な事由があ

物納できる財産とできない財産

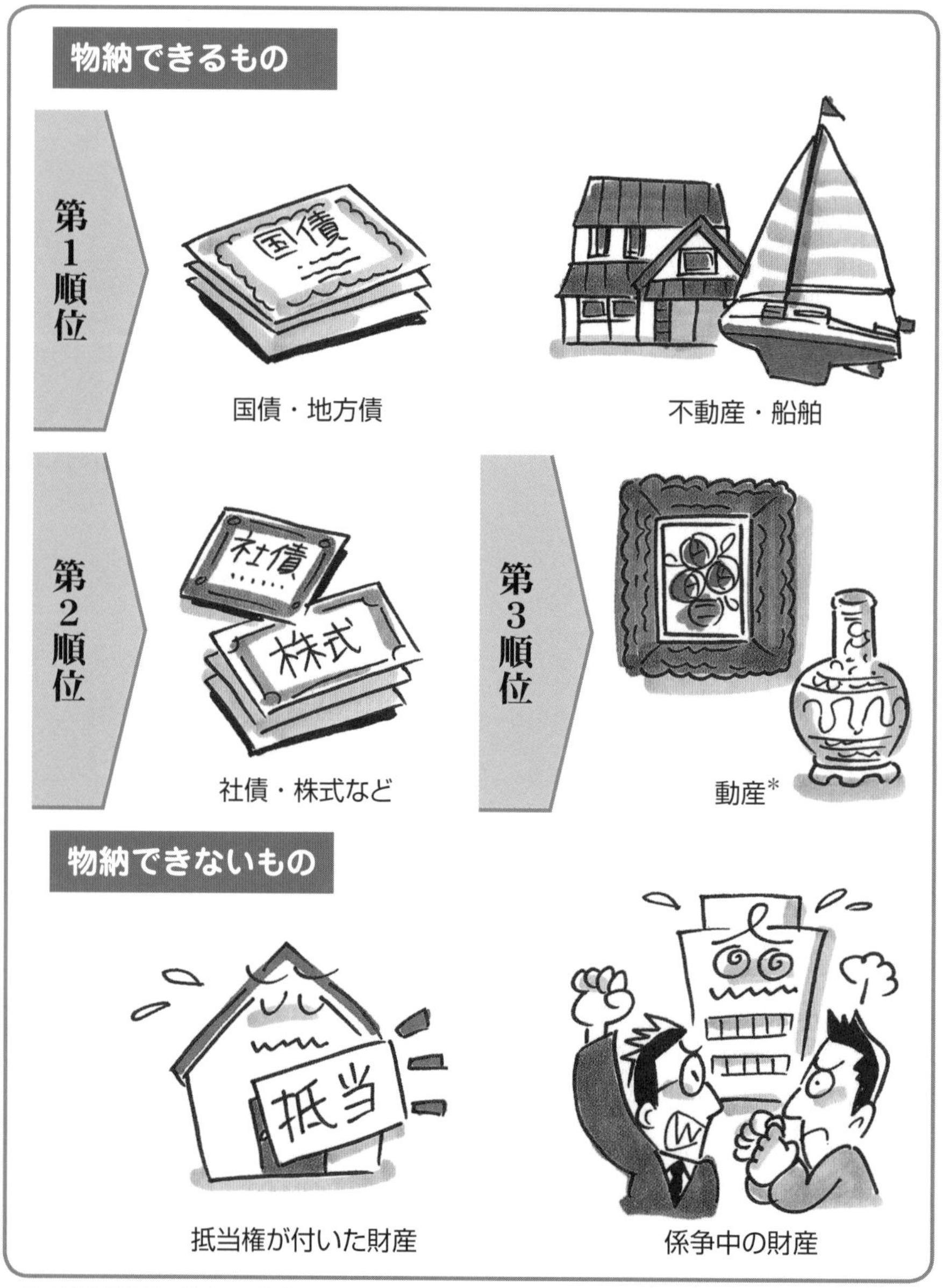

＊特定登録美術品の場合には順位にかかわりなく優先して物納にあてることができる

ること

こうした事由があるかどうかの判定は、退職金の給付や貸付金の返還など、納税者の近い将来の収入を考慮したうえで審査されます。また、物納ができるのは、金銭で納めることが困難な部分の金額に制限されています。

物納できる財産とその優先順位

相続税を物納にする事情が認められたとしても、どんな財産でも物納できるというわけではありません。

物納の対象となるのは、①相続または贈与によって取得したもので、②日本国内に存在する財産のみ。相続がある前から相続人が持っていたものを、物納にあてることはできません。

物納できる財産は、次の4種類に限られています。

①国債・地方債
②不動産・船舶
③社債・株式・貸付信託または証券投資信託の受益証券
④動産

さらに、これら①から④の財産のなかでも、物納する優先順位が決められています。物納できる財産が複数ある場合には、まず1番目が①と②、続いて2番目が③、最後に④という順番で納めることになります。

たとえば、不動産を持っているのに株式や社債で物納するようなケースは、原則として認められません。ただし不動産といっても、現に相続人が住んでいる家屋しかなく、これを物納してしまうと生活に支障をきたす、といったようなケースは例外です。

また、④の動産（美術品など）については、①~③のうち適当な価額のものがない場合についてのみ、物納が認められます。

なお近年では、物納が認められる財産の範囲も、少しずつ拡大されています。たとえば、自宅の家屋やマンション、賃借権の付いた物件や駐車場、非上場株式など、

底地の物納はココがポイント

相続した財産のほとんどが、相続人の住居用や事業用（工場や店舗、貸アパートなど）の土地や家屋である場合には、特別に底地部分（土地の更地価額から借地権を除いたもの）の物納が認められています。この適用を受けるには、金銭で納付することが困難な金額を限度とすること、対象となる財産が係争中でないこと、などといった条件があります。

これが認められると、相続人は借地権が残り、いままでどおり自宅に住んだり、アパートなどの賃貸収入を続けて得ることができます。実際に不動産の物納では、こうした方法で納税しているケースも多いのです。

また、借地権の付いた土地（貸宅地）の底地の物納もできます。

しかし、借地人との契約内容や敷地の境界線が不明確であったり、地代が安すぎるといった場合には、底地の物納が却下されることもあります。こうした事態を避けるためには、申請前に次のような準備をしておかなければなりません。

まず土地の賃貸借契約書を作って、権利をはっきりさせること。相場並みに地代を上げておくことも重要です。

また、借地人が複数いる場合は、境界線をはっきりさせておきましょう。こうした問題をすべてクリアにして申請に臨むことが、許可を得る秘訣です。

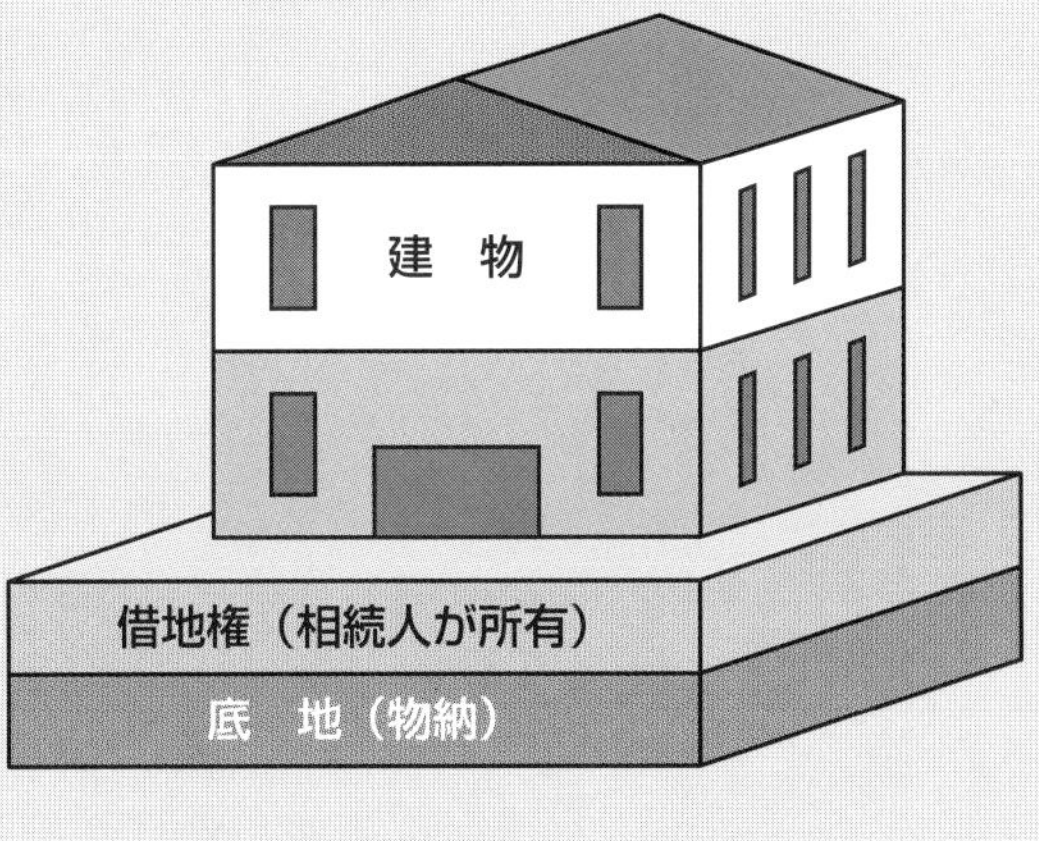

物納撤回の申請

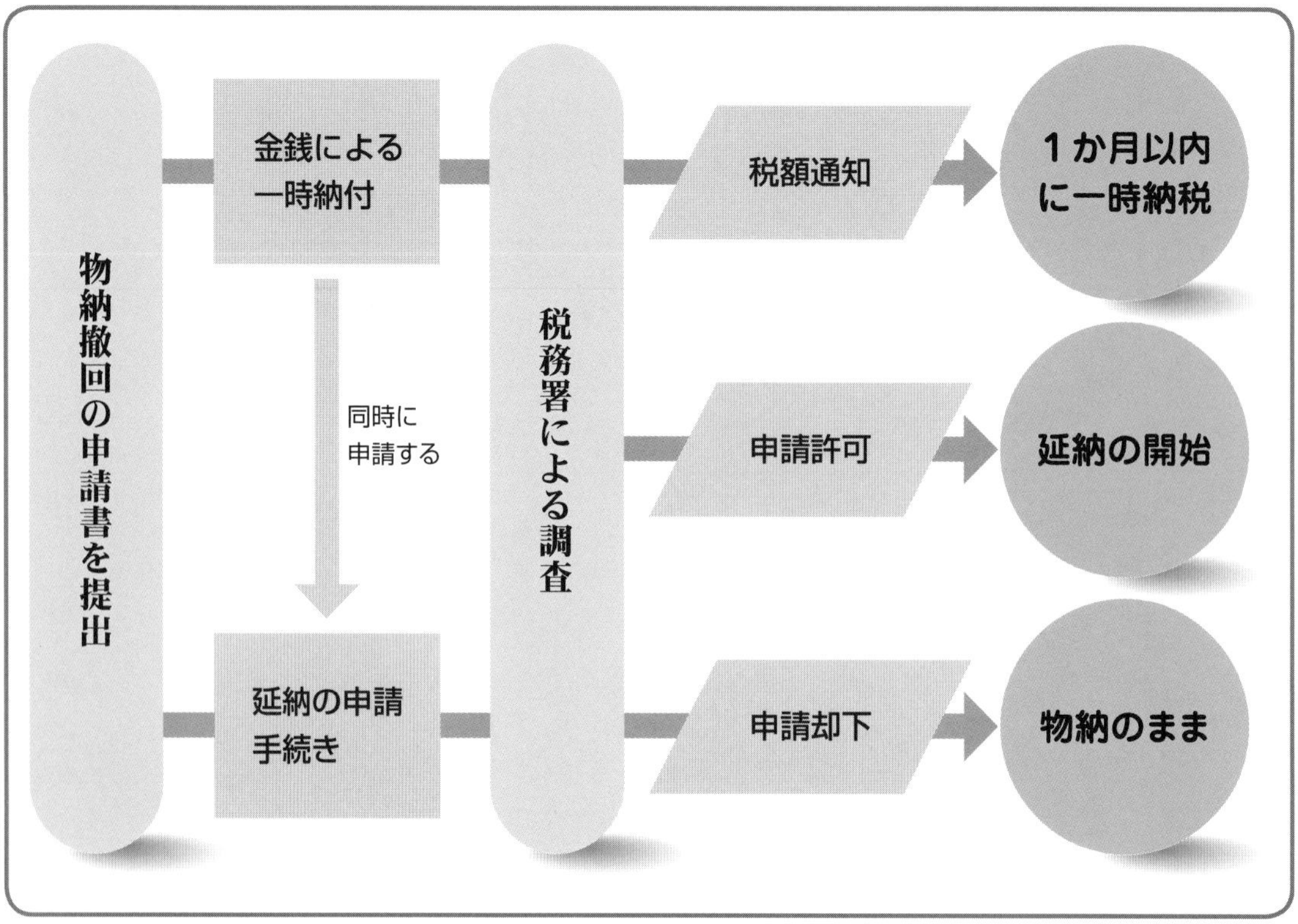

これまで許可のハードルが高いとされてきたものも、次第に要件が緩和される傾向にあるようです。

物納が認められない財産もある

前述の4種類の財産のなかでも、管理または処分することが適当でない、と税務署から判断されたものについては、物納は認められていません。こうした物納に不適当な財産には、以下のようなものがあります。

①抵当権が付いている財産
②係争中の財産
③共有財産（共有者全員が持ち分のすべてを物納する場合を除く）
④譲渡に関して法令に特別の定めのある財産（定款に譲渡制限のある株式など）
⑤売却できる見込みのない財産
⑥買い戻し特約などの登記のある財産
⑦ほかの財産と一体化して効用を有する不動産（稼働工場など）
⑧現に公共に使用されているか、または将来使用されることが見込まれる土地や建物

このほかにも、今後数年以内の使用に耐えられそうにない家屋や、維持管理に特殊な技能を要する大建築物（銭湯や劇場など）も、不適当とみなされます。

申請の手続きと税務署の審査

物納の申請をする人は、相続税の納期限までに、所轄の税務署に物納申請書を提出しなければなりません。この申請書には、相続税を金銭で納めるのが難しい事情や、物納にあてようとする財産の種類、価額などを記載します。また、内容によっては、不動産の登記事項証明書や公図、地積測量図などの書類の添付が必要となります。

申請を受けた税務署は調査を行い、問題がなければ物納が許可されます。反対に、金銭で納付できることがわかった場合や、申請した物納財産が適当でない場合などには、物納の却下、あるいは物納

財産の変更が求められます。

変更の通知を受けたときは、通知から20日以内に、もう一度、物納財産を変更して申請書を提出しなければなりません。この申請を怠ると、物納を取り下げたとみなされるため、注意が必要です。

物納の撤回や延納への切替えもできる

いったん物納を申請して許可されたあとでも、一時に金銭で納付できるようになったり、延納が可能になった場合には、物納を撤回することができます。

物納の許可が下りるまでの期間（3か月から最長9か月まで）は納付を延長することができます。そのため、その間に財産をもっと有利に売却することができれば、物納を延納に切り替えたほうが得策となります。

ただし、物納の撤回が認められるためには、次のような条件が必要となります。

①物納財産が借地権などの不動産を使用する権利の目的になっている不動産であること

②物納分の相続税について、金銭による一時納付または延納が可能になったこと

③物納の許可を受けた日から1年以内に撤回の申請を行うこと

④物納財産が換価などされたり、公共に使用されていないこと

撤回の申請をする人は、物納の許可を受けた日から1年以内に、撤回の理由などを記載した申請書を税務署に提出します。

税務署はこれにもとづいて調査を行い、一時に納付できる金銭がある場合は、その税額を通知します。これを1か月以内に全額納めれば、相続税の納付は完了。1か月以内に完納しなかったときは、物納撤回の申請を取り下げたとみなされるので、注意が必要です。

なお、単に物納を撤回しただけでは、納付までの期間に延滞税がかかってしまいます。物納を撤回するときは、同時に延納の申請も忘れずに行いましょう。

物納するか、売却するか？
物納のメリットとデメリット

相続税を物納にするか、それとも財産を売却して金銭で納めるか。そのどちらが有利かはケースバイケースで、大変難しい問題といえるでしょう。

物納にすると、納税資金の準備に奔走することもなく、譲渡所得税がかからないなどのメリットがあります。

ただし、物納財産をいくらとするかという収納価額は、原則として相続税を計算したときの評価額。不動産などの相続税評価額は、ふつうは実際の売買価格よりもかなり低いため、納税者にとっては不利になってしまうケースが多いのです。

このため、売却してその代金で納めるという選択肢に走りがちですが、財産の種類によっては、必ずしもこちらが有利になるとは限りません。

財産を売却した場合、原則としてその売却益には、譲渡所得税や譲渡住民税、印紙税などがかかります。それらを売却益から差し引くと、納めなければならない相続税額よりもマイナスになってしまうケースもあるのです。

一般的には、財産の売却額から各税金を引いた額よりも収納価額が上回っているときは、物納のほうが有利といえます。しかし、そのときの諸状況もよく考慮して、どちらが有利かを慎重に判断するのが望ましいでしょう。

物納か延納かで迷ったときは、まず物納申請を行い、有利な売却ができた場合は延納に切り替えるという方法も有効です。

なお、相続税の申告期限から3年以内に相続した土地などを譲渡した場合には、相続した土地などにかかる相続税のすべて、または一部が、取得費として売却価額から控除されるというメリットもあります。

贈与税
相続税

申告内容を修正したいときは

相続税の申告後に遺産分割が確定した場合などは、修正申告や更正の請求によって税額を調整します。

過少申告に気づいたら修正申告を行う

贈与税・相続税いずれの場合も、申告書を提出したあとで申告税額が少なすぎたことに気づいた場合には、あらためて正しい税額に修正した申告書を提出することができます。これを**修正申告**といいます。修正申告で新たにプラスされた税額は、申告したその日のうちに、追加して納付しなければなりません。

なお、税務調査が行われる前に納税者が自分から修正を申し出たときには、加算税は免除されます。反対に、たとえ故意でなくても税務調査で申告もれなどがみつかった場合には、延滞税や加算税が課せられてしまいます。

修正申告書は税務署に用意されており、あとで述べる更正の通知が来る前であれば、いつでも提出することができます。

相続税の場合、申告書には相続人全員について、修正前と修正後の金額、およびその差額を記載する必要があります。これは相続税の計算方法の性質上、遺産総額が変動することで相続人全員の税額が変わってくる可能性があるためです。

過大納付したら更正の請求で還付を

申告書を提出したあとで、申告税額が多すぎたことに気づいた場合には、税務署に対して、納めすぎた税額の払い戻しを請求することができます。これを**更正の請求**といいます。

たとえば、土地の贈与や相続で、あとで実際の地価を調べてみると申告した評価額よりも低かった場合などは、この申請を行うことで還付の対象となりえます。

更正の請求ができるのは、原則として申告期限から5年以内。この手続きをする人は、税務署に更正の請求書を提出し、認められれば税金の還付を受けることができます。

特別な事由による調整の手続きは？

相続税の場合には、以下のような特別な事由によって、申告後に相続財産の分け前が変わることがあります。このような場合にも、修正申告や更正の請求の手続きをとることで、税額の調整をすることができます。

①申告期限後に遺産分割が確定し、相続人などの課税価格に変動があった場合
②相続人に異動があった場合
③遺留分による侵害額請求があった場合
④遺言書の発見、遺贈の放棄があった場合
⑤相続財産法人からの財産分与があった場合
⑥申告期限後3年以内に遺産分割が行われ、配偶者の税額軽減の特例や小規模宅地等の特例が適用された場合
⑦受贈財産を相続税の課税価格に移動させた場合

こうした特別なケースでは、その事由が発生したときから4か月以内に、申告書や請求書を提出すればよいことになっています。

なお、申告期限内に申告書を提出していなかった場合でも、税務

申告の修正と更正

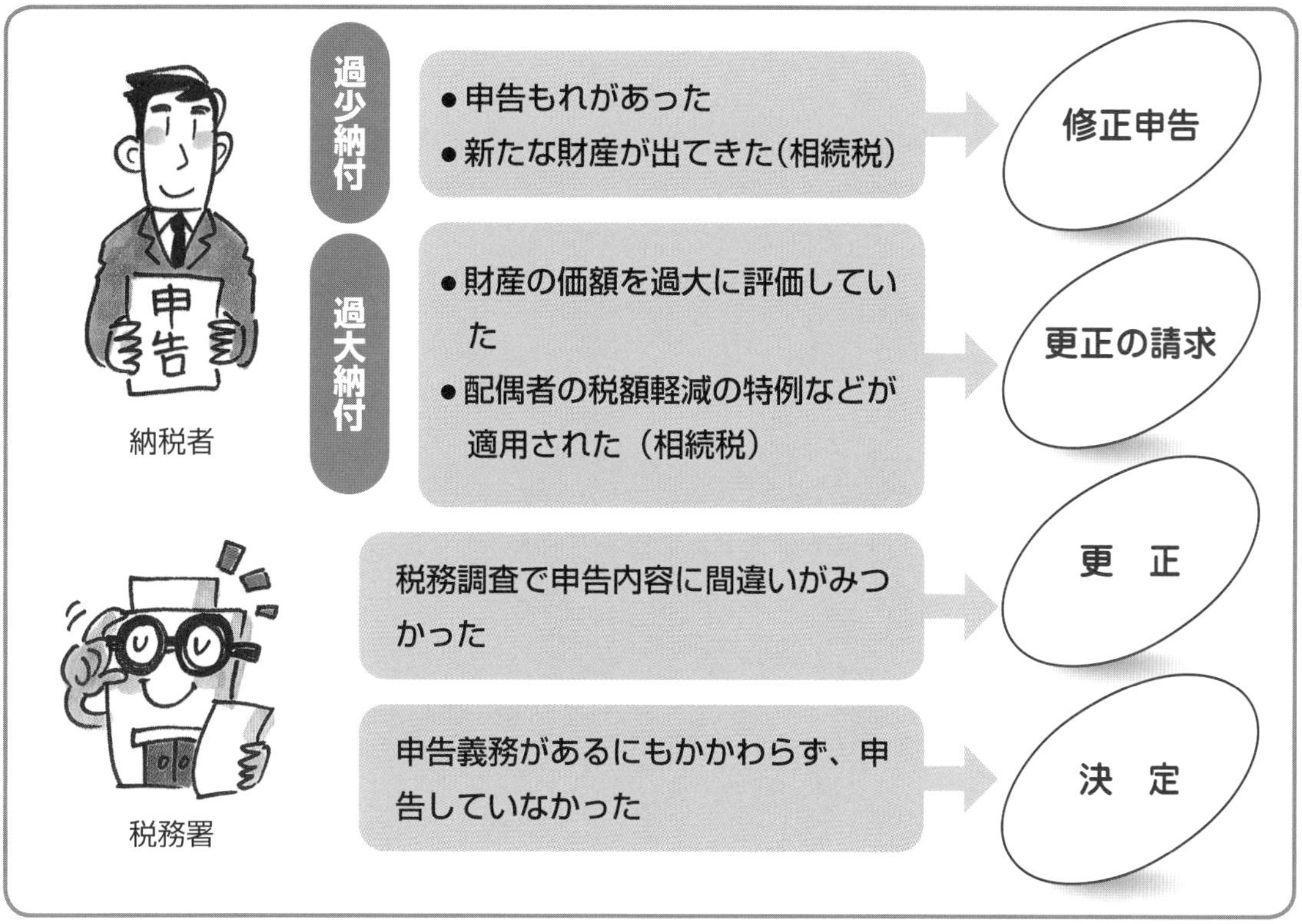
過少納付
●申告もれがあった
●新たな財産が出てきた（相続税）
修正申告
過大納付
●財産の価額を過大に評価していた
●配偶者の税額軽減の特例などが適用された（相続税）
更正の請求
申告
納税者
税務調査で申告内容に間違いがみつかった
更　正
申告義務があるにもかかわらず、申告していなかった
決　定
税務署

署から税額の通知が来る前であれば、「期限後申告」を行うことが可能です。ただし、その場合には無申告加算税が課せられます。

税務調査による更正と決定

提出された申告書に書かれている課税価格や税額の計算に間違いがあったり、内容が税務署の調査と違っていた場合などは、税務署がこれを修正し、正しい税額を通知してくることがあります。

この処分を**更正**といいます。

また、贈与税や相続税の申告義務があるにもかかわらず、申告書が提出されていなかった場合には、税務署が独自に調査を行い、それにもとづいて税額が通知されます。これが**決定**と呼ばれる処分です。

更正は贈与税が申告期限の翌日から6年以内、相続税は5年以内、決定は贈与税が6年以内、相続税は5年以内に行われることになっています。ただし、悪質な脱税行為がみられる場合には、7年まで期限が延長されます。

税務署の処分には厳しい罰則がある

いずれにしても、期限内に正しく税金を納めていなかったり、申告書の内容が間違っていたときは、それぞれ罰金にあたる税金が加算されることがあります。

申告期限内に納税しなかったり、金額が不足していた場合は、延滞税などがかかります。また、税務署から更正や決定の処分を受けると、過少申告加算税や無申告加算税が課せられます。

さらに、申請書の提出の有無にかかわらず、財産を隠ぺいしたり偽るなどして、不正に税金逃れをしていた場合は、重加算税という非常に重い罰金が課せられることになります。

やはり、決められた期限までに正しく申告して納税することが、節税の基本といえるでしょう。

調査実態シミュレーション

税務署はココをみている！

無事に申告と納税を済ませてホッとひと息……。でも、安心するのはまだ早い！ すっかり落ち着いたころ、思い出したようにやってくるのが相続税の税務調査なのです。調査はいつ、どのように行われるのか？　調査のプロはどうやって申告もれをみつけるのか？
イザというとき慌てないように、その実態と心がまえを紹介します。

税務署はどんな家にやって来るのか？

国税庁の調べによると、税務調査の対象となった申告のうち、なんらかの申告もれがみつかるのは毎年95％以上。その多くは故意に脱税をはかったものではなく、うっかりミスや、家族のだれも知らなかった隠し財産が指摘されるケースなのです。

税務調査といっても、すべての納税対象者のところへやって来るわけではありません。では、実際に税務調査が行われるのは、どんなケースなのでしょうか。

まず、遺産総額がおおむね3億円以上なら、ほぼ間違いなく調査が入ると考えたほうがよいでしょう。相続財産が多額になるほど手続きも複雑化し、その分、見落としやミスも多くなるのです。

申告を怠っていた人のところへも調査はやって来ます。でも申告していないのに、どうして税務署が故人の財産内容を知ってるの？　じつはその裏には、こんな知られざる情報源があったのです。

まずは所得税の申告。税務署は所得が年間2000万円を超えて「財産及び債務の明細書」を提出した人の財産は、しっかり把握しているのです。

たとえ確定申告をしたことがなくても、今度はお役所が見逃してくれません。市区町村では固定資産税の課税台帳をもとに、死亡者のうち評価額が5000万円を超えるような不動産を持っていた人を税務署に通知しているのです。

もちろん、申告書の内容がいい加減だったり、明らかにつじつまの合わない点がある場合なども、真っ先に調査の対象となります。

調査のプロがチェックする盲点はココだ！

こうして税務調査が開始されるわけですが、調査のタイミングは、だいたい一周忌を過ぎたころ。事前に了解をとったうえで、調査日を連絡してきます。

税務調査というと、家中くまなく調べられる光景を思い浮かべるかもしれませんが、実際にはそうしたケースはごく稀なのです。

訪れた調査官は、いきなり本題には入らずに、まずは故人の経歴や趣味、生前に好きだったこと、交友関係、病歴、死亡当時の様子などを、さり気なく聞いてくることでしょう。でも、こちらが緊張しないよう気遣ってくれている、なんて思ったら大間違い。このやりとりが、あとで申告内容の矛盾をみつけだす糸口となるのです。

そして、財産の管理や不動産の利用状況、遺産分割の状況など、書類の提出を求めて細かく付き合わせながら、少しずつ核心部分に近づいていきます。もちろん財産の移し替えがないか、銀行の預金も調べられますが、故人名義の通帳だけでなく、家族全員、過去5年以上にさかのぼって調べられることもあるようです。

では、こうした調査時に、プロはいったいどんな点に目を付けるのか、申告もれがみつかった実例をもとに、いくつかのケースをシミュレーションしてみましょう。

▼ケース1

通帳などをひと通り調べたあとで、調査官がこう尋ねる。「ところで、故人が使っていた手帳やアドレス帳があればみせていただけませんか」。プライベートな遺品だけに渋々渡すと、そこには申告していない地方銀行の支店名が……。遠隔地の銀行に預金を移し替えるのは、財産隠しの常套。

▼ケース2

「では、故人の香典帳をみせてください」。どうして？　香典は課税されないはずでは……。そう思いながら提出するあなた。調査官はそこに記名された「○○証券△△支社」「××保険会社」をメモして、あとで申告外の株式などがないかをチェック。

▼ケース3

書棚の美術本を眺めながら「故人は焼きものがお好きだったようですね。ちょっと拝見してもいいですか」。そのなかの1冊からは美術商の案内状が。調べてみると、家族には内緒で高価な古美術や茶碗などを数点購入していた。

▼ケース4

急にテーブルのお茶の跡を気にし始める調査官。差し出されたティッシュ箱の銀行名に目が光る。同様にカレンダー、タオル、マッチ、メモ用紙など、金融機関の名前入りグッズがあれば取引のある可能性も大。故人名義の口座がなくてもチェック対象となる。

▼ケース5

部屋に飾られたゴルフコンペのトロフィーに目をとめて「ご趣味のゴルフは、月に何回ぐらい通われてましたか」。頻繁に通っていればゴルフ会員権もあるのでは、と考えるのがプロ。

早期クリアのための対処法とその準備

税務調査の期間はまちまちで、1日で終了することもあれば、数か月かかる場合もあります。

調査官の質問には、はっきりと正確に答えるのが鉄則。いいなりになったり、その場しのぎのウソをついても、到底プロの目はごまかせません。もちろん申告内容に問題がなければ、慌てたり感情的になることもないはずです。

さらに、あらかじめ必要な書類などを準備しておけば、その分調査もスムーズに進みます。納税後も関係書類はきちんと整理して保管するようにしましょう。

また、なにより自分が被相続人になったとき家族に迷惑をかけないためにも、ふだんから財産の内容を正確に伝えておくことも大切です。

農地の納税猶予を受けるには？

近年では、市街地やその近郊にある農地の評価額も高騰しているため、通常の評価だと相続税の負担が重すぎて、農家が農業を続けられなくなる可能性も出てきます。

そこで、農地の細分化を防いだり、農業後継者を税制面からバックアップするための特例が設けられています（農地等についての相続税の納税猶予）。

これは、生前に農業を営んでいた被相続人から農地などを相続し、引き続き農業を行う農業相続人には納税を猶予したり免除するというもの。猶予または免除される税額は、農地などの通常の評価額と、農業投資価格（低い価額にもとづいて計算された税額）との差額です。

また、農業相続人が死亡したり、申告期限から一生涯（一部は20年間）農業を継続した場合などには、納税が免除されます。つまり、代替わりしても農業を継続していけば、農地に対する課税は行われないわけです。

この特例を受ける人は、相続税の申告書に、この制度の適用を受ける旨を記載して申告期限までに税務署に提出します。

生存中に農業をやめてしまったり、農地を譲渡したときには猶予がストップされ、それまで猶予されてきた相続税をすぐに納付しなければなりません。

ただし、市街化区域外の農地について、農業経営基盤強化促進法にもとづいて貸し付けた場合は、納税猶予の対象になります。

さらに都市農地を守るという観点より、市民農園など法律の認定事業計画に基づいて自治体や個人に都市農地を貸す場合も、納税猶予制度の適用範囲に加えられました（平成30年度税制改正）。

また、農地の確保と有効利用という観点から、市街化区域外の農地については20年間の営農継続規定が廃止（終身農地としての利用を継続）されましたが、平成30年度の税制改正で、3大都市圏以外の市街地にある農地についても、20年間の営農継続規定が原則廃止されています。

なお、平成24年度の税制改正において、同様の制度として「山林に係る相続税の納税猶予制度」が創設されています。

資料

専門家活用ガイド

公証人

公正証書で確実に遺言書の作成を行う

公証人とは、遺言などの私的な問題に立ち会って公文書を作成する人で、法務大臣によって任命される実質上の国家公務員です。公証人によって作成された書類を公正証書といい、極めて高い証拠能力があります。

被相続人の意思を「公正証書遺言」に作成し、相続が開始されるまで保管するのも公証人の役割です。また、遺言内容に法的な問題があれば、適切なアドバイスを受けることもできます。

公正証書遺言の作成には2名以上の証人が必要ですが、適当な人がいなければ公証人に紹介してもらうことも可能です。遺言書の作成を依頼する際には、印鑑証明書、実印、住民票、戸籍謄本、登記事項証明書、固定資産税の評価証明書などが必要なので、事前に準備しておきましょう。

公正証書遺言は裁判所の検認を受ける必要がないため、遺言の執行をスムーズに行うことができます。そのうえ紛失や偽造される心配も無用。作成はすべて公証人が行うので、形式に不備があって無効になることもありません。料金は財産価格に応じて増額されます（148ページ参照）。

依頼するには、最寄りの公証役場に直接出向きます。また、遺言者が病気などで動けない場合は、出張を求めることも可能です（手数料等は別途）。

各地の公証役場は、日本公証人連合会のホームページ（https://www.koshonin.gr.jp）で調べることができます。

税理士

相続税の申告書作成から税務アドバイスまでOK

税理士は、納税者の申告・納税をアシストする税務のエキスパート。おもな業務には、税務代理、税務書類の作成、税務相談といった税理士業務と、顧客の会計帳簿を付けたり、財務書類を作成する会計業務があります。

また近年では、さまざまな経営相談に対してアドバイスを行う、税務コンサルタントとしてのニーズも高まっています。

相続に関して税理士に依頼する内容はさまざまですが、相続のスケジュールにともなって、おもに次のようなパターンがあります。

まず、相続が始まって間もない段階では、相続財産や負債の内容がわからない、どのぐらい相続税がかかるのか、そもそも相続税を支払う必要があるのかどうかを知りたい、などといった問題が生じます。

こうした相談に対して、税理士はまず、財産の内容や法定相続人について整理します。そのうえで相続税がかかるか否か、相続の放棄や限定承認の選択について、適切なアドバイスを行います。

次の段階では、遺産分割に関する依頼がメイン。税理士は遺産分割に必要な資料づくりを手伝い、分割協議がうまくまとまらない場合は、税務面から有効なアドバイスをしてくれます。また、遺産分割協議書の作成を頼むことも可能です。

遺産分割がまとまった段階で、申告書の作成を依頼することになります。

相続税の申告は、かなり複雑で面倒なものです。十分注意したつもりでも、うっかりミスをして、あとで多額のペナルティーを科せられる可能性も否めません。とくに財産や相続人が多い場合などは、税理士への依頼を検討したほうが無難でしょう。

また、相続税の納付についても、延納や物納を視野に入れて、有利な納税方法のアドバイスを受けることができます。

申告と納税が済んでも、税理士の役割は終わりではありません。後日、税務調査が入った場合はこれに立ち会い、調査官に応対します。また、税務署の更正や決定に不服があれば、その申立てを頼むことも可能です。

税理士を上手に活用するポイントは?

税理士への依頼は、なるべく早い時期に行うのがポイント。できれば、相続が発生する前に相談しておくのがベストです。

初めて頼む場合は、信頼できる金融機関や知り合いの事業経営者などから紹介してもらうとよいでしょう。各地の税理士会で紹介してもらうこともできます。ただし、税理士にもそれぞれ得意とする分野があるので、なるべく相続関連に明るい人を選ぶことが重要です。

実際に相談する際には、登記事項証明書や固定資産税の評価証明書、預金通帳など、あらかじめ財産内容がわかる書類を持参すれば、より具体的なアドバイスを受けることができます。

なお、税理士に支払う報酬は、税理士により異なるほか、遺産の総額や依頼内容によっても変わってきます。相続に関する報酬はかなり高額になるケースが多いので、依頼する際は報酬についても必ず聞いておくようにしましょう。各地の税理士会の連絡先は、日本税理士会連合会(日税連)のホームページ(https://www.nichizeiren.or.jp)で調べることができます。

弁護士

円満でスムーズな相続を法律サイドからサポート

社会のあらゆる法律問題を扱う法律のプロ、それが弁護士です。弁護士の業務のうち、おもに相続に関するものは、大きく分けて次の2つがあります。

ひとつは遺言書の作成と執行。被相続人が遺産分割などについて意思を伝えたいときは、弁護士のアドバイスにもとづいて、より確実に遺言書を作成することができます。また、遺言の執行者に指名しておけば、相続後の遺産分割もスムーズに執行されます。

もうひとつは、相続にともなうさまざまなトラブルの解消です。遺産分割が円満に行えない、被相続人の負債が大きく遺産を放棄したい、遺言で侵害された遺留分を取り戻したい、などといった問題が起こったときは、法的な相談にのってくれます。

弁護士に相談する際は、なるべく早期に、事実を正確に話すことが大切です。遺産などのプライベートな内容でも、弁護士には守秘義務があるため、他言される心配はありません。

全国の弁護士会（各地の弁護士会の連絡先は195ページ参照）などに問い合わせて、紹介してもらうこともできますが、弁護士にはそれぞれ得意とする分野があるため、できれば税理士などから紹介してもらうとよいでしょう。

また、費用は相談料30分ごとに5000円～、遺言書作成10万～20万円（公正証書遺言はプラス3万円）が目安。依頼内容によって、手数料、着手金、報酬金、日当、実費（交通費等）などがプラスされます。

司法書士

面倒な登記手続きをまとめて確実に代行

司法書士は、登記や供託に必要な書類を作成したり、その手続きを代理で行うのがおもな役割で、簡易裁判所における訴訟代理権を持つ司法書士もいます。

相続で土地や建物など不動産の名義が変わった場合には、登記に必要な書類の作成や、申請手続きの代行を依頼することができます。

登記手続きは、法務省の窓口に問い合わせたり、専門書を参考にしながら、自分で行うこともできます。ただし、こうした手続きはかなり面倒で時間がかかるうえ、何度も役所に足を運ぶ必要があります。時間的に余裕のない人や、自分で作成する自信のない人は、確実な司法書士に相談するのも一案。依頼先に心あたりがない場合は、各地の司法書士会で紹介してもらってもよいでしょう。

依頼する際には、あらかじめ必要書類をそろえておくと手続きもスムーズに進みます。たとえば、遺産分割協議がまとまったあとの相続登記では、戸籍謄本・戸籍の附票の写し、もしくは法定相続情報一覧図の写し、相続人全員の実印と印鑑証明書、住民票、遺産分割協議書、登記事項証明書、固定資産税の評価証明書などが必要です。これらの必要書類は司法書士にそろえてもらうこともできます。

登記の報酬金額は、司法書士によってそれぞれ異なります。実際に依頼する場合は、まず見積もりをとってから検討するとよいでしょう。なお、料金には通常、登記の報酬以外にも日当や事務手数料、調査費用などがプラスされます。

信託銀行

遺言書作成から納税まで至れり尽くせりのサービス

信託銀行では、本来の銀行業務のほかにも、財産信託や証券代行など幅広い業務を行っています。なかでも近年利用者が急増しているのが「遺言信託」です。

サービス内容はどの銀行もほぼ同じで、遺言書の作成と保管、遺言の執行、遺産分割・納税の代行など、相続に関する煩雑な手続きをサポートしてくれます。

利用にあたっては、遺言書の作成・保管のみの依頼も可能。その際は、被相続人の財産を確認したうえで遺言内容のアドバイスを行い、公証人によって公正証書遺言が作成されます。

また、相続が開始されたあとで相続手続きを代行する「遺言執行サービス」では、相続人への遺言内容の説明、財産目録の作成、財産整理、遺産分割のサポートなどを行います。

とくに財産が多い場合や、親族関係が複雑なケースでは、相続トラブルを避けたり納税対策としても有効。広範囲に渡る手続きをスピーディーに済ませなければならないときには、便利なサービスといえるでしょう。

手数料は各銀行によって異なりますが、遺言書作成なら初回で5万~10万円+公証人手数料。遺言執行は、基本報酬のほかに、財産総額に応じた手数料が必要です。

また、相続財産を預けると手数料を割り引くなど、特典を設けているところもあるのでチェックしておきましょう。

いずれにしても、大切な資産内容を伝えるわけですから、銀行選びは慎重に検討したいものです。

不動産鑑定士

土地や家屋の鑑定評価で適正な価格を知る

不動産鑑定士は、土地や家屋の適正な価格を鑑定し、資産の有効な活用方法についてアドバイスを行う不動産のエキスパートです。

相続時には、不動産の価格評価が大きな問題となります。そこで不動産鑑定士に依頼すれば、財産の対象となる土地や建物の鑑定を行い、適正な価格を算出・評価してくれます。この「鑑定評価」を行うことで、財産の総額を正しく把握することができます。それによって相続財産を公平に分配することが可能となり、さらに節税につながることもあります。

また相続時以外でも、不動産を担保にするときや売買したいとき、遊休地の活用法、賃貸経営などについても相談にのってくれる心強い存在です。

料金については統一的な規定はなく、それぞれ業者によって異なります。鑑定報酬額は、対象となる不動産の評価額によって決定されます。またこの場合、対象となる不動産は、宅地または建物の所有権、農地または林地の所有権、宅地の借地権などというように9つのカテゴリーに分類され、それらによっても報酬額が変わってきます。

不動産鑑定士に依頼したいが、とくに心あたりがないという場合は、不動産鑑定士協会などに問い合わせて、鑑定士を紹介してもらうこともできます。

各地の不動産鑑定士協会の連絡先は、日本不動産鑑定士協会連合会ホームページ(https://www.fudousan-kanteishi.or.jp)「不動産鑑定相談所」で調べることができます。

無料相談窓口』を活用しよう！

相続に関する法律や税金についてわからないことがあるときは、まず各機関の無料相談窓口に問い合わせてみましょう。相談内容をまとめておけば、より適切なアドバイスを受けることができます。

●国税局の税務相談室

税金に関する一般的な相談については、各国税局(所)に設置する電話相談センター、個別の相談などについては、税務署のそれぞれの職員が応じています。もよりの税務署に電話をかければ、自動音声ガイドが流れるので、一般的な問い合わせは1、個別の相談などの場合には2を選択してください。

各地の税務署の連絡先は、国税庁ホームページ（https://www.nta.go.jp）「税務署を検索」にあります。なお、税務署での相談は、電話での事前予約が必要です。

また、身近な疑問などについては国税庁のホームページ「タックスアンサー」（https://www.nta.go.jp/taxes/shiraberu/taxanswer/index2.htm）で説明しています。そのほか届出書の様式（プリントして使用可）や添付書類についての案内もあります。電子メールでの質問は不可。

●税理士会の無料税務相談

面談のほか、電話による税務相談を行っているところもあります。日時などは、各地の税理士会（192ページ参照）へお問い合わせください。

●法務局の相談窓口

不動産登記などに関する問い合わせが可能。窓口は各法務局に設置されています。

各地の法務局の連絡先は、法務局のホームページ（https://houmukyoku.moj.go.jp/homu/static/index.html）で調べることができます。

●司法書士総合相談センター

有料相談が原則となっていますが、無料相談を行っているところもあります。また各地の司法書士会ごとにさまざまな無料相談が企画・実施されています。

各地の総合相談センターは、日本司法書士会連合会ホームページ（https://www.shiho-shoshi.or.jp）で調べることができます。

●弁護士会の法律相談センター

各地の弁護士会による相談窓口。内容によっては有料の場合もあるので、事前に問い合わせを。

各地の弁護士会の連絡先および法律相談センターの連絡先は、日本弁護士連合会（日弁連）のホームページ（https://www.nichibenren.or.jp）「法律相談」で調べることができます。

●家庭裁判所の家事相談室

個人的な法律相談を調査官が担当します。受付は先着順。利用者が多いので、早めに行って順番を確保したほうがベター。

各地の家庭裁判所の連絡先は、裁判所ホームページ（https://www.courts.go.jp/index.html）「各地の裁判所」で調べることができます。

●不動産鑑定相談所

各地の不動産鑑定士協会による相談窓口。各相談所では定例の無料相談会を実施しています。日時などは各地の不動産鑑定士協会（194ページ参照）へお問い合わせください。

●自治体の相談窓口

各自治体の住民相談室では、法律・税金等の無料相談を行っています（法律相談は弁護士が担当）。毎日ではないので、事前に電話で確認したほうがよいでしょう。

対して持っている分け前の割合➡111

◆相続放棄
被相続人の財産の一切の承継を放棄すること➡124, 157

◆贈与
財産を無償で相手方に与えることで、相手もこれを承諾しているもの➡54

た

◆代襲相続
相続人となるべき者が相続開始前に死亡している場合などに、その者の子が親に代わって相続すること➡108

◆代襲相続人
代襲相続する人➡108, 111

◆代償分割
相続分を超える財産を取得した相続人が、ほかの相続人に超過部分の対価を支払う遺産分割の方法➡165

◆単純承認
被相続人の資産と負債のすべてを無条件に受け継ぐこと➡124

◆嫡出子
婚姻の届出をした夫婦の間に生まれた子ども➡108

◆超過累進税率
金額が一定ラインを超えるたびにより高い税率が適用される方式➡15

◆調停分割
調停による遺産の分割➡168

◆直系尊属
血筋が親子の関係で続いている系統（直系）のうち、本人より前の代の血族。父母、祖父母、曾祖父母など➡107

◆直系卑属
血筋が親子の関係で続いている系統（直系）のうち、本人よりあとの代の血族。子、孫、曾孫、玄孫など➡107

◆登記識別情報通知書
登記識別情報（従来の登記済証に代わるもの）を記した書面➡161

◆特定遺贈
相続財産のうち特定の財産を示して行う遺贈➡115

◆特定受遺者
特定遺贈により財産をもらった人➡115

◆特別縁故者
被相続人と特別な縁故のある人。内縁の妻や夫など➡130

◆特別受益
生前贈与や遺贈により、相続人が被相続人から受けた一定の利益➡116, 128

◆特別の寄与
被相続人の介護や看病で貢献した親族は、金銭請求が可能になる。➡121

は

◆配偶者居住権
自宅の権利を「所有権」と「居住権」に分けるというもの➡118

◆配偶者相続人
被相続人との婚姻関係により相続人となる人➡107

◆配偶者の税額軽減
相続税計算上の配偶者の優遇措置➡14

◆払戻し制度
遺産分割が済む前であっても、故人である被相続人の預貯金を金融機関から引き出しやすくする制度➡154

◆半血兄弟
父母の一方のみを同じくする兄弟姉妹➡112, 113

◆被相続人
死亡した人➡106

◆非嫡出子
婚姻関係のない男女の間に生まれた子ども➡108

◆秘密証書遺言
遺言者が作成した遺言書を封印したあと、公証人に提出して、その存在の証明を受ける遺言書➡137

◆物納
相続税を金銭で納付できない場合に、相続した一定の財産で納付すること➡182

◆包括遺贈
相続財産の一定割合を示して行う遺贈➡115

◆包括受遺者
包括遺贈によって財産をもらった人➡42, 115

◆法定相続情報証明制度
法定相続情報一覧図を提出することで、その一覧図に認証文を付した写しを交付してくれるというもの➡157

◆法定相続人
民法の規定によって相続人となる人➡107

◆法定相続分
民法に定められた相続分➡111

◆本来の相続財産
相続時に被相続人が所有していた民法上の相続財産➡17

ま

◆みなし相続財産
民法上の相続財産ではないが、相続税法が財産とみなして課税対象とする相続財産。生命保険金など➡17, 35

や

◆遺言
法律用語としては「いごん」と読む。法的な効力を生じる遺言については、民法でその方式や事項などが規定されている➡134

◆遺言執行者
遺言の執行に必要な一切の行為を行う義務と権利を持つ人➡135, 144, 155

◆遺言書保管所
自筆証書遺言を法務局で保管する制度で新設される保管所➡142

相続・贈与に関する法律と税金の

用語解説

➡のあとの数字は関連記事の掲載ページを示しています。

あ

◆**遺産分割**
共同相続人が承継した相続財産を各相続人に分配すること➡162, 165

◆**遺産分割協議**
遺産の分割方法を決めるための相続人全員での話し合い➡159, 162

◆**遺産分割協議書**
遺産分割協議がととのった場合に、協議内容を証明するために作成する書面➡163

◆**遺贈**
遺言により財産を他人に無償で与えること➡14, 115

◆**遺留分**
相続人のために留保されるべき相続割合。相続人からみると、最低限もらえる財産の割合➡116, 117, 123

◆**遺留分侵害額請求**
遺留分を侵害された相続人が遺贈や生前贈与などを受けた人に対して現金を請求すること➡117

◆**延納**
税金を一時に完納できない場合に、年賦の方法で納めること➡175, 180

か

◆**換価分割**
財産を売却して、売却代金を分ける遺産分割の方法➡165

◆**共同相続人**
2人以上の相続人がいる場合に、財産を共同で相続する人➡111

◆**寄与分**
被相続人の財産の維持・増加に特別の貢献をした相続人について、相続分に加算される財産の取り分➡127, 145

◆**血族相続人**
被相続人との血縁関係により相続人となる人➡107

◆**限定承認**
相続財産の範囲内で債務を弁済するという条件付きで財産を受け継ぐこと➡124, 157

◆**検認**
家庭裁判所が遺言書の現況を確認する手続き➡155

◆**現物分割**
財産をそのままの形で分ける遺産分割の方法➡165

◆**公正証書遺言（書）**
遺言者が口述した内容を公証人が書き取って作成する遺言書➡137, 148

◆**更正の請求**
税金の納付税額を過大に申告した場合に、納めすぎになっている税金の還付を請求する手続き➡186

さ

◆**債務控除**
相続税の計算上、相続財産から被相続人の債務および葬式費用を控除すること➡41

◆**死因贈与**
贈与者の死亡によって効力が発生する贈与契約➡14, 115

◆**指定相続分**
被相続人が遺言によって指定する共同相続人の相続分。法定相続分に優先する➡114

◆**自筆証書遺言**
遺言者本人が自筆で作成する遺言書➡137, 138

◆**受遺者**
遺贈により財産をもらった人➡115

◆**修正申告**
申告書の提出後に申告税額が過少であったことを発見した場合に、税額を修正するために行う申告のこと➡186

◆**受贈者**
贈与により財産をもらった人➡57

◆**審判分割**
審判による遺産の分割➡168

◆**推定相続人**
相続人になると推定される人➡61

◆**相続**
死亡した人の財産が、一定の身分関係にある人に移転すること➡106

◆**相続欠格**
相続人となるべき者が被相続人を殺害するなど一定の事由に該当する場合に、相続人の資格を失うこと➡126

◆**相続人**
被相続人の財産を相続する一定の身分関係にある人➡108

◆**相続人の廃除**
相続人になると推定される者に著しい非行が認められる場合に、被相続人が家庭裁判所に請求してその者の相続権を奪うこと➡126, 146

◆**相続人不存在**
相続人となるべき者の死亡、相続放棄などにより、相続人がいない状態➡130

◆**相続分**
共同相続人が被相続人の財産に

●監修者紹介

加藤　厚（かとう　あつし）

税理士、2級FP技能士、中京大学非常勤講師。1968年名古屋生まれ。税理士事務所勤務を経て2001年に独立、加藤厚税理士事務所開業。相続税の節税対策や事業継承対策を得意とし、法人会や商工会主催の講演活動や、地元テレビ・ラジオ出演も精力的にこなす。

相続関連では、郵政公社主催の「暮らしの相談センター」で相談員を務めたほか、中京大学のオープンカレッジで「相続税をゼロにする節税アイデア」などの講師を務めた。

URL　https://akoffice.jp　https://x.com/nNS76tVjcd0WzWa

山口里美（やまぐち　さとみ）

司法書士法人コスモ・行政書士法人みらいリレーション代表社員、グランサクシードグループ代表。1993年司法書士資格を取得、旅行業から法律業へ転身。97年に事務所を開設。グランサクシードグループは日本最大の女性代表（資格者）法人。グループとして全国26拠点にオフィスを構える。

“法律業を最高のサービス業へ”というスローガンは、封建的な士業界への疑念と、元旅行会社で培ったサービスマインド、そして女性法律家としての日々から得たものである。現在、著書・監修書15冊、金融機関・生命保険会社等主催での講演活動は年間70回以上。全国司法書士女性会副会長を務める。

URL　https://cos-mo.jp　https://mirairelation.jp

●本文デザイン ―― ユー・クリエイティブ／DADGADデザイン
●イラスト ――― 中村頼子・中野孝信
●編集協力 ――― 四釜裕美／キャロット企画／コンテンツ
●企画編集 ――― 成美堂出版編集部（原田洋介・芳賀篤史）

本書に関する正誤等の最新情報は、下記のURLをご覧ください。
https://www.seibidoshuppan.co.jp/info/wakariyasui-sozoku2406

上記アドレスに掲載されていない箇所で、正誤についてお気づきの場合は、書名・発行日・質問事項・氏名・住所・FAX番号を明記の上、**成美堂出版**まで**郵送**または**FAX**でお問い合わせください。

※**電話でのお問い合わせはお受けできません。**
※本書の正誤に関するご質問以外にはお答えできません。また法律相談等は行っておりません。
※ご質問の到着確認後10日前後で、回答を普通郵便またはFAXで発送致します。
※ご質問の受付期限は、2025年の6月末日到着分までと致します。ご了承ください。

わかりやすい相続税・贈与税と相続対策 '24～'25年版

2024年８月10日発行

監　修　加藤《かとう》 厚《あつし》　山口里美《やまぐちさとみ》

発行者　深見公子

発行所　成美堂出版
〒162-8445　東京都新宿区新小川町1-7
電話(03)5206-8151　FAX(03)5206-8159

印　刷　広研印刷株式会社

ISBN978-4-415-33448-6

iページの課税価格をあてはめる

相続税額早見表② 相続人が子どものみの場合

（単位：万円）

課税価格	子1人		子2人		子3人		子4人	
	相続税額	1人あたり納付税額	相続税額	1人あたり納付税額	相続税額	1人あたり納付税額	相続税額	1人あたり納付税額
6,000	310	310	180	90	120	40	60	15
7,000	480	480	320	160	220	73	160	40
8,000	680	680	470	235	330	110	260	65
9,000	920	920	620	310	480	160	360	90
10,000	1,220	1,220	770	385	630	210	490	123
15,000	2,860	2,860	1,840	920	1,440	480	1,240	310
20,000	4,860	4,860	3,340	1,670	2,460	820	2,120	530
25,000	6,930	6,930	4,920	2,460	3,960	1,320	3,120	780
30,000	9,180	9,180	6,920	3,460	5,460	1,820	4,580	1,145
35,000	11,500	11,500	8,920	4,460	6,980	2,327	6,080	1,520
40,000	14,000	14,000	10,920	5,460	8,980	2,993	7,580	1,895
45,000	16,500	16,500	12,960	6,480	10,980	3,660	9,080	2,270
50,000	19,000	19,000	15,210	7,605	12,980	4,327	11,040	2,760
55,000	21,500	21,500	17,460	8,730	14,980	4,993	13,040	3,260
60,000	24,000	24,000	19,710	9,855	16,980	5,660	15,040	3,760
65,000	26,570	26,570	22,000	11,000	18,990	6,330	17,040	4,260
70,000	29,320	29,320	24,500	12,250	21,240	7,080	19,040	4,760
75,000	32,070	32,070	27,000	13,500	23,490	7,830	21,040	5,260
80,000	34,820	34,820	29,500	14,750	25,740	8,580	23,040	5,760
85,000	37,570	37,570	32,000	16,000	27,990	9,330	25,040	6,260
90,000	40,320	40,320	34,500	17,250	30,240	10,080	27,270	6,818
95,000	43,070	43,070	37,000	18,500	32,500	10,833	29,520	7,380
100,000	45,820	45,820	39,500	19,750	35,000	11,667	31,770	7,943
150,000	73,320	73,320	65,790	32,895	60,000	20,000	55,500	13,875
200,000	100,820	100,820	93,290	46,645	85,760	28,587	80,500	20,125
250,000	128,320	128,320	120,790	60,395	113,260	37,753	105,730	26,433
300,000	155,820	155,820	148,290	74,145	140,760	46,920	133,230	33,308
350,000	183,320	183,320	175,790	87,895	168,260	56,087	160,730	40,183

より近い相続税額を知りたい人は、50ページの計算シートを使って計算してみましょう。

あなたの財産にかかる相続税はいくら？

iページで「相続税がかかります」となった人は、「相続税の総額」がいくらになるのか、おおよその金額を把握しておきましょう。

iページの課税価格をあてはめる

相続税額早見表① 相続人が配偶者と子どもの場合

（単位：万円）

課税価格	配偶者と子1人		配偶者と子2人		配偶者と子3人		配偶者と子4人	
	相続税額	1人あたり納付税額	相続税額	1人あたり納付税額	相続税額	1人あたり納付税額	相続税額	1人あたり納付税額
6,000	180	90	120	30	60	10	0	0
7,000	320	160	225	55	160	27	100	13
8,000	470	235	350	80	275	46	200	25
9,000	620	310	480	120	400	67	325	41
10,000	770	385	630	158	525	88	450	56
15,000	1,840	920	1,495	374	1,330	222	1,175	147
20,000	3,340	1,670	2,700	675	2,435	406	2,250	281
25,000	4,920	2,460	3,970	993	3,600	600	3,375	422
30,000	6,920	3,460	5,720	1,430	5,080	847	4,700	588
35,000	8,920	4,460	7,470	1,866	6,580	1,097	6,200	775
40,000	10,920	5,460	9,220	2,305	8,310	1,385	7,700	963
45,000	12,960	6,480	10,985	2,746	10,060	1,677	9,200	1,150
50,000	15,210	7,605	13,110	3,278	11,925	1,988	11,000	1,375
55,000	17,460	8,730	15,235	3,809	13,800	2,300	12,875	1,609
60,000	19,710	9,855	17,360	4,340	15,675	2,613	14,750	1,844
65,000	22,000	11,000	19,490	4,873	17,550	2,925	16,625	2,078
70,000	24,500	12,250	21,740	5,435	19,770	3,295	18,600	2,325
75,000	27,000	13,500	23,990	5,998	22,020	3,670	20,600	2,575
80,000	29,500	14,750	26,240	6,560	24,270	4,045	22,600	2,825
85,000	32,000	16,000	28,495	7,124	26,520	4,420	24,600	3,075
90,000	34,500	17,250	30,870	7,718	28,770	4,795	26,800	3,350
95,000	37,000	18,500	33,245	8,311	31,020	5,170	29,050	3,631
100,000	39,500	19,750	35,620	8,905	33,270	5,545	31,300	3,913
150,000	65,790	32,895	60,630	15,158	57,000	9,500	54,400	6,800
200,000	93,290	46,645	86,880	21,720	82,365	13,728	79,000	9,875
250,000	120,790	60,395	113,260	28,315	108,615	18,103	104,100	13,013
300,000	148,290	74,145	140,760	35,190	134,865	22,478	130,350	16,294
350,000	175,790	87,895	168,260	42,065	161,115	26,853	156,600	19,575

表の見方

相続税の総額の計算方法は43ページを参照してください。
右側の「1人あたり納付税額」は、法定相続分どおりに相続した場合の、子ども1人あたりの納付税額を表しています。

＊課税価格は基礎控除前の金額（相続財産－債務・葬式費用）。子どもはすべて成人とします。
＊ｉページの相続財産の価額に「贈与財産」を含めた人で、子どもが納付した贈与税額がある場合は、その額が子どもの納付税額から控除されます（赤字の場合は還付）。